新潮文庫

葬送

第一部（上）

平野啓一郎著

新潮社版

7733

葬送

第一部（上）

主要登場人物

フレデリック・ショパン……………………………ポーランド出身の音楽家
ウージェーヌ・ドラクロワ…………………………画家
ジョルジュ・サンド（オーロール・デュドヴァン）
……小説家　ショパンの愛人
モーリス……………………………………………サンドの息子
ソランジュ…………………………………………サンドの娘
オーギュスティーヌ………………………………サンドの養女
オーギュスト・クレザンジェ……………………彫刻家
カジミール・デュドヴァン男爵…………………サンドの法律上の夫
フェルナン・ド・プレオー………………………ソランジュの婚約者
オーギュスト・フランショーム…………………チェロ奏者　ショパンの親友
ジョゼフィーヌ・ド・フォルジェ男爵夫人…ドラクロワの愛人
ジェニー・ル・ギユー……………………………ドラクロワの家の使用人
フレデリック・ヴィヨ……………………………銅版画家　ドラクロワの親友

葬送

第一部（上）

堕落とは何か。
仮にそれが、一元が二元になったことだとするならば、
堕落したのは、神だということになる。
言いかえれば、創造とは神の堕落ではあるまいか。
——ボードレール

千八百四十九年十月三十日

馬車は、道々に溢《あふ》れ返って、舞踏会の前の混乱さながらに、犇《ひしめ》き合い、渋滞していた。

午前十一時の開場を待たずして、マドレーヌ寺院の階段前の広場には、既に千人を超す人群が出来ていた。島嶼《とうしょ》の群のように点在する馬車を避《よ》けつつ、所狭しと一帯を領する喪服の黒のそこかしこから、時折俯《うつむ》きがちな人の顔が覗《のぞ》く。感慨深く回想する様子の者。人生とは、というような、何か漠然とした考えに捕われている風の者。一瞥《いちべつ》を投げ掛け、怯《おび》えたようにすぐに目を逸《そ》らす者。会話の途中で不意に首を擡《もた》げ、呼ばれたように錯覚する者。視線の先にあるのは、正面の入口を覆《おお》う黒幕の上のＦＣの二文字である。柱廊の奥に控え、朝日を逃れて、天鵞絨《ビロード》の上にひっそりと銀色に輝くその縫取りは、岸壁の彼方《かなた》に懸かる月のように遠い。人々は、波のような微《かす》かなざわめきを立てながら、献花に埋め尽くされた階段の下へとゆっくりと打寄せる。夜の海が漸《ようよ》う満ちゆくようにして、前方から人の潮《うしお》が少しずつ密になってゆく。

――あなたの仰《おっ》しゃることは分かります。しかし、いいですか、そもそも、……

――分かるんだったら、何とかし給《たま》え。私はまだしも、家内はどうなる？　生前彼が、これのことをどれほど慕っていたか！　君は、弟子の癖に、そんなことも知らないのかね？

――ああ、わたくし、あの方に、最後のお別れを申しあげることも出来ませんの？　何てことでしょう！　あなたに、どうしてそんな残酷な決定が下せるというのかしら？　教えてちょうだい！　式場にわたくしの姿のないことを知ったら、あの方、神様の許《もと》へとお出《い》でになる前に、どんなにお嘆きになるかしら？　ああ、おかわいそうに！　本当に、何て残酷な！……

階段の西の端《はし》では、彼此《かれこれ》一時間ほども前からこんな遣《や》り取りの声がしている。騒ぎというほどではない。それで、大半の者は気づかずにいるのだが、近づくとその場違いな響きが硝子《ガラス》が割れる音のように際立《きわだ》って、否応《いやおう》もなく注意を引き寄せられる。何を言おうとしているのかは判然としない。しかし、声が高いということが、とかく神経に障《さわ》って苛立《いらだ》たしい。悲嘆の余り正体を失って叫んでいるという風でもない。寧《むし》ろ、芝居小屋の入口で突然公演の中止を告げられた客が、説明に出て来た者を相手に怒りをぶちまけているといった様子である。周囲には既に、岩礁《がんしょう》に不自然に流れが滞って渦を巻いているかのように、小さな人だかりが出来ている。声の主の姿は見えない。応ずる者は一人、それに何やら訴え掛けている者が数人いるようである。

人を分け、漸《ようや》く階段の前にまで辿《たど》り着いた彼も、この時それらの声を耳にして一瞬立ち止まった。女は依然として、恨み言めいた言葉を連ねながら、大仰なしゃくりを立てて嗚咽《おえつ》を漏らしている。男の方は、今度はその応対の仕方が気に入らないと言って、猛烈な剣幕で捲《まく》し立てている。やはり陰になっていて、声の聞こえるばかりであるが、受け答えをしている長身の青年の顔だけは、周囲の者の頭越しに稀《まれ》に覗くことがある。たまたまそれが目に留まった。ぽつんと一つ飛び出した人の良さそうな童顔が、不快と苛立ちとで今にも歪《ゆが》み出しそうになりながら引き攣《つ》っている。アドルフ・グートマンであった。一瞥した後、素通りするつもりであった彼も、それに気づいてもう一度確認するようにそちらを見遣った。やはりグートマンのようである。そして、何となく気になってそのまま声のする方へと近づいて行くと、彼のみならず、中にいるものとばかり思っていたヴォイチェフ・グジマワ伯爵《はくしゃく》、カミーユ・プレイエル、クレザンジェ夫妻、それにオーギュスト・フランショームの五人までもが、それぞれに、悲しみというよりは、幾分当惑に近いような表情を浮かべて、下を向いたり、人の群を眺めたりしながら、少し離れたところに立っていた。

歩み寄って来たウージェーヌ・ドラクロワに、最初に気がついたのはフランショームであった。次いで、あとの四人が殆《ほとん》ど同時に彼を認めた。

「あれは？」

帽子の丸鍔《まるつば》の影に沈む深い眼窩《がんか》の底で、泣き腫《は》らした両目が熱に膨らんだかのように薄い肉を盛っている。赤らんで、瞼《まぶた》は瞬《まばた》きをする度にその肉の分だけ重たげである。言葉を追うようにして、左右の眸《ひとみ》が、指の代わりにその方向を指した。

――そもそもだね、追悼というのは、そうして一握りの特権を有する者にだけ許されるべき行為なのかね？　ん？　我々にも当然、かの偉大なる作曲家の死を悼《いた》む権利があるとは思わんかね？……

――いや、君、それは違うぞ！　特権を有する者などというその言い方自体が間違っているんだ。今の世の中にはそんな人間は存在しないのだから！　見てみろよ、今日ここに集まっている連中を！　奴《やっこ》さん達はみんな一人残らず亡霊さ。七月王政期に鱈腹《たらふく》味わった堕落と退廃の甘い汁を今も懐《なつ》かしんでいる死にぞこない達じゃないか！……

五人はそれぞれ、促されてちらとその視線の先に目を遣ったが、誰のものとも知れぬ溜息《ためいき》を一つ返したきり、すぐにまた下を向いて黙ってしまった。

ほど経て、事の次第を説明しようと、グジマワ伯爵が首を擡げた。しかし、画家の顔を正面に見た途端、今朝から不思議と治まっていた涙が、俄《にわ》かに込み上げて目鼻の裏に迫って来たので、言葉は発せられることなく已《や》んだ。伯爵はドラクロワを見た。しかし、その眼《まなこ》に映り、涙を導いたのは、彼の面に現れた憔悴《しょうすい》のあとではなかった。それはもっと繊細な感情が発見し、別の涙を導く筈《はず》であった。相手の胸中を察し、苦悩を思いやり、自身の悲痛と重ねて同情を寄せる。――そうした余裕は更になかった。彼は今、故人の愛した人間が自分の目の前にいるという、ただその単純な事実の為《ため》に泣いた。それに理屈はなかった。

ドラクロワは、黙って彼の落ち着くのを待った。すると、見兼ねたフランショームが口を開いた。

「……例の招待状の件ですよ。あなたも心配してらした通り、葬儀の招待者の名簿から、随分と生前にショパンと親しくしていた人の名前が漏れていましてね。——私も、ロズィエール嬢達と一緒に、何度も話し合って、注意はしていたつもりなのですが、……何分慌《あわただ》しかったものですし、私自身も、こんな時ですから、……どうしても、……」

「ええ、……」とドラクロワは、庇《かば》うようにして口を挟んだ。「……仕方ありませんよ。」

「……それで、昨日までに知らせを受けた分については何とか対応したのですが、今朝になっても、そういう人達が相当に出て来まして、——こんなことを言うのも何ですが、実際のところ、彼らみんなに本当に今日の葬儀に出る資格があるのかどうかは分かりません。勿論《もちろん》、あの愛すべき魂に、誰もが別れを告げたがっているということは理解出来ます。しかし、寺院の中に這入《はい》れる人数というのは、限られている訳ですから。……イギリスからわざわざこの日の為にやって来たというご婦人で、スターリング嬢さえ知らないような人もいました。ベルリオーズとは親しいから、彼を呼んで欲しいと頻《しき》りに繰り返していましたが。……それでも私達は、出来るだけの配慮はしたつもりです。」

「ええ、分かります。あなたは我々の愛《いと》しい友人の為に、真に貴重な友情を示して、煩《はん》を厭《いと》わず葬儀の準備を行ってきたのですから。」

「……有難うございます。――あの夫婦は、ルーアンから来たらしいのですが、……」

そう言い掛けたところで、フランショームは言葉を詰まらせた。頭の中に、次いで説明せねばならない事柄が溢れ出して、うまく整理がつかなかった。喋《しゃべ》る気力もなかった。

あとを継いで、今度はカミーユ・プレイエルが口を開いた。

「まァ、怪しいもんですな。少なくとも、私も、グジマワ伯爵も、フランショームさんも、誰も知りませんよ。そういう手合は多いですがね。」

「しかし、……それが、あの騒ぎなのですか?」

「いいえ、違うんです!」と、ここで突然クレザンジェ夫人が声を上げ、彼の質問に応じた。「違うんですの! 本当に莫迦《ばか》げた話ですわ! 今日ここに着いてからというもの、わたし達、ずっとそうした招待名簿から漏れてしまった人達の対応に追われていたんです。そうしたら、途中から急にあのおかしな人達が来て、とても信じられないような酷《ひど》いことを言い始めたんです! ねェ、あなた?」

促されて、クレザンジェが口を挟んだ。

「どうせ、カルティエ・ラタンのぼんくら学生か、昨日の暴動でやいのやいのとやっていた連中の仲間か何かでしょうがね。」

「それで、挙句の果てに自分達も葬儀に参加させろだなんて言い出したんですの! 考えられます？　どうしてあんな人達に今日の葬儀に出席する資格があるかしら！　わたし勿論、お断りしましたわ。そうしたら、あの人達、わたしがジョルジュ・サンドの娘だって気がついて、お母様のことを口汚なく罵《ののし》り始めましたの。嘘吐《うそつ》きだの、卑怯《ひきよう》だのって！　ああ、でも、それも尤《もつと》もですわ！　だって、あの人達が言っていることはみんなお母様の本に書かれてあることばかりですもの！　あの人達も、お母様の本に惑わされた被害者なんですわ！　それで、わたし、もうどうしていいのか分からなくなって、……」

感情が高ぶって収拾がつかなくなった彼女の様子を見て、プレイエルが残りの話を引き受けた。

「それで、私が代わりに彼らを追っ払う役目を引き受けたのですが、じきに今度は今日《レクイエム》を歌うことになっている歌手達の代理人が現れましてね、まったく破廉《はれん》恥《ち》極まりない話ですが、報酬に二千フランを寄越さなければ出演を辞退する旨《むね》を伝えて来たんです。」

「本当ですか？」

ドラクロワは訝《いぶか》しげに眉《まゆ》を顰《ひそ》めた。

「そのようですな。あれほどショパンと親しかったヴィアルド夫人も含めてです！」

グジマワ伯爵は、ここで漸く面《おもて》を上げ、吐き捨てるように言った。

「そうですか。……」

「それで、」とすぐにまたプレイエルが続けて、「まァ、そもそもその男が本物の代理人かどうかを確認する必要もありましたし――こうした混乱に乗じて悪さをしでかす人間はいますからね――、私は歌手達を探す為に一旦《いったん》この場を離れて寺院に戻らねばならなかったのですが、その間に彼らの相手をしてくれていたのがグートマンさんという訳です。事を荒立てたくないからと言って、みんなを制して独りで交渉に当たっているのですが、……」

クレザンジェは、それに応じて、

「しかし、……ちょっとくらい騒ぎを起こさせて、早いうちに警察に取っ捕まえてもらった方がいいように思いますがね。昨日の一件があって、大分数が出ているようですから。もうずっとあの調子ですよ。何が楽しいのか。」と冷ややかに言った。

「まァ、それも一つの手かもしれません。どうしようもない連中ですから。……まったく、今という時代には悲しみさえもが所有権の問題となり得るということを私は初めて知りましたよ。平等に分配すべしという訳です。葬儀の参列者も普通選挙でも選べば満足だったんでしょうが。――」プレイエルは頷《うなず》きながら言った。そして、「とにかく、そんな連中が喚《わめ》き出したものですから、外の招待状が来てないということで苦情を訴えていた者達までもが、自分達はこんなやくざ紛《まが》いの若者達と一緒にされては困る、心からショパンを愛し、慕っていたからこそ、今日ここへ来たのだとちょっと昂奮《こうふん》し始めましてね。挙句の果てがご覧の通りの大騒動ですよ。大分人垣が大きくなってきましたから、そのうち警察も来るでしょうが、そろそろ呼びに行かせましょうかね。」と両手を挙げて、大袈裟《おおげさ》に頭《こうべ》を振ってみせた。

押し黙ったまま涙を拭《ぬぐ》うクレザンジェ夫人の傍らで、グジマワ伯爵とフランショームともまた何も応《こた》えなかった。ドラクロワは、二人が故意に作ったかのようなその沈黙の中で、「なるほど。」と一声返事をし、持て余した間《ま》を埋めるようにして、小さく何度も頷いた。

事実それは、作られ、返答として差し出された沈黙であった。フランショームは、一瞬プレイエルの方を顧《かえりみ》た後に、今は頷くのも已めて無表情にその収拾のつかない遣り取りの様子を眺めているドラクロワの方に視線を注いだ。プレイエルを見遣ったのは、彼に示す為の合図であった。気がついて振り向き、言葉に出来ない今の心情を察して欲しかった。グジマワ伯爵は、口を真一文字に結んで涙を堪《こら》えている様子であった。プレイエルは、まだ何か言い足りなそうな顔をしていた。彼だけが、分かってくれるような気がした。一目振り返って、こちらを見てくれるだけで良かった。

——それなら、せめて、家内だけでも、……

——そんな勝手が許されるものか！　彼女に席が与えられるのなら、我々にも当然に与えられてしかるべきだ！……

クレザンジェ夫妻やカミーユ・プレイエルの説明に誤りはなかった。彼らの口調が自《おの》ずと帯びた侮蔑《ぶべつ》や嫌悪《けんお》の情は、フランショームにもよく理解された。しかし、それを黙って聴いていることには何か堪え難いほどの不快があった。内容は言うまでもない。しかし、それはより大きく語り方に、いや、寧《むし》ろ語るという行為そのものに関わっていたのではあるまいか？

ショパンが死んでからというもの、彼はずっと或《あ》る表現に難い心中の麻痺《まひ》を感じていた。血を抜かれたかのような麻痺であった。その麻痺の頭痛のように鈍く波打つ渾沌《こんとん》の淵《ふち》で、様々な情念や意思が、虚《むな》しく生起しては沈んでいった。言葉は無力で、役に立たず、軽薄で、自分とは疎遠《そえん》な感じがした。その作りものめいた秩序の内に、自分の思いを順序良く委《ゆだ》ねてゆくことが、いかにも不毛であるように感ぜられた。発せられる言葉は、常に罅《ひび》割れ、底が抜けて彼の本心を汲《く》みそこなった。発せられた言葉は、どんなものでも質を問わずに煩《うるさ》く響いた。会話は面倒で、出来るだけ短く済まされ、しかも決まって、その最も皮相な意味に於《お》いてのみ遣り取りされた。意味など考えなかった。考えずに済む返答しかしなかった。それは、彼に限ったことではない。多かれ少なかれ、周囲の誰しもが感じていた筈のことであった。その同じ麻痺を、彼らが知らなかった——少なくとも知らぬように見えたことが、恐らくは不快なのであった。まるで死んだ友人への彼らの思いそのものまでをも疑わねばならぬほどに。彼はその理不尽を、子供染《じ》みた感受性の過敏を、内省することが出来なかった。それにだに及ばぬほどに麻痺していた。言葉はとかく煩かった。誰のものでも同じであった。彼がプレイエルの結びの提案に同意も反論もしなかったのは、再び口を開いて会話に加わることに強い抵抗を覚えたからであった。そのまま言葉から遠ざかっていたかった。無気力に身を委ねて、一切から連絡を絶ってしまいたかった。

プレイエルは、自分の言葉に何の返答も得られなかったことを訝りながら、実際に警察を呼びに行くべきかどうかを思い迷って今一度人集《ひとだか》りの方へと目を転じ、いよいよ辟《へき》易《えき》として、「ふん、」と大きく鼻で息をした。

——第一僕は、ショパンの音楽自体、ちっとも感心しないね。妙な転調を繰り返して、そこに指のこんがらがるようなへんてこな旋律を捩《ね》じ込んだ、外連味《けれんみ》の強いだけの薄っぺらな音楽じゃないか。……

葬儀へ出席する為の権利を主張していた者達が、そろそろ飽き始めて少し大人しくなったところに、何処《どこ》からかまた別の者が現れて、今度はショパンの音楽そのものについての批判を始めた。そして、堕落した金持連中の為に曲を書き続け、彼らによって生かされていたショパンこそは、まさしく堕落した作曲家の典型だった、ポーランドは彼のような音楽家を称《たた》えている限りは永久に独立など出来まいという冷笑的な結論に至って、既に式への参加を諦《あきら》めていた者達までもが、再び元気を取り戻して拍手喝采《かっさい》を送った。グートマンは、これに殆ど吐気の込み上げて来るほどの怒りを覚えた。そして、震えながら既《すんで》に相手に摑《つか》み掛かろうとした時、人垣から、それに先んじて悲鳴や罵声《ばせい》や非難の声が上がった。その声の尋常でないことが、彼ら自身を驚かせ昂奮させた。次いで、銘々が思い思いに憤《いきどお》りを表し、たった今発せられた冒瀆《ぼうとく》的な言葉を、径《ただ》ちに撤回するように要求した。相手も負けじと反論した。唾《つばき》が飛び交った。混乱の余り失神する女までいた。皆、グートマンに加勢するつもりで、何時《いつ》かそのことを忘れていた。ショパンの為を思いながら、何処かでそう思う自分の為を思っていた。

騒ぎは却《かえ》って大きくなった。

「……やっぱり、グートマン君だけではかわいそうだ。」

グジマワ伯爵《はくしゃく》が、そう言って自ら仲裁に向かおうとした。

「私が行って来ましょう。とても正気の沙汰《さた》ではありませんな。」

一生涯、誰よりも強く故国の独立を祈念していた友人が、まるでその妨げとなっていたかのような主張を耳にして伯爵の顔色は一変していた。それを素早く看《み》て取って、プレイエルが応じた。クレザンジェは、漸《よう》く治まりつつあった妻の昂奮がまたぶり返しそうな気配を察知して、警察を探して来ると言って彼女を伴い、その場をあとにした。フランショームは、じっとしたまま、それを弁解するような目つきで、またドラクロワの方を見た。彼はやはり振り向かなかった。——焦点の曖昧な目で、ぼんやりとその光景を眺めているだけであった。――

　今朝、予定よりも早く自宅を出たウージェーヌ・ドラクロワは、寺院へと向かう前に、嘗《かつ》てショパンの住んでいた二つのアパルトマンに立ち寄った。最初はスクワール・ドルレアンに、次いで少し回り道をしてヴァンドーム広場に。どちらも中には這入《はい》らなかった。ほんの数分足を止めて、建物の前に立っていただけであった。

　彼が二つの場所を訪《と》うたのは、深い理由からではなかった。人に会いたくなかったので、ノートル＝ダム＝ド＝ロレット街の家からは乗合馬車《オムニビュス》にも乗らずに歩いて寺院へと向かっていた。その途中で、ふとそんなことを思いついたのであった。故人の所縁《ゆかり》の場所を訪ねて、思い出を偲《しの》ぼうなどという気はなかった。ただその場所が思い浮かんで、何となく歩き始めたというに過ぎなかった。最初はスクワール・ドルレアンにだけ足を運ぶつもりでいた。それはもう数え切れぬほど何度も往復した道であった。目にする景色の一つ一つが余りに激しく涙を絞るので、その都度立ち止まって引き返そうかと考えた。目深《まぶか》に帽子を被《かぶ》り、顔を伏せた。そして、閉ざされた門の前まで来て、また一頻《ひとしき》り泣いた。目に触れたのは、やはり景色であった。石壁であり、窓であり、門であり、柱であった。それらが、何にも先んじて涙と結び合った。言葉は追いつかなかった。記憶ですら、ずっと遅れてあとから追い掛けて来た。景色と眼《まなこ》との間には、感情ですら這入り込む余地がなかった。景色は眼に映り、映った眼の中で、景色そのものが泣いた。

スクワール・ドルレアンをあとにしてからは、そのままマドレーヌ寺院へと向かうつもりでいた。しかし、イタリア座大通りに出た途端、何処でも構わないから遠回りをしたくなった。そしてキャプスィーヌ大通りの手前で左折し、ラ・ペ街を抜けて、ヴァンドーム広場の彼の最後の家に行くことにした。

自分の気紛《きまぐ》れの意味が、よく理解出来なかった。行ったところで、また涙の出るばかりだと思った。生前の彼を終《つい》に訪うことの出来なかったその場所。そこに今、自分は足を向けようとしている。何故《なぜ》だろう？――知人と出会《でくわ》し、知人の乗る馬車と擦れ違った。皆同じ方向を目指している。大通りを南に向かって横切ろうとしているのを不審に思って声を掛ける者もあった。彼はそのすべてに俯《うつむ》いたまま気づかぬ風《ふり》をした。独り別の方向に歩いて行くことが、何となく後ろめたいように感ぜられた。そして、それを見咎《みとが》められることが怖かった。

ヴァンドーム広場に着いて、東側十二番地のショパンのアパルトマンへと至ると、中庭に這入って、やはり何もせずに建物だけを見ていた。ショパンはここにもいなかった。まるで留守のようであった。上がり込んで待っていれば、そのうち帰って来て、昔のように寒い寒いと暖炉の側に駆け寄って来そうであった。ショパンはいない、――ここにいない。不在の彼が、そうして彼のいないことを曖昧にしてくれるような気がした。錯覚に縋《すが》りつきたかった。出来ればこの場で、彼の帰りを待ちたかった。葬儀の会場であるマドレーヌ寺院の地下には、凍えながら横たわっている彼がいる。彼のいないことを確かに教えてくれる彼が。——考えると、気が違いそうになった。玄関の前に置かれた献花は、故人の足あとのように華やいでいる。帽子を小脇《こわき》に抱えて、頭を搔《か》き毟《むし》った。胸の痙攣《けいれん》が治まらず、肩まで震えた。何度も涙を拭って、その都度両目を見開き、眸《ひとみ》を晴らそうとした。数秒と持たなかった。上を向いて空を見つめた。そうしていると、景色が眼に触れずに済んだ。

フォーブール・サン＝トノレにまで連なる馬車の列を縫って、ロワイヤル街に出ると、右に折れて、寺院前の広場を望んだ。人の多さに、気が重くなった。進行の打合わせをする為《ため》に、彼は人より早めに寺院の中へと這入らねばならなかった。

広場に着いてほどなく、人に囲まれ、是非とも今日ここに来ていたことを記事に書いておいて欲しいと懇願されているテオフィル・ゴーティエに声を掛けられた。

「あれほど高貴な芸術家が、こんなにも早く逝《い》ってしまうとは！　この世界は、偉大なる魂の永く逗《とど》まる為には、余りに不出来な場所なのだと、私は改めて感じましたよ。本当に残念なことです。……」

ゴーティエは暫《しばら》く、ショパンの音楽について、そして、彼との交流についてを、予《あらかじ》め家で準備してきたかのような流暢《りゅうちょう》な口調で喋《しゃべ》り続けていたが、一通り語り尽くすと、最後に来年の官展《サロン》の話を序《つい》でだからと短くつけ加えた。ドラクロワは、帽子を深く被ったまま時折「ええ。」とだけ返事をしていた。上の空で聞いていたので、意見を求められても、気づかず「ええ。」と答えたりした。行く手は、滞っていた。ゴーティエの向こう隣では、見知らぬ二人の婦人が、声高にショパンとの思い出を語り合っていた。耳が自然と、そちらの方の声を集めた。一方が、ショパンを晩餐《ばんさん》に招待し、マズルカを数曲弾いてもらったと自慢すると、もう一方が、自分は彼の厳格なレッスンを、四箇月にも亘《わた》って忍耐強く受けたと応じた。厳格ではあったが、誠実で愛情のある指導だった――取り分け自分には――、そう言い添えることを忘れなかった。彼との親しさを強調する為には、出来るだけ大仰な嘆傷の身振りが必要であった。マズルカの婦人は、苦心して搾《しぼ》り出した涙を、うっすらとその両目に浮かべた。すると負けじと、レッスンの婦人も、辛うじて視界が霞《かす》む程度の涙を拵《こしら》えた。もう一頑張りであった。しかし、こちらの婦人には、マズルカの婦人のような堪《こら》え性がなかった為に、一度強く瞼《まぶた》を閉じて無理にもそのしずくを頬に伝えようとして、却って折角零《こぼ》れようとしていた涙のすべてを上下の睫《まつげ》に吸い取らせてしまった。マズルカの婦人は、レース越しに、睫の隙《すき》でビーズのようにキラキラと光っている涙の玉を見て、下を向いて思わず吹き出した。そして、笑いとともにやっとのことで溢《あふ》れ出そうであった自分の涙までもが干上がってしまったのに気がついて、今度は相手の滑稽《こっけい》さに腹を立てた。

優雅に反り返る濡《ぬ》れた睫の狭間《はざま》で、死はそうして瞬《まばた》きにゆっくりと嚙《か》み砕かれるようにして消費されていった。

ドラクロワは、この短い笑劇《ファルス》の齎《もたら》す訓戒を瞬時に察し、それを拒んだ。そして、急いでその場を立ち去った。こんな取るに足らぬ茶番が、ショパンの死の有する何か大きな意味と結びついてしまうことが、彼には許し難かった。それは是非とも、縦《たと》え何事かを意味していようと、その最も軽薄な皮肉でしかない筈《はず》だと信ぜられるべきであった。

ほど経て、辺りを見回し、漸く彼は傍らにゴーティエの姿のないことに気がついた。自分が彼とどういう別れ方をしたのか、幾ら考えてみても覚えてはいなかった。……

カミーユ・プレイエルに伴われて口論の場から退いて来たアドルフ・グートマンは、この時初めてドラクロワに気がついた。そして、顔を強張《こわば》らせたまま、目を閉じ首を二三度横に振った。話は既についていた。ルーアンの夫妻には、プレイエルが耳打ちして席を準備する旨《むね》を伝えた。その外にも、幾人かの者の為に椅子《いす》を新たに調達して来る手筈を取った。喧嘩腰《けんかごし》の口論になると、そこまでして参列を断らねばならない理由が、グートマンにも分からなくなっていた。彼は単に、席が足りないという事情を説明したかったただけであった。その他の明らかにショパンと面識のない者らのことは捨て置いた。彼らとて、固《もと》より本気で葬儀に参列するつもりなどなかった。今はただ、途中からグートマンの加勢に回った幾人かと、感情的な言葉の遣《や》り取りを続けている。

混乱は覚悟していたとはいえ、これほどの珍事は、誰も予期だにしていなかった。歌手達の報酬の請求ともども、事件のくだらなさが、居合わせた者皆を遣りきれぬ思いにさせた。

階段を上りながら、ドラクロワは、振り返って、来た時よりも更に数を増した喪服の群衆を眺めた。今もその何処かで、笑劇《ファルス》は新しい配役を得て演じられているに違いない。いや、或《あ》るいは自分とて、彼らと同じ舞台の上で、より大きな同じ一つの喜劇の一役を担《にな》っているに過ぎないのではあるまいか？——そう信じるに足る理由は十分にあった。そして、それを思う彼の心中は、今以《もっ》て悲しみとすら呼べぬような白んだ闇《やみ》に領せられたままであった。

彼もやはり、深い麻痺の淵にいた。そして、その麻痺を齎し、今もその底にあって無力の中心であり続ける一なる事実を思う為に、既に幾度となく繰り返し、繰り返した分だけ空疎になってゆく或る言葉のことを考えた。——と、その時、まさしくその同じ言葉を、側にいたフランショームが、彼にだけ聞こえるような小さな声で呟《つぶや》いた。

「ショパンは死んだのですね。」

ドラクロワは、驚いてこの時、漸く彼の方を振り返った。そして、暫く黙っていた後に、彼がそれを敢《あ》えて口にしたことの意味を朧気《おぼろげ》に理解して、

「ええ、ショパンは死にました。」と答えた。

口論の成り行きを心配して、彼らを探しに来ていたマリー・ド・ロズィエール嬢が、皆の姿を見つけて、寺院の中へと誘った。

葬儀はもう間もなく、始まる筈であった。

第一部（上）

一

千八百四十六年十一月十二日、フレデリック・ショパンは、ジョルジュ・サンド夫人の家族をノアンの館《やかた》に残したまま、独り三十時間の馬車の旅を経て、パリのスクワール・ドルレアン九番地の自宅へと戻って来た。

入市税関の手続きを終え、市門を潜《くぐ》る頃には、もう午《ひる》を過ぎていた。ラフィット・エ・カヤール社の遠距離乗合馬車《ディリジャンス》がサン＝トノレ街の発着所に着くと、頼んでおいた通りに自家用の馬車が待っていたので、旅の疲れに悴《やつ》れたその顔にも自然と笑みが浮かんだ。夜通し凸凹道に揺られたせいで、地面に降りても、暫《しばら》くまっすぐに立つことが出来なかった。下半身が熱を含んだように痺《しび》れていた。車輪の振動が、一緒に馬車を降りて来て、尻《しり》に張りついているようであった。周りを見渡すと、皆同じような前屈《まえかが》みの姿勢になってよろよろと歩いている。そこから腰の痛みを堪《こら》えつつゆっくりと上体を起こす様が、何とも言えず滑稽《こっけい》であった。自分もあんなだろうかと想像すると思わず苦笑が漏れた。

「大丈夫でございますか？」

使用人のピエールが、荷物を抱えながら声を掛けた。彼は、心配されると尚更《なおさら》おかしくなって、

「うん。大丈夫だよ。人間やっぱり、痛さには敵《かな》わないものだね。」とわざとのように腰を擦《さす》ってみせた。「こんなみっともない格好を人に見られると大変だから、早々に馬車に乗り込むことにしよう。それにしても、君は元気だね。僕より悪い席だったのに。」

そう言われると、ピエールは、

「ええ、そりゃァ、もう。」と自慢気に答えて、跳ねるような足取りで馬車へと向かった。

道が空《す》いていた為《ため》に、発着所からはすぐであった。予定よりも少し遅れる程度で家に着くと、マリー・ド・ロズィエール嬢が、暖炉にたっぷりと薪《まき》を焼《く》べ、連れて来た使用人に昼食を準備させて待っていた。

「……エティエンヌ夫人も今日は朝からとてもはりきってらっしゃいましたわ。」

「そうみたいですね。まァ、せっかくあんなに忠実な管理人がいるんですから、僕もみんな彼女に任せてしまえばいいんですけど、どうしても細かなところはあなたに頼ってしまって。今回も留守中に随分と面倒を掛けてしまいましたね。」

「いいえ、どうかお気になさらずに。」

迎えに出たロズィエール嬢は、部屋へと戻りながらそう答えた。彼らのパリにいない間の用事は、すべてこの五歳年上の女性が引き受けていた。彼女は元々はショパンの生徒であったが、何時《いつ》しか秘書の役目も果たすようになり、更には友人ともなってその私生活の様々な面に於《おい》て関わりを有するようになっていた。

「それより、お疲れになったでしょう？」

「……ええ、やっぱり。……ただ今回は、運良く前仕切《クーペ》りに僕一人しかいませんでしたから。——お陰で少しは眠れて何時もよりは楽でしたよ。」

「ノアンまで、もう少し近ければ好《よ》かったのにと、わたくし何時も思いますわ。」

「百リウですからね。でも、遠いから、あんなに静かなんですよ、あそこは。」

　こう言いながらサロンへと足を運ぶと、ショパンは、一頃多くの青年達が真似《まね》をした有名な山羊《やぎ》革の白い手袋を脱いで、その脱いだ手袋以上に白い手で、それを無造作に卓の上に置いた。ロズィエール嬢は、この些《さ》細《さい》な動作を、何時もながら聖像を拝するような敬虔《けいけん》な気持ちで眺めた。男女を問わず、誰もがその手に憧《あこが》れた。支那《しな》の竹細工のようにしなやかな、節の膨んだ細く長い指。肉の薄い甲。少し平らになった指先とその平らになった分だけ短くなった艶々《つやつや》しい爪《つめ》。謐々《ひつひつ》たる生命の行き交いが時に葉脈をさえ連想させる血管。薄く覆《おお》った金色の産毛《うぶげ》。そして、和音を押さえる鍵《けん》の凹凸さながらに波打つ骨の浮き立ち。――人々は彼がまるで不安を宥《なだ》めるような手つきで鍵盤に触れる時、その光景に何時も恍惚《こうこつ》となった。それを眺めると、彼の美しい音楽は、まさしく手に於て宿り、手に於て生み出されるのだと感ぜられた。その手が美しいからこそ、彼の音楽も美しいに違いない。そして、ピアノから離れた彼の手を改めて見つめ、その動きのレガートが掛けられたような優雅を認めると、そうではなく、寧《むし》ろ美しい音楽こそが彼の手へと形象化したのではあるまいかと思い直したりするのであった。

ショパンは、何気なく自分の発した「静か」という言葉のことを考えながら、敢《あ》えてそれから離れる為に、

「あなたの送ってくれたアイスクリームの製造器。あれは向こうで本当に重宝しましたよ。猛暑でしたからね、今年の夏は。僕は、水風呂《みずぶろ》に漬かっているか、あれで作ったアイスクリームを食べているかのどっちかだったな。……」と言った。

「サンド夫人からいただいたお手紙の中にも、水風呂のことは書いてありましたわ。エ、い、い、い、い、いーテルのように清らかなあなたが、みんなと同じように汗を掻《か》いて、臭くて仕方がないなんて愚痴を零《こぼ》しながら水風呂に這入《はい》っているのを見ると、涙が出るほど笑いたくなったって。」

「ええ、笑ってましたよ。……それにしても、夏はあんなに暑かったのに、冬になるとこうも冷え込んでしまうんですから、……当たり前の話ですけど、不思議ですね。……

そういえば、今年の初めも寒かったな。……いずれにせよ、発着所ですぐに馬車に乗れて助かりました。こんな寒い日に、長い時間待たされたのでは堪《たま》りませんからね。」

馬車の手配は彼女に頼んでおいたのだった。彼は、こうした些細な事柄に関する不手《ふ て》際《ぎわ》を嫌った。それは、計画通りに物事が進まぬことに、几帳面《きちようめん》な苛立《いらだ》ちを感ずるからではなかった。平生彼には、人の想像するよりも随分と気紛《きまぐ》れなところもあって、自分で立てた計画を、その日の気分で勝手に変更することもしばしばあった。ただその変更が、何らかの外的な障碍《しようがい》によって、就中《なかんずく》予期せぬ偶然の障碍によって齎《もたら》されることが不愉快なのであった。この不愉快は、少しく不安に似ていた。そして、どうしてそれが、腹立たしさとではなく不安と結びつかねばならないのかということは、サンド夫人などには、何度考えてみても理解出来ない彼の神秘の一つと感ぜられるのであった。

ショパンは、外套《がいとう》も脱がずに暖炉に歩み寄ると、そこで愛用の椅子《いす》に腰を卸した。

「あら、一枚くらいお脱ぎになったらいかがですか？　また沢山着てらっしゃるんでしょう？」

ショパンは、彼女の「また」という言葉が何となくおかしくて、

「ええ、沢山。僕より厚着なのは、パリ中探してもドラクロワくらいなものですよ。」

と笑って、外套の襟を立て、寒い冬の夜に渋々家に帰ろうとする時の彼の様子を真似てみせた。

ロズィエール嬢は、「まァ、」と声を出して笑った。

「でも、今はまだ寒いから、少し暖まってからにします。」——こう言って、暖炉の方を向いたショパンの姿には、戯《おど》けて人を愉《たの》しませたあとにだけ僅《わず》かに彼の垣間見《かいまみ》せるものの寂しげな雰囲気があって、それが彼女を居た堪らない気分にさせた。

嘗《かつ》てのショパンは、もっと厳格に内面の生活を覆い隠して、彼の音楽さながらにコロラトゥーラ風の軽妙な華やかさをその一挙手一投足に鏤《ちりば》めて、側にいる者らを魅惑した筈《はず》であった。喋《しゃべ》りながら手を動かすと、指の先から音楽が零れ落ちそうであった。冗談の一つ一つが、金の糸で刺繍《ししゅう》されているかのように耀《かがや》いていた。突飛な二つの話題を、言葉に徐々に変位記号を付してゆきながら巧みな転調の連続によって結びつけ、会話を先導した。その声はまるで毛足の長い特別の絨毯《じゅうたん》の上に放たれているかのように、音に角が立たず、耳に心地好かった。——そうした彼の美質が、今やあとかたもなく失われてしまったかといえばそうではなかった。彼と接する多くの者にとっては、彼は依然として、社交界に於《お》ける最も洗練された作法を最も自然に身につけた隙《すき》のない優雅の体現者であった。けれども、極身近にいる者達は、ここ最近の彼が、丁度ズボンの後ろからうっかりと白いシャツを食《は》み出させているかのように、時折不用意にその内なる生活の片鱗《へんりん》を覗《のぞ》かせていることに気がついていた。それが、彼らの彼に対する態度に微妙な変化を及ぼしていた。彼を愛していることには変わりなかった。しかし、その愛情には微《かす》かに憐《あわれ》みの色が差して、しかもそれが為に、彼の矜持《きょうじ》を傷つけてしまうことを恐れて、気がつけば皆、嘗てのように無邪気に彼と接することが出来なくなっていた。見ぬ風《ふり》をして口を噤《つぐ》んだ。ただ、気づいた者の間にだけ、暗黙の目配せがあった。その目配せが少しずつ周りに広がっていって、今では、ロズィエール嬢のような幸福な魂の持ち主でさえもが、彼の些細な仕草の裡《うち》に様々な発見をし、人に倣《なら》って同じような目配せをするようになっているのだった。

ロズィエール嬢は、そのまま黙ってサロンを出ようとした。すると、鏡に映った彼女の背中を見つめながら、徐《おもむろ》にショパンが口を開いた。

「……税関で起こされるまで、ずっと眠ってたんです。その間、夢を見てて。……嫌な夢だった。――それだけは覚えている。本当に嫌な夢だった。だけど、中身は何にも覚えてないんです。ただ目が覚めた時に、心底ほっとしたから、嫌な夢だったには違いないんです。……どうしてそんな夢を見たんだろうって、僕はそのあと色々と考えてたんですけれど、……もしかすると、あの臭《にお》いのせいかもしれないな。……」

「臭い？」立ち止まって振り返ると、彼女は小首を傾《かし》げた。

「ええ、ティエールの造った城壁から市壁までの間のあの嫌な臭いです。あれは、何て言ったらいいのかな。――工場の妙な薬品の臭いと、その周りに棲《す》んでいる人達の……。普段はちゃんと、あそこは窓を閉めて通るんですけど、今日は生憎《あいにく》と眠ってしまってましたから。あのせいかもしれません、夢は。」

「また、サンド夫人に叱《しか》られますよ。」

「彼女に？　まさか。だって、彼女にしたって、ノアンの館に村の恵まれない人達が来た時には、帰ったあとで、必ず慌《あわ》ててモーリスに窓を開けさせているんですから。あなただって知ってるでしょう？」

　ショパンは、鏡の中のロズィエール嬢に目で合図をすると、今度は苦笑するような顔をしてみせた。マントルピースの上に置かれた時計の陰から逃れて、顔はその右の半分だけを鏡の上に映している。彼は一瞬それに目を止めると、ゆっくりと左に視線を逸《そ》らして、壁に掛かったフレール作の砂漠を進むキャラバンの絵を過ぎ、プレイエル社製のアップライトのピアノ越しに窓の外を見遣《みや》った。

　ロズィエール嬢は、迂闊《うかつ》にもサンド夫人の名前を出したことを後悔した。この夏彼女の許《もと》には、ノアンにいるサンド夫人から幾通もの手紙が届いていた。その多くは、近況を知らせたり、パリでの用事を頼んだりするものであったが、文面の端々には必ずと言って良いほど愛人であるショパンに対する不満の言葉が綴《つづ》られてあった。先ほどの水風呂の手紙にしてもそうである。そんな風に愉快そうな記述をした二三枚あとの便箋《びんせん》には、使用人の解雇に反対する彼の態度を、冷淡な口調で非難する件《くだり》があった。二人の仲が、以前ほどうまくはいっていないらしいという噂《うわさ》は、既に周囲でもちらほら囁《ささや》かれていた。

彼女はそんな時、一々《いちいち》手紙の文面を引用しては、「ですからわたくし達、ショパン様の前で、迂闊にサンド夫人のことを話題にしないようにしなければなりませんわ。」と人に注意を促していた。彼の様子を見ながら、彼女は今、そのことを自分で思い出したのであった。

ショパンは、中庭の噴水を眺めながら、ぼんやりとまた夢のことを考え始めた。

『最後に眠りに落ちてしまったのは、何時だろう？——』

シャトールーまでサンド夫人の馬車で送ってもらい、そこから遠距離乗合馬車《ディリジャンス》に乗り換えてほどなく、ショパンの脳裡《のうり》には、どういう訳か七年前の秋の記憶がちらつき始めた。それは、連続した一繋《ひとつな》がりの記憶ではなかった。幾つもの光景の断片が、木洩《こも》れ日のように一瞬毎《ごと》に変化しながら、記憶の中の各々《おのおの》の瞬間を脈絡もなく開いていった。パリへと向かう馬車の隣の席で、自筆の《コジマ》の原稿に目を通すサンド夫人の姿。トロンシェ街五番地の新しい家で出迎えてくれたグジマワ伯爵《はくしゃく》やフォンタナ、それに、死《ど》んでしまったマトゥシンスキ。……そこから今度は溯《さかのぼ》って、初めて訪れた、しかし、何処《こ》か故郷のポーランドにも似たノアンの風景。そこで二人で話し合い、思い描いたパリでの生活。庭先で写生をし、出来上がった絵を自慢気に見せに来るモーリス。駄々を捏《こ》ねて叱られるソランジュ。台所の壁に掛かったフライパン。窓から眺めた館《やかた》の前の教会。庭の花々。壁を這う仙人草。ナイチンゲールの羽搏《はばた》き。新しい壁紙。誤植だらけのバッハの楽譜。ベッドに吐いた血。……

宿駅に停車する度に、或《あ》るいは眠りに落ちて数時間を知らぬ間に過ごしてしまう度に、記憶は途切れ、また危うく途切れそうになり、それでも、御者の背中越しに眺める馬の臀部《でんぶ》だとか、窓硝子《ガラス》の顫《ふる》える音だとか、時にはそういった外界のきっかけさえをも頼りながら、手探りで記憶の切れ端を求め、再度当《あ》て所《ど》もなく様々な光景の上を巡って行くのであった。

その前年の千八百三十八年十一月、ショパンとサンド夫人とは、彼女の二人の連れ子であるモーリスとソランジュ、それに使用人のアメリーとを連れて、スペインのマジョルカ島を訪れていた。ショパンが二十八歳の時――パリ到着の年から数えて八度目の秋のことである。

旅は表向き、リウマチを患《わずら》っていたモーリスと既に結核らしき症状を呈し始めていたショパンとの静養を目的とすることとなっていたが、ただそれだけだとは誰も思わなかった。計画は、極親しい数人の友人にのみ打明けられ、気がつけば誰しもの知るところとなっていた。中には「そんな長旅は、静養どころか、君の病状を悪化させるだけだ。」と直接ショパンに忠告する者があった。彼は明るく笑って聞き流した。陰では「愛人を旅に連れ出すのは、あの女の何時ものの手だ。」などとも囁かれた。これもまた、努めて聞こえぬ風《ふり》をした。

こうした声は、固《もと》よりパリの社交界で、この二人の周囲に数知れず咲き乱れた、華麗で軽薄な花々のささやかな一輪に過ぎなかった。ショパンは既にサロンの寵児《ちょうじ》であった。誰もが彼を晩餐《ばんさん》に招きたがり、その演奏を聴きたがった。カロル・ミクリやジョルジュ・マティアスのような男性の優れた弟子がいる一方で、ロスチャイルド男爵夫人やヴォーデモン大公妃、ペルテュイ伯爵夫人、アポニー伯爵夫人、ノアイユ公爵夫人といった著名な貴族の夫人や令嬢が、一時間二十フランの高いレッスン代を惜しまずに彼の許へと押し掛けた。ショパンは、その誰に対しても申し分なく慇懃《いんぎん》で、真摯《しんし》で、愛想がよく、しかも、魅力的なつれないさを忘れなかった。気泡を含んで幽《かす》かに曇った氷塊のような白皙《はくせき》で、「アリエルの如《ごと》き」という文句が、冗談とも本気ともつかぬ調子でその名に付された。美しく撫《な》でつけられた金髪は、王冠のように人目を引いた。うねるように隆起した鼻の奇矯さは、その天賦《てんぷ》の才への人々の劣等感と結びついて、凡人との違いを示す一つの際立った印のように思われていた。目尻《めじり》は心持ち下を向き、笑うと優しく皺《しわ》が寄ったが、何処か愁色を帯びていて、感傷的な女達は、そこに故国ポーランドの悲劇的な歴史の影を認めて同情を寄せた。身嗜《みだしな》みには、大いに気を遣った。ウビガン・シャルダンで香水を買い、ラップで靴を誂《あつら》え、フェドーの帽子を被《かぶ》り、ドートルモンに仕立てさせた金鈕《ボタン》つきの外套を纏《まと》って自家用の馬車でカフェ・アングレや、カフェ・ド・パリに颯爽《さっそう》と乗りつけると、道行く者らが振り返って、「あれがショパンか。」と囁き合った。それでいて、色恋沙汰《ざた》とは、とんと無縁であった。彼は、当時の青年の皆が憧れた社交界での成功を、殆《ほとん》どその才能のみによって手に入れた。浮名一つ流すことなく！――そのショパンが、ミュッセやメリメとの関係は言うに及ばず、ジュール・サンドーから果ては女優のマリー・ドルヴァルに至るまで、とかく、その手の噂には事欠かぬジョルジュ・サンドの愛人となったとなれば、面白からぬ筈はなかった。噂は野火のように、サロンからサロンへと広まっていった。広まるほどに、火の手は当然熾《さか》んになった。日頃から、彼女の素行と主張とに反感を持っている者達は、嫉妬《しっと》に加勢されて憤慨しながら喋り散らした。周知の事実になると、二人を巡る様々な逸話が薪のようにそこに足された。中でも、直前までサンド夫人の愛人であったフェリシアン・マルフィーユが、マショパンの自宅前で待ち伏せをし、出て来た彼女に猛然と襲い掛かったという話が、マリー・ダグー伯爵夫人によって面白おかしく喧伝《けんでん》された。たまたま居合わせたグジマワ伯爵が、割って這入《はい》って事なきを得た。しかし、噂の端では、マルフィーユとショパンとが決闘したことにもなっていた。心配して、見舞いに来る者があった。勇敢にも、決闘を受けて立ったのはサンド夫人の方であったなどと冗談も言われた。そうした鳴り已《や》まぬ喧騒のただ中で、旅立ちはいわば、一件落着した男女の羽伸ばしという聊《いささ》か滑稽《こっけい》な見方さえもされていた。

噂が度を越すと、ショパンも流石《さすが》に気にするようになった。彼は、愛人という自分の立場に生真面目《きまじめ》な後ろめたさを感じていた。ジョルジュ・サンドと夫のカジミール・デュドヴァン男爵との間には、千八百三十六年に法的な別居協定が成立していたが、王政復古期以来の離婚の禁止の為《ため》に戸籍上は夫婦のままとなっていた。その事実が彼に彼女の愛情を疑わせる訳ではなかった。世間体の悪さも我慢すれば良かった。しかし、何よりもポーランドの家族に対して後ろめたかった。どれほど精錬された部隊であっても、越境し、侵攻して行く速さに於《お》いては、噂の比ではないことを彼はよく知っていた。それは、行軍先での蛮行の甚《はなは》だしさに於ても同様であった。

出発を前にした二人には、こうした隠微な喧騒の齎《もたら》す心痛とは別に片づけねばならない実際上の問題も山積していた。宿や馬車の手配から外国の銀行に宛《あ》てた推薦状の入手に至るまで、その殆どはサンド夫人により手際好《てぎわよ》く処理されていった。旅費の工面に関しては、ショパンも自ら奔走せねばならなかった。彼は先《ま》ずカミーユ・プレイエルを訪ねて、未完のプレリュード集の版権を二千フランで譲渡する約束をし、そのうちの五百フランを前払いで貰《もら》った。次いで銀行家のオーギュスト・レオから、更に高利貸のヌゲという男からも、それぞれ千フランずつの金を借り受けた。

落ち着かぬ日々の中で、彼はほとほとうんざりしていた。創作の苦労を思うと、金を出し渋るプレイエルに腹が立った。金貸《かねかし》に頭を下げることも愉快ではなかった。どうして、こんなことをしているのだろう？　そうした疑問に捕われる時には、頭の中を夢想された旅の光景でいっぱいに満たした。すると、忽《たちま》ち幸福な気分になった。すべての煩《わずら》わしさは、旅立ちの為に齎されたものであった。しかし、それらの煩わしさから自分を救ってくれるのは、結局旅立ち以外にはあり得ぬ筈だと思われていた。

……ノアンのベッドで吐いた血の赤の記憶が、次第に明るく広がっていって、パルマの太陽の眩《まぶ》しさに、思わず閉じた瞼《まぶた》の裏の赤に変わった。それが更に張り裂けたザクロの実の紅に変わり、イチジクの果肉の桃色に変わって、オレンジの橙色《だいだいいろ》に変わり、レモンの黄色に変わり、次いで突如として海の瑠璃《るり》色に包まれたかと思うと、波間に連なる白い輝きの裡にちらめきながら消えていった。

ショパンは、マジョルカでの幾つかの忌《い》まわしい思い出を恐れて、咄嗟《とっさ》に記憶をペルピニャンへと繋いだ。ショパンとサンド夫人の家族とは、それぞれ別々にパリを発《た》って、ここで落合い、一先ずバルセロナへと向かう予定であった。四日に及ぶ郵便馬車《マル＝ポスト》での旅のあとに、家族とともに出迎えてくれたサンド夫人の笑顔は優しかった。彼女は、ショパンを抱擁し接吻《せっぷん》すると、彼の体調が想《おも》ったよりも良いことを——長旅によく耐えたことを、誉《ほ》めるようにして喜んでみせた。彼は少し誇らしい気分にもなって、道中の出来事を何時《いつ》になく饒舌《じょうぜつ》に語った。見知らぬ土地で、人知れず彼女に会うことの幸福が彼を恍惚《こうこつ》とさせた。南フランスの明るい陽光は、パリにいる時には少々野暮にも映った彼女の風采《ふうさい》に本来の魅力を取り戻させていた。町の者達は、誰も彼らに気づかなかった。スペイン入国の便宜の為にショパンに同行した政治家のメンディサバルは、彼の言葉を補ってここへ来るまでに彼の示した英雄的な忍耐力について報告した。アメリーは、二人の荷物を馬車から降ろすと、傍らに控えてその先の指示を待っていた。モーリスとソランジュとは、はにかみがちに少し離れて立っていた。ショパンは、彼女を見つめた。彼女のすべてを飽かずに見つめた。旅の未来には、改めて無邪気な希望を抱いた。側《そば》には常に彼女がいる。彼女だけがいる。邪魔する者は誰もいない。外に何を望むことがあるだろうか？　乾いた空気の中に、そうして暫《しばら》く立ち尽くしていた。光を受けた彼の髪は、金色に輝いて、画家がカンヴァスの上に風を表そうとする時のように、風そのもののように静かに靡《なび》いて揺れていた。

こうした記憶が、不意に開け放たれた窓からの風に卓上の骨牌《カルタ》が捲《めく》れてしまったかのように、突然一つの陰鬱《いんうつ》な光景へと転じた。記憶はバルセロナへと至り、そのまま、惨《さん》澹《たん》たるマジョルカ島滞在の帰りに再度立ち寄ったバルセロナへと変化し、更にその後に訪れたマルセイユへと連なっていった。

ショパンの脳裡を、一瞬古びたオルガンの影が過《よぎ》った。続けて好奇心に満ちた群衆の眼差《まなざし》が、あの日の教会そのままにそこかしこに溢《あふ》れ出した。彼は、遠距離乗合馬車《ディリジャンス》の窓から外を眺め、単調な夜の景色に意識を繋いでそれから逃れようとした。目はすぐに、闇《やみ》と親しく結び合った。しかし、オルガンの記憶の導いたシューベルトの《ディ・ゲスティルネ》が、耳の奥で執拗《しつよう》に鳴り続けて、彼をその場へと引き戻してしまった。

『かわいそうなヌリ。……』

マルセイユに滞在してから一月《ひとつき》ほどを経た或《あ》る日、命辛々救われて漸《ようや》く復調に向かいつつあったショパンの許に、パリで親しくつき合っていた歌手のアドルフ・ヌリの訃報《ふほう》が伝わって来た。ヌリは、三月七日にナポリで開かれた、と或る慈善演奏会で歌った翌朝に、宿泊先のホテルの最上階から転落して死亡したということであった。享年《きようねん》三十七歳であった。

ヌリの死は、ショパンを甚《いた》く悲しませ、そして、動揺させた。それは単に友人の死の知らせを伝え聞いたからではなかった。事故死ということになってはいたものの、彼にはそれが自殺であることがすぐに分かったからであった。

アドルフ・ヌリは、ショパンよりも八歳年上のテノール歌手で、ショパンがパリに来た千八百三十年代の前半には、ヴェロン博士の改革によって王政復古期の財政難を脱したオペラ座の、いわば看板歌手の一人となっていた。ショパンは常々オペラ座へと足を運び、マイヤベーアの《悪魔のロベール》やアレヴィの《ユダヤの女》などで聴かせる、彼の真に迫った繊細な感情表現とイタリア・オペラ的な名人芸との美しい融合に感服していた。二人はじきに面識を得て、イタリア座からマルリアニ伯爵夫人のサロンに至るまで様々な機会に共演を果たした。ショパンは、音楽家としてのみならず、人としても彼を愛していた。芸術全般、就中《なかんずく》その卓越した演技力を支える文学についての造詣《ぞうけい》の深さと禁欲的で信心深い性格とには何時でも魅力を感じていたが、それらと同じくらいに瀟洒《しょうしゃ》な頓智《とんち》の大家としても敬意を払っていた。しかし、ヌリのパリでの成功は、長くは続かなかった。イタリアからジルベール・デュプレが帰って来ると、ヌリ自身が役作りをした《ギヨーム・テル》のアルノール役を初めとして、忽ちのうちに持ち役の幾つかを奪われてしまったからである。ヌリは歌手として必ずしもデュプレより劣っていた訳ではなかった。ヌリとデュプレとが、パリのグランド・オペラのテノールの座を巡って激しい競争を演じていたならば、オペラ座の観客数は更に増えていたに違いない。しかし、ヌリにはそれが我慢ならなかった。一つには、そうしたパリの音楽業界の功利主義に嫌気が差したからであり、一つには、移り気なこの街の聴衆の低俗さに辟易《へきえき》したからであり、一つには、二人の競争を見せもののように面白がられることが不愉快だったからであり、更に一つには、ひょっとすると、自分の歌声は、もうデュプレには遠く及ばぬのかもしれないという恐ろしい不安を抱いていたからであった。ヌリの失望は大きかった。当時ショパンとリストとの間では、この話がしばしば話題となって、二人してヌリの落胆ぶりに同情を寄せていた。新進音楽家として今まさに華やいでいた二人にとって、この一件は他人事《ひとごと》ではなかったからである。その後、丁度二年ほど前にヌリはイタリアへと渡って、やがてナポリで大成功を収めたという噂《うわさ》が伝わって来た。しかし、それを伝えた同じ口は、パリを去る前から傷《いた》めていた喉《のど》の具合が依然思わしくなく、再起の希望を抱いていたイタリアでの活動は、彼の精神を重大な危機に陥らせているという嘆かわしい事実をもつけ加えていた。

「あんなに敬虔《けいけん》なカトリック教徒だったヌリが、自殺するなんて。……」

最後にポーリーヌ・ヴィアルド夫人の家で彼と会った時のことを語らいながら、こんな言葉をサンド夫人と交わしたことが、ふとショパンには思い出された。

四月二十四日に、彼は、遺体とともにパリへと向かう途中のアドルフ・ヌリの未亡人に乞《こ》われて、マルセイユのノートル＝ダム＝デュ＝モン寺院で開かれる追悼礼拝で演奏をすることとなった。ヌリ未亡人は、ヌリの自殺を公《おおやけ》にはしていなかったが、会話の中では幾度となくそれを仄《ほの》めかし、彼の不遇を憐《あわれ》み、遺《のこ》された六人の子供と自分の中にいる七番目の子供との行く末を案じた。彼女はまた、自殺の噂を聞きつけたマルセイユの司教が追悼礼拝に反対した為に、それを極ささやかなものとせざるを得なかったこと、道中で腐敗してゆく彼の遺体の発する臭《にお》いに馬車の車掌が非情な言葉で抗議し続けたこと、そして、彼の栄光を奪った喉の不調が、外でもなくここマルセイユでの公演中に最初に現れたことなどを支離滅裂に語った。そして、ショパンが、「彼は、シューベルトが好きでしたから、追悼礼拝では《ディ・ゲスティルネ》を弾きましょう。」と言うと、その場に座り込んで何時までも泣き続けた。

ショパンの記憶に蘇《よみがえ》ったのは、その追悼礼拝の日の光景であった。マルセイユに着いて以来、彼らの宿泊するホテルには、パリの有名人を一目見ようと面会を求める者の絶える暇《いとま》がなかったが、彼もサンド夫人もその誰とも会おうとはしなかった。そうするうちに、先頃死んだ某有名歌手の為に、フレデリック・ショパンが、ノートル＝ダム＝デュ＝モン寺院でオルガンを演奏するらしいという噂が町中に流布《るふ》された。礼拝当日に五十サンチームの座席料を支払って寺院に押し掛けたのは、ヌリとは縁も由縁《ゆかり》もないような人間ばかりであった。ショパンは、出来るだけ彼らの方を見ないようにしながら、オルガンの前に座った。哀惜の思いが、鍵《けん》の一つ一つに染《し》み入って、音管を通じて宙へと放たれていくような演奏であった。弾き終わると、参列者に取り囲まれることを嫌って、楽楼に隠れていたサンド夫人と一緒に匆々《そうそう》に寺院を退散した。二人を見そこなった者達からは、不平の声が挙がった。彼の演奏の地味なことに文句を言う者もあった。

ヌリ未亡人は、

「あなたのお陰で、あれの魂は、こんなにも多くの人に見送られて逝《ゆ》くことが出来ました。」と礼を言った。これは本心であった。しかし彼は、その声に彼女の意図以上に複雑な多くの感情の響きを聴き取って、虚《むな》しさと寂寥《せきりよう》とを感じながら、死んだヌリにも、彼女にも、申し訳ないような気分になった。

……こうした記憶が、これまで意識して遠ざけていた不幸な記憶の数々を招いて、一気に噴出させた。先ほど脳裡《のうり》を染めた血の赤が、ランプのように再び灯《とも》って、二度目に立ち寄ったバルセロナで吐いた洗面器いっぱいの血へと変化した。激しい咳《せき》の発作とともに、血は、気管を押し広げ、生温かい魚《うお》のように昇って勢い良く洗面器の中へと吐き出された。毟《むし》り取られた薔薇《ばら》の花弁のように、真鍮《しんちゅう》の底に乱雑な模様が描かれた。口を濯《すす》ぐと、薄められて嵩《かさ》が増した。ほんの束《つか》の間《ま》鉄のような血の香《か》を免れた舌は、すぐにまた不快な赤に汚《よご》されることとなった。気管が焼けたように痛かった。血の面《おもて》が飛沫《しぶき》を上げて波を打った。静まって暫くすると、蒼白《そうはく》の頬を飛び散った雫《しずく》で汚した彼の顔が、不安気に像を結んで揺らめいていた。唾液《だえき》と混ざった艶《つや》やかな血が、数条の蜘蛛《くも》の糸のように細くなって、下唇から垂れ落ちた。

　やがてその揺らめきは、バルセロナに到着した船の縁《へり》から、やはり血を吐く為に向かい合った地中海の波の余韻と重なった。十八時間にも及ぶ航海の後に、漸く甲板に立った時の激しい眩暈《めまい》。豚の群の悪臭と鳴声。その豚よりも、更に不潔なものを見るかのような、船員達の冷淡な、そして、幾分怯怖《きょうふ》さえも混えた眼差。

　バルセロナとマジョルカ島との間には、マジョルカ号という名の小さな蒸気船が一隻《せき》運航しているのみであった。ショパンの一行は、行きと同様に、帰りもこの船に乗った。しかし、行きは空っぽであった筈《はず》の船の甲板は、帰りには島で積まれた二百頭もの豚の群に占拠されていた。彼らは、結核の感染を恐れる船長によって、あとで焼却しても構わないような粗末な敷物一枚を与えられて船室に閉じ籠《こ》められた。甲板へ出ることは厳格に禁じられた。豚を昂奮《こうふん》させぬ為だと説明された。その一方で、奇妙な迷信的な習慣によって、豚は眠りに落ちぬよう水夫らに十五分置きに鞭《むち》打たれた。そうして、パリの安アパルトマンのトルコ式便所のような臭いの立ち籠める船室の中で、咳の発作を堪《こら》えながら、彼は一晩中眠ることも出来ずに鞭打たれる豚のけたたましい鳴声を聞き続けた。

バルセロナの港に到着してから、一行はメレアーグル号というフランスの軍艦に移ることとなり、その船で丁重な介抱を受けた。これは、堪《たま》り兼ねたサンド夫人が、港内に停泊しているこの軍艦の艦長に手紙で事情を打明け保護を求めたからであった。彼女にからだを支えられて、よろめきながら船縁まで歩くと、ショパンは我慢出来ずに海に向かって血を吐いた。罵声《ばせい》を上げるマジョルカ号船長をサンド夫人が睨《にら》み返した。発作は長くは続かなかった。これでやっと救われたと思った。サンド夫人に背中を摩《さす》ってもらいながら、涙に霞《かす》んだ視線の先で、彼は、波にしたたる自分の血が、着水と同時に膨らみ、小さなクラゲのような姿になって海中に漂うのを、暫《しばら》く無言で眺めていた。

……車中でじっと瞼を閉ざしていると、こうした光景が、次々とほんの些細《ささい》な連絡によって、時にはその連絡だになく立ち現れてきた。そして、各々《おのおの》の光景が、それぞれに違った苦痛を伴って心中に開いてゆくので、意識はその都度、静電気に思わず手を引くようにして一瞬それに触れたきり盲滅法《めくらめつぽう》にまた何か別の光景へと逃れようとした。

マジョルカ号の船縁から落ちる血のリズムが胸に響いて、それが今度はマジョルカ島のヴァルデモザの僧院で見た一つの幻影を導き出した。

その日、パルマに出掛けていたサンド夫人の家族は、突然降り出した雨に阻《はば》まれて夜になっても帰宅することが出来なかった。ショパンは、独り深閑《しんかん》とした暗い僧院の一室にいた。蠟燭《ろうそく》の揺らめきに、忽然《こつぜん》と死の予感が閃《ひらめ》いた。遠くの雷《いかずち》が光に遅れてゆっくりと鳴り響くように、そして不安は、その予感を追って漸《ようよ》う心中に広がり始めた。それは必ずしも、彼女らに対してのみ向けられたものではなかった。ピアノの前に座ると、彼は奇妙にも、自分自身が冷たい湖で溺《おぼ》れゆく姿を幻に見た。そして、岸辺とも洞窟《どうくつ》の中ともつかぬじめついた暗い場所に横たわって、屍体《したい》のような自分の胸に、いい、しずくが規則正しくしたたり落ちる音を聴いた。

それから、一瞬墓地の十字架が過《よぎ》った後に、リズムは跫音《あしおと》へと転じ、夜毎《ごと》僧院へと忍び込んでは、「ニコラス、ニコラス」と大声で叫ぶ不気味な老人の影を導いた。老人は、僧院の嘗《かつ》ての使用人であったが、今は半狂人のようになっていて、泥酔《でいすい》しては昔の習慣を思い出し、死んでしまった修道士の名を呼んで、僧坊の扉を叩《たた》いて回るのであった。ショパンが彼を恐れたのは、「ニコラス」という名が、偶然にもポーランドにいる彼の父の名と同じであったからだった。彼にはそれが、父の死を告げる声のように聞こえてならなかった。老人の呼ぶ名が、すべて死人の名ばかりであるならば、どうして独り

「ニコラス」のみが生者であり得よう？　今この瞬間に、遠く離れたポーランドで愛する父が死んではいないとどうして断言出来よう？　或《ある》いはこの老人こそは、言葉によって、今まさに父を鬼籍に入れんとしている死の世界からの使者ではあるまいか？……こうした不安を哀《かな》しく思い返すと、そこに、その数年後、実際にパリで父の訃報に接した時の激しい衝撃が加わって、記憶の連鎖を一層複雑に混乱させた。闖入者《ちんにゅうしゃ》の叫び声は、禿鷹《はげたか》に襲われた雀《すずめ》の啼声《なきごえ》や、僧院の石壁を打つ風雨の音や、島の謝肉祭の騒ぎの声などと一つになって、耳鳴りのような響きとなった。老人の影には、病身の彼に始終呪詛《じゅそ》のような言葉を投げつけ続けた料理番の女の顔や、冷やかな村人達の応対の身振りや、四六時中不平を訴えていたアメリーの姿などが、やはり一時《いちどき》にモザイクのように入り乱れた。これらすべてが一層暗澹《あんたん》たるものとして思い出されたのは、その僧院自体の暗さの為《ため》でもあり、また、多くの時間を病臥《びょうが》して過ごす中で、折々に見た不快な夢が現実と同じほどの重みを以《もっ》てそこに混じっている為でもあった。そして、こうした記憶の隙《すき》間《ま》々に、どういう訳か、この夏ノアンで過ごした日々の取るにも足らぬような幾つかの光景が差し挟まれていった。

……スクワール・ドルレアンの自宅のサロンで、彼は今、車中での回想を、やや意識的に同じように辿《たど》り直そうとしていたが、再び踏み入った記憶の群の中では、連鎖は速く大胆で、しかも、時間の前後の結びつきを強め、初めにそれを体験した時には含まれていた筈の多くの夾雑物《きょうざつぶつ》を——例えば、幼少期にピアノを習っていた時の風景だとか、歌手のカタラーニ夫人から貰《もら》った時計だとか、アンジュー＝サン＝トノレ街のサロンでのベルジョイオーソ大公妃との会話の断片だとか、何時《いつ》か乗った古びた馬車の外れ掛かった車輪だとか、間近に眺めたルイ・フィリップの顔だとか、そうした俄《にわ》かにはそれが現れたことの理由を解し兼ねるような類《たぐい》のものを、掬《すく》い上げきれずに皆零《こぼ》していってしまったので、全体が自《おの》ずと或《あ》る意味へと収斂《しゅうれん》してゆくようであった。それは、彼の意図したことではなかった。しかし、ノアン滞在中から、胸中に仄《ほの》めいていた一つの予感が、そうして切れ切れになっていた記憶の群を密《ひそ》やかに貫いて束ねようとしているということは、彼にも何となく分かっていた。記憶は、マジョルカでの日々の多くを僅《わず》かに垣間《かいま》見《み》せるに止《とど》めて、回想の外に置き去りにしたまま初めの渾沌《こんとん》の裡《うち》へと呑《の》まれていった。こうした回想のあとが、眠りの裡に染み入って、先ほどまで見ていた不快な夢へと連なっていったのだということが、彼にはよく理解出来るような気がした。

サロンの中で今改めてそのことを考えながら、彼は、この束ねられた記憶の群こそは、束ねようとした予感そのものの奇妙な陰画となっていたのだと気がついた。未来に対して漠然と考えていたことが、丁度現在を中心として捩《ね》じれ、過去に於《お》いて裏返しに開かれているのだ。回想された日々は、畢竟《ひっきょう》、極めて陰惨な一連の光景の中で、その暗さの故《ゆえ》に時折輝くサンド夫人の存在を明るく際立《きわだ》たせ、あとには寧《むし》ろ幸福に近いような不思議な印象を残していた。それが、恐らくは平穏ともいうべき何時も通りの生活の中で、ただ彼女の態度の変化ばかりが陰影を帯びて、重く伸《の》し掛かっている今の心情と、丁度裏表のように感ぜられるのであった。

彼はそうしたことを考えながら、馬車の中で、所々記憶が飜《ひるがえ》ったかのようにノアンの光景がちらついたことに、自分なりの理解の道を見出《みい》だしたように思った。しかし、そうして考えを進めてゆくと、まだ気づいてはいない多くのことに出会《でくわ》しそうで怖くなった。

庭から目を逸《そ》らして、鏡の中の自分を改めて見つめた。すると、今し方の回想は、ノアンでの予感が不器用な手つきで示そうとしたのよりも、もっと大きなことを意味していたのではあるまいかという疑問が俄かに沸き上がってきた。

その時初めて、後ろに立っているロズィエール嬢に気がついた。

「何時から、そこに？」

「先ほどからです。ちゃんと、ドアをノックしたんですけれど。……お食事の準備が整いました。」

ロズィエール嬢は、何気ない風を装《よそお》って笑ってみせた。ショパンは、立ち上がりながら徐《おもむろ》に外套《がいとう》を脱ぐと、それを今立ったばかりの椅子《いす》の背に二つに折って掛けた。額を拭《ぬぐ》うと、少し汗が滲《にじ》んでいた。サロンを出ようとして、ふと卓の上に目を遣《や》ると、白い手袋が、疲れたように力なく横たわっていた。

二

その年の残りを、ショパンは、パリの自宅で独りで過ごした。ノアンから帰った日よりずっと、パリでは陰々とした曇天の日が続いていたが、十二月に這入《はい》るとそれに雪が加わって、時折積っては、街全体を、水に濡《ぬ》れて白の滲んだ水彩画のような輪郭の甘い景色にした。

こうした天候のせいもあってか、社交界の季節であるにも拘《かかわ》らず、彼の周囲では病床に就く者が多かった。嘗てのポーランド外交官であり、旧《ふる》くからの友人でサンド夫人とも親しいヴォイチェフ・グジマワ伯爵《はくしゃく》は、二週間以上も寝込んでいながら不眠の夜に苦しめられていた。月が変わって漸《ようや》く彼の恢復《かいふく》する頃には、今度は楽器商のカミーユ・プレイエルが高熱を出して倒れてしまった。ウージェーヌ・ドラクロワは、何時ものように仕事場の換気の悪さをぼやきながら体調の不良を冗談めかして語っていたが、それでも勤勉に、乗合馬車《オムニビュス》に乗っては、下院図書室の天井画を描く為にブルボン宮へと通っていた。

ショパンの体調は、悪くはなかった。寒さの為に、部屋に籠《こも》って暖炉の前でじっとしていることも多かったが、マルリアニ伯爵夫人やロズィエール嬢らと一緒に食事をしたり、病気の知人の見舞いに行ったり、ドラクロワに席を取ってもらってオデオン座にポンサールの《アグネス・ド・メラニー》を観《み》に行ったりと、外出することもしばしばあった。年末にはグジマワ伯爵と、アダム・チャルトリスキ大公の滞在するオテル・ランベールへ、毎年恒例のポーランド人亡命者救済の為のバザーに出掛けた。

ピアノは当たり前のように弾いたが、熱を入れて作曲することはなかった。時々ト短調のチェロ・ソナタを取り出して、あちこち少しずつ弄《いじ》ってみては、次の日慌《あわ》てて元に戻したりしていた。

勿論《もちろん》、生活の為には、生徒のレッスンも見なければならなかった。投げ遣りにならぬようにと気分の優れぬ時には儀礼上の熱心さを装うことも出来たが、総じて以前ほどには自分の指導ぶりに満足していなかった。寛大過ぎることを反省して、少し厳しく注意することがあった。その一方で、見込みのある生徒の前では、バッハの《平均律クラヴィーア曲集》を一時間にも亘《わた》って空で弾いてやったりした。

埒《らち》もない空想に耽《ふけ》ることもあった。雪の日に部屋の窓から中庭を眺めて、雪に覆《おお》われるパリの街すべてを想像した。パレ・ロワイヤルも、シャン＝ゼリゼも、ノートル＝ダム大聖堂も、リュクサンブール公園も、セーヌ河岸の汚物の山でさえも、降り積もった雪の下に一様に沈んでいる。もののかたちは、ルーヴル宮の天辺《てっぺん》からマロニエの木のほんの些細な枝先の屈曲に至るまで、器用になぞられ、ただその角《かど》ばかりを失って、白く膨らむようにして浮かび上がっている。路地の雪は隙なく敷き詰められ、泥にも塗《まみ》れず、足跡一つ、轍《わだち》一本も残してはいない。何処《どこ》を見渡しても白一色。……そう想《おも》った刹那《せつな》に、コンコルド広場のオベリスクに書かれたヒエログリフが頭に浮かんで、初めて、ものの高さが建造物の膚《はだ》を露《あらわ》にしてその白を濁していることに気がついた。すると急に、アパルトマンの壁の黒ずんだ立小便のあとや、その窓の奥にちらつく洗濯物などが気になり始めた。そこで今度は、街を真上から見下ろしたところを想像した。景色はまた、セーヌ河のみを亀裂《きれつ》のように残して一面真白になった。小さく浮かんだシテ島とサン＝ルイ島とが、ちぎれた雲のようだった。パリ全体を、二つに分かれた雲に見立てて、空を覆う雲とそれとを比べてみた。空とパリとの間に、一枚の大きな鏡のようなものが差し挿《はさ》まれている様を思い浮かべた。透き徹《とお》った湖面に周囲の風景がさかさまに映るように、その一枚を境に上下に同じ景色が広がっている。雪の下に建造物があり、建造物の中に人が生活しているように、雲の上にも空からぶら下がるようにして建造物が建ち並び、その中で人もまた足と頭とをさかさまにして生活をしている。何から何までこの世界と逆になっているのだとすれば、どんなに素晴らしい世界だろうか？――そんなことを考えた途端に、急にすべてが莫迦《ばか》らしくなって、自分の想像力に呆《あき》れて笑った。笑うと今度は、不愉快になった。そして、それを紛らす為に、こんな空想のすべてを頭の中から追い出して、大きく一度息を吐いた。

彼が不愉快と感じたのは、自嘲《じちょう》が昂《こう》じたからではなかった。そうではなく、こうした浮世離れした空想が、サンド夫人が長年自分に対して抱いてきた思い込みと、いかにも似つかわしいもののように感ぜられたからであった。

『今年も酷《ひど》い凶作だったから、都市でも農村でも飢えている人は沢山いるんだろう。オーロールは、耳に胼胝《たこ》が出来るほど僕にそんなことを言って聞かせてたっけ。……今この瞬間にも、パリの何処かの道端で飢えと寒さとの為に死にそうな人がいる。――憐《あわれ》み、施しをせねば！……か。それは分かる。気の毒なことだとも思う。思うけれども……。僕は冷酷な人間だろうか？　友愛を知らぬ人間だろうか？　こんな時に、僕が暖炉の側《そば》で考えることといえば、真白な雪の美しさと、天上的な世界の至福と、……僕は本当に彼女の考えている通りの人間なのだろうか？　彼女の……軽蔑《けいべつ》している通りの……』

今度はあからさまに、自嘲の為に笑った。しかし、そこに幾分彼女に対する当て擦《こす》りの調子が含まれてしまった為に、彼は却《かえ》って自分の人品のほどに憂鬱《ゆううつ》になった。

サンド夫人が、自分のことをどう考えているのか、彼にはよく分かっていた。出会って間もない頃、彼女はしばしば彼のことを、「天使のよう」だとか「子供のよう」だとか、とかく純粋さを喚起する類の言葉で形容していた。彼はこれをさして気にしなかった。大袈裟《おおげさ》だとは思ったが、デュマやバルザックの誇張に満ちた饒舌《じょうぜつ》にも慣れていたから、作家とはこういうものなのだろうと納得していた。サロンでもちらほら耳にする類の世辞であった。自分が人にそんな印象を与えているのだと考えてみても、悪い気はしなかった。彼女とて恐らくは愛情のあり余って出た言葉であろう。人に自分の愛人を自慢したいという当たり前の感情の表れかもしれない。そう考えると、照れはするものの嬉《うれ》しいような気にさえなった。しかし、暫《しばら》くするうちに、彼は彼女がそれを本気で信じて言っているのだということに気がついた。この発見は、必ずしも彼を喜ばせなかった。彼女の愛情は疑うべくもなかった。しかし、そうした思い込みには、母性的な慈愛とともに、或る種の軽蔑が秘められているように感じた。彼女が、自分の——彼女の言葉で言うならば——「繊細さ」や「複雑さ」に対して、強い異質感を抱いていることは彼も気づいていた。そしてそれを彼女が彼女なりの短絡な仕方で理解していることも知っていた。それでも彼は、自分がただ美しいものにしか興味を示さず、花を愛《め》で、鳥の囀《さえず》りに耳を傾け、現実の醜さに耐えるには余りにも脆《もろ》く純粋に出来ていると見做《みな》されていることに、冗談以上の何かを見出だすことは出来なかった。そうした思い込みが、悪意から出ているとは思わなかった。しかし、悪意へと結びつくのは簡単なことだと思った。自分は、生活についてはまるで無知で、無能で、常に彼女の献身を必要とする存在と見做されている。恋愛に於てさえも、彼女は自分の優位を疑わない。どうしてそう信じることが出来るのであろう？　彼は時々自分の半生を振り返って、絶えずロシアの脅威に怯《おび》え、祖国の独立を願いながら、二十歳でその愛するポーランドをあとにし、異国の地で成功を収める為に様々な努力をしてきた自分と、ノアンのような平和な田舎でのんびり少女時代を過ごしてきた彼女と、一体どちらが多く現実というものを知っているだろうかと意地悪く考えてみることがあった。そんなことは、誰の目にも明らかな筈《はず》だと思っていた。その明らかなことに、彼女はどうして気がつかないのであろう？

サンド夫人が、ピエール・ルルーやルイ・ブランらとの交流をますます深めて社会主義や共和主義といった思想にのめり込んでゆくようになると、彼は、彼女の裡にあるこうした感情を一層敏感に意識するようになった。彼は以前にサン＝クルー宮に招かれ、ルイ・フィリップとその家族との為にピアノを演奏したことがあった。丁度マジョルカの旅を終えてパリへと帰って来た、千八百三十九年の秋のことである。それから何年も経《た》って、もうそんなことも忘れ掛けていた頃に、偶然こんな噂《うわさ》を耳にした。彼がモシェレスと二人で御前演奏をしていたその同じ時間に、別の場所で社会主義者達の集いに参加していたサンド夫人が、同席者との会話の中で、ポーランドを見捨てた王様に呼ばれてノコノコ演奏をしに行くとは、ショパン氏もなかなか抜け目ないですなといった冗談に、梨《なし》の実を頰張りながら一緒になって笑っていたという話である。彼は激怒した。故国に対する自分の思いを侮辱されることは、何にも増して許し難かった。しかし、事実と信ずるには余りに乱暴な噂だったので、努めて信じまいとした。あの当時に彼女の示してくれた献身的な愛情は、誰よりも自分自身が知っている。御前演奏の成功も一緒に喜んでくれた。そんなことは、万が一にもあろう筈がない。そう思って、彼女に問い糺《ただ》すことさえしなかった。しかし、そうした噂が、いかにもありそうなこととして実《まこと》しやかに囁《ささや》かれているという事実は無視することが出来なかった。パリでは、荒唐無稽《こうとうむけい》な作り話は誰にも喜ばれないことを彼は知っていた。そして、本当らしい話ならば必ずしも本当である必要のないこともまた知っていた。噂を聞きつけた時、彼は先《ま》ず、どうして今頃になってと不思議に思った。単に自分の耳に這入ったのが遅かったのか？　しかし、それはあり得ぬ話であった。噂の寿命など高が知れている。季節の変わり目を越えられぬ蝶《ちょう》や花などと同じで、一年も持てば良い方である。この程度の話が数年越しに囁かれることなど考えられない。それならば、最近になって流布《るふ》され始めた噂の筈である。そんな噂がどうして信じられよう？——彼は最初、出来事と噂との間の不可解な時間の隔たりを、事実を否定する為《ため》の根拠と考えて満足していた。けれども、段々とそれが気になり出して、到頭こんなことを考えるに至った。なるほど、噂は最近になって囁かれ始めたのであろう。そして恐らくは、最近になったからこそ囁かれ始めたのだ。あの当時、誰がこんな話を信じたであろう？　今だからこそ、誰もがこれを信じるのだ。……彼は、噂が生成に要した時間を、自分達二人の生活の時間に重ねて考えてみた。そして、世間の敏感さに驚いた。噂を本当であるとは信じなかった。しかし、それが今、本当らしく聞こえるということまでを否定することは出来なかった。

彼女が自分に対して持っている密《ひそ》かな軽蔑の念が、今や生活のあらゆる部分に投げ掛けられていることに彼は気づき始めていた。自分自身で勝手に思い込み、勝手に軽蔑している彼女を見て、苛立《いらだ》ち、幾分呆れもした。やくざ紛《まが》いの連中の本に切《しき》りに感心しているのを見ると、それなら現に彼女が毎年利益を上げているノアンの土地の小作人達はどうなるのかと、冷や水を浴びせてやりたくもなった。

しかし、ショパンはそれらのすべてをただ胸の裡《うち》にのみ留《とど》めておいた。彼女に向かって、僕はあなたの考えているよりも、ずっと世の中のことが分かっていると真面目《まじめ》に訴えることの滑稽さを思った。彼女はそれを思春期の少年の他愛《たわい》もない反抗にあったように優しく聞き流すであろう。とするならば、それはやはり茶番というより外はなかった。

しかし、彼がそうした不平を口にしなかった本当の理由は、恐らくもっと単純なことであった。結局のところ、彼は彼女を愛していた。その為に、どれほど多く自尊心を傷つけられようとも、彼女を愛していることは疑い得なかったし、彼女もまた自分を愛している筈だと信じねばならなかった。満たされている訳ではなかった。しかし、別離を考えることなど出来なかった。何時《いつ》だったか、ノアンの館《やかた》の壁紙を貼《は》り替えた際に、彼は、足許《あしもと》にじゃれつく二匹の子犬に囲まれながら、部屋の模様替えに費やされる彼女とその子供達との無邪気な熱中に触れて、ふと、自分も何時の日にか今剝《は》ぎ捨てられた壁紙のように、この家とも彼女とも惨《みじ》めな別れをせねばならないのであろうかと考えたことがあった。――そもそも彼女は、自分と出会う前に、一体何人の男と浮名を流してきたことであろうか？ 何度も頭を過《よぎ》っては、その都度逆にそうした詮索《せんさく》をする自分の卑《いや》しさをこそ責め、努めて考えぬようにしてきたそんな疑問に、彼は抗し難く立ち戻った。いや、現に今、彼女と頻繁に会っているあのやくざな連中の誰か一人が、彼女に求愛し、受け容《い》れられなかったとは、どうして断言出来ようか？ ルイ・ブラン？ 莫迦な。しかし、そうした連中にせよ、結局はあんな風にぼろ布のようになって彼女の許を去って行くのだ。張り合わせて一旦《いったん》一つとなったものが、綺麗《きれい》に元通りの姿で二つに分かれることなどあり得ようか？ あの壁の所々に薄く破れて張りついた壁紙の名残。彼女と別れることによって失うものは、独り彼女ばかりではない。肉を剝がされるようにして、自分自身の多くが失われてしまうに違いない。彼女の存在は、この胸の奥深くに喰い入って溶け合うようにして根を張り、癒着している。無理にも引き剝がそうとする時、どうして血の流れ出さないことがあろうか？ そのあと自分はどうなるだろう？ 彼女の方は？ いや、彼女は、過去に身に纏《まと》った色々の壁紙の名残を皆少しずつ留めたまま、真新しい壁紙の下に事もなげに覆い隠してしまうこの館の壁そのままに、すぐにまた新しい魅力的な愛人を見つけることだろう。――ああ、その時この僕は、僕の最も軽蔑する連中とまるで変わるところのない者となってしまうのだ。ミュッセにボカージュにマルフィーユ！……あんな連中に比べれば、僕はどれほど真剣に彼女を愛しているだろう？　どれだけ誠実に彼女を愛しているだろう？　その僕がだ！　僕は、彼女の記憶の裡で、無理矢理にあの連中と同じ部屋の中に押し込められてしまうのだ。そして、時偶《ときたま》彼らを思い出すのと同じようにして、片隅で小さくなっている僕にも冷淡な一瞥《いちべつ》を投げ掛けるのに違いない。僕は嫉妬《しっと》しているのか？　彼女の過去に？　オーロールは、確かにそう思っているだろう。今の僕を見れば、それも無理はあるまい。社会主義かぶれのあの下卑た偽善者達が訪ねて来ると、僕は何時でも、滑稽なほどに激しく苛立ってしまう。そしてそれが、自分でもみっともないことだと分かっているから、せめて平静を装《よそお》って、慇懃《いんぎん》に、丁重に、体調が悪いと言い訳して奥の部屋に引き籠《こ》もってしまうのだ。彼女はそんな僕に対して、そうした根拠のない嫉妬は自分の貞淑さに対する冒瀆《ぼうとく》だと不平を漏らす。勿論《もちろん》、僕を安心させる為に、幾分はわざと怒ったような態度を取っているのだろう。それは分かっている。分かっているが。――僕は本当に嫉妬しているのだろうか？　彼女の今の仲間達に対してはそうかもしれない。しかし、彼女の過去に対しては？　いや、違う。それは、嫉妬じゃない。不幸にして、嫉妬ですらない。傷つけられるのは、僕の自尊心だ。自分が彼らと同じ扱いを受けなければならないことに対する自尊心の嘆きだ。自尊心？　それなら僕は、本当の莫迦者だろうか？　彼女との別離を悲しむ風《ふり》をしながら、彼女とは関係なく、結局ただ自分の為にだけ苦しもうとしている莫迦者だろうか？……

――サンド夫人に関わる回想は、記憶と現在の心境とが何時でも微妙に溶けあって、こんがらがりながら、決まってこうした手の着けようもない思いへと至ってしまうのであった。

パリにいる間も、ショパンの頭の中は、ノアンでの生活のことで絶えずいっぱいになっていた。彼はこの夏、初めて彼女に、「あなたはもう、僕のことを愛してはいない。」と言った。これは、予《あらかじ》め準備されていた言葉ではなかった。些細《ささい》なきっかけの為に、昂《こう》奮《ふん》して思わず言った言葉であった。彼は、そんな言葉が自分の口を衝《つ》いて出たことに驚いた。そして、その言葉が瞬時に帯びた取り返しのつかぬ深刻さにもまた驚いた。後悔の念に血の気が失《う》せていった。二人の間に、次第に繁殖しつつあった数多《あまた》の不定型な感情の群が、一時《いちどき》に飢えた家畜のようにこの言葉に飛びついた。言葉はそれらを残さず吸い込んで、その重みに耐え切れずに沈没してしまった。彼女は激昂した。その言葉自体の意味よりも、その言葉が無神経にも背負い込んだものの多さに改めて気づいたからであった。

どうしてこんな言葉を吐かねばならなかったのであろう？　自問する度に彼は憂鬱になった。そして、その不幸を呪《のろ》った。

彼ら二人の間に諍《いさか》いめいたことが起こるようになったのは、彼此《かれこれ》二年ほど前からのことである。それがいよいよ頻繁に生じて、宿痾《しゅくあ》のように普段の生活に緊張を強いるようになったのが、この夏のノアンでの日々であった。無論、それ以前にも口論程度のことはあったし、口には出さずとも互いの胸中に秘められた不平や不満も少なからずあった。しかし、今起こりつつあることが、多少はそれらによって準備され、現に連絡を保っているとはいえ、本質的には殊《こと》なったものであることは二人とも気がついていた。それは最《も》早《はや》、愛情の名の下に容易に克服し得る問題ではなかったからである。

　恋愛関係の始まりがしばしば状況によって齎《もたら》されるように、その終わりもまた状況を導き手とすることがある筈である。そしてそれは、感情の力学よりも、遥《はる》かに迅速に、逃れ難く、巻き込まれた人間を連れ去ってしまうに違いない。

　発端は、サンド夫人の二人の連れ子の兄妹喧嘩《きょうだいげんか》であった。けれども、この喧嘩は終息しようのない喧嘩であった。兄は妹を軽蔑し、妹は兄を憎んでいた。彼らは、同じ親から生まれた者同士に相応《ふさわ》しく、極の等しい磁石のように、反発し合い、しかも、各々《おのおの》が独自の磁場をその周囲に築いていた。

　兄のモーリスは二十三歳、妹のソランジュは十八歳になっていた。彼らはいわば、同じ餌壺《えつぼ》の餌《えさ》を啄《ついば》む二羽の小鳥であった。壺の中身には限りがあった。一方が多く食せば、他方は何時も喰い足らなかった。二人は、母親の愛情を奪い合った。そして、兄が肥満気味であった分、妹は常に貧血気味であった。

モーリスか、ソランジュか、と問われれば、サンド夫人は迷わずモーリスと答えたであろう。彼女のモーリスに対する愛情には、息子に対するそれに加えて、その名の由来である幼くして死に別れた父モーリス・デュパンへの憧憬《しょうけい》が仄《ほの》めいており、しかも幾分かは異性としての意識も含まれていた。そして、その愛情には、カジミール・デュドヴァンという放埓《ほうらつ》な夫との結婚生活の中で、まだ創作に手を染めていなかった頃の彼女が唯一《ゆいいつ》喜びとしていた幼い日の彼の記憶が固く寄り添っていた。しかし、ソランジュに対してはそうではなかった。愛情の組成の複雑さに比べれば、嫌悪《けんお》の組成は何時でもずっと単純なものかもしれない。善性の欠如が悪へと直結するスコラ学の教理のように、サンド夫人にあっては、愛情を欠くことが、無関心を越えて嫌悪と結びついていた。ソランジュは、何時の頃からかこれに気づくようになった。そして、兄が憎いから母親も憎いのか、母親が憎いから兄も憎いのか、自分でも分からなくなっていた。

こうした親子の関係を一層混乱させたのが、オーギュスティーヌ・ブローという養女の存在であった。彼女の母親はサンド夫人の母方の親戚《しんせき》で、以前からその家族はサンド夫人の経済的な援助を受けていた。父親は仕立屋の助手で、母親はその気立ては優しいが、身持ちの悪い愛人だった。娘の行く末を案じたサンド夫人は、正式な法手続きを経て彼女を養女として引き取り、ショパンをも含めた自分の四番目の子供だといって周囲に公言していた。

オーギュスティーヌは、秀《ひい》でて善良でも、聡明《そうめい》でも、美しくもなかったが、ソランジュと比べると、素朴で明るく、頭は良いのに狡賢《ずるがしこ》くなく、顔立ちも端整で魅力的だとサンド夫人は思っていた。そして恐らく、同胞として家族の一員に加わる為には、少々魅力があり過ぎたのであった。

彼女は、血縁とはいえ自分とは別の世界の人間だと思って予《かね》てから憧《あこが》れていた著名な女流作家の厚意に飛び上がって喜び、心からの感謝を示してサンド夫人を実の母のように慕った。サンド夫人の方も彼女のそうした無邪気さを愛らしく思い、ソランジュもこうであってくれればなどと思ったりした。自分は、劣悪な環境に育ったひとりの不幸な少女を、当然のこととして、いわば善意から救ってやった。打算は一切ない。しかし、彼女がもしもソランジュの良い話相手となり相談相手となってくれるのであるならば、それに越したことはない。そうした期待もない訳ではなかった。

しかし、それはあり得ぬ話であった。暫《しば》らくすると、ソランジュはもうオーギュスティーヌのことを憎み始めていた。今や餌壷には、もう一つ頭が増えたのである。養子として正式に引き取られることとなった千八百四十五年、オーギュスティーヌは既に二十一歳になっていた。彼女が仮にソランジュよりも年下であったならば、事情はまた殊なっていたかもしれない。新しく迎えられる家族が、姉ではなく妹であったならば、ソランジュは彼女の困難な立場に同情する余裕をさえ持ち得たであろう。オーギュスティーヌにとっても、その方が遥かに気兼ねなく振る舞えた筈《はず》である。しかし、不幸にして彼女は姉であり、ソランジュこそが妹であった。それも四歳も年が離れていた。ソランジュは、同胞が二人から三人に増え、しかも自分がその一番下に位置していると思うと、家族の中でも急に自分独りが子供の立場に追い遣《や》られたような気がして面白くなかった。たまたまサロンに足を運んで三人の談笑している様を目撃したりすると、その内容が気になって仕方がなかった。自分がいない時を見計らって、三人だけの内緒の話をしていたのかもしれないと悪い詮索をした。そして、どうせ他愛もない話だからと曖昧《あいまい》に笑って答えてもらえなかったりすると、それを何か屈辱的な扱いのように受け取って腹を立てた。その反対に、モーリスはすぐにオーギュスティーヌと親密になった。彼にとってこそ彼女は妹であったが、じきにそれ以上の存在ともなった。モーリスは、少し前に歌手のポーリーヌ・ヴィアルド夫人に思いを寄せていた。マニュエル・ガルシアを父に持ち、夭折《ようせつ》したマリア・マリブランを姉に持つこの逸材は、千八百三十九年にロンドンのコヴェント・ガーデンでデスデモーナを演じ称讃《しょうさん》されて以来、新進の歌手としてまさにその才を開花させんとしていた。彼女は、母親の友人であり、《コンスエロ》のモデルであり、ショパンにとっては同時に生徒でもあった。夫はイタリア座の支配人で、母親とは学生時代からの友人であるルイ・ヴィアルドである。モーリスは、二歳年上の既婚者である彼女に不器用に思いを打明けて、散々気を持たされた挙句に丁重に拒絶された。青年の恋はどんな時でも待ちきれず、出会いのあとに芽生えるべきだという簡単な順序を守った例《ためし》がない。彼は既に恋をしていた。誰に？　あとからヴィアルド夫人だと分かった。そして、彼女の去ったあとも、相手も知らずにもう恋をしていた。そこに、幼馴染《おさななじ》みのオーギュスティーヌが現れたのである。同じように順番を守らぬ恋を抱きながら。

これは、サンド夫人の予期せぬことであった。事態を知って、彼女は初めに驚き、次いで喜んだ。オーギュスティーヌの父親は、モーリスが真面目《まじめ》に娘を愛しているとは信じず、二人の関係はサンド夫人の計ったことだとして憤慨した。娘は慰みものにされている、最初からそういうつもりだったのかと詰め寄った。しかし、これは根拠のない言い掛かりであった。彼女は寧《むし》ろ彼らの結婚までをも考えて、それを祝福するつもりでいた。

ソランジュは、分が悪かった。モーリスと言い争いになれば、決まってオーギュスティーヌが敵の加勢に回った。母親も、仲裁に這入《はい》りながら自然と二人の肩を持った。彼女が「自分は愛されていない。」と訴えると、サンド夫人は、その都度首を振って母親としての自分の公平さを雄弁に強調した。それが余計に腹が立った。つまらぬ喧嘩を吹っ掛けて、よく部屋を飛び出した。泣きつく先は、一つしかなかった。

ショパンはこの騒動を、暫くの間静観していた。自分のポーランドの家族のことを考えて、どうして同じ血を分け合った者同士が、こんな争いをせねばならないのだろうかと不思議にさえ思った。口論一つを大袈裟《おおげさ》に心配した。その原因を考えて、きっと平和過ぎるからなのだと失笑するような答えを導き出したりもした。一緒に暮らせるだけ仕合せだと思った。自分のように、十五年も愛する家族と離れ離れに生活している人間が、こんな贅沢な喧嘩を真面目に受け止められるのだろうかと疑問に感じた。いっそ「僕の苦悩に比べれば、……」とでも言ってみようかと考えた。しかし、そうしたものの言い方も、何処《どこ》か卑屈で間が抜けているように感ぜられて、口にすることは出来なかった。

騒ぎがじきに収まっていたのならば、彼は戸惑いがちにそれを傍らで眺めていただけかもしれない。しかし、時が経《た》つにつれ、次第に彼もこの問題に深く関わるようになっていった。それは、一つには逃れ難い立場のせいであり、また一つには自らの意思のせいであった。

ソランジュは、孤立していた。彼女が泣きながら部屋へと飛び込んで来ると、ショパンは何時《いつ》も黙って事情を聴いてやった。家族から受けた酷《ひど》い仕打ちを一つ一つ大仰に語って、自分はまったくの被害者だと訴える彼女の様子は、皮肉にもしばしば母親の姿と重なって見えた。彼は、ソランジュが自分を慕って来る態度の底に、幾分狡智《こうち》なものを感ぜぬでもなかった。彼女が、「お母様の目には、もうお兄様の姿しか映らないんだわ！」と嘆いてみせる時、彼はその言葉が、暗に自分とサンド夫人との関係の危機を仄めかしているように感じて、モーリスへの嫉妬心を共有させる為《ため》に、彼女はわざとそんなことを言うのではないかしらと疑ったりした。しかし、そうした計略は陰湿過ぎて、彼女に帰するのは気の毒な気がした。穿《うが》った見方だと反省した。縦《よ》しんばそうした意図があるとしても、それが意識されたものとは思われなかった。自分でも知らぬ間にそんな策を巡らしているのならば、それはやはり哀れなことではあるまいか？

ショパンは、矛盾した二つの思いに頭を悩ませていた。一方で、こうした騒ぎから出来るだけ遠くに身を置いていたいと願っていた。しかしもう一方では、その中で自分の果たすことの出来る役割を考えていた。

人並の家庭生活というものに、彼は密《ひそ》やかな憧れを抱いていた。これは、彼の周囲にいる者の誰一人として理解してはいないことであった。皆が、フレデリック・ショパンといえば、宝石や硝子《ガラス》細工のように美しいけれども生活には何の役にも立たないものを思い浮かべた。根拠もないのに、貴族の末裔《まつえい》ではないかしらと疑ったりした。生活など自分以外の誰か外の者にやらせておくのだろうと想像した。「あの方でも、トイレに行ったりなさるのかしら？」などと思わず口にする女もいた。中には稀《まれ》に、「あれは単に、背伸びをした成り上がり者の典型だ。」と揶揄《やゆ》する者もあった。それに対して、レッスンの生徒を取る為には、どうしてもその趣味を貴族的たらしめざるを得なかったではないかと擁護を買って出る者もあった。

彼自身、自分は生まれついての贅沢《ぜいたく》好きなのか、それとも、パリという都市で音楽で身を立ててゆく為には已《や》むを得ずそうあらねばならなかったのかが、今では分からなくなっていた。精々、苦にもならずにそうしてきたのだから、初めからそういった趣味があったのだろうと思う程度である。父親が生きていた頃にはしょっちゅう手紙で倹約を命ぜられていたが、余り守った例《ためし》はなかった。それでも、心の中では何処かそうした日常に違和感のようなものもあって、自分の生活はもっと別のところにあったのではと考えてみたりするのであった。

そうした時に、決まって彼の脳裡《のうり》を過《よぎ》るのが、懐《なつ》かしいポーランドの家族のことであった。使い慣れた杖《つえ》の握りが段々と手に馴染んでくるように、幾度《いくたび》も繰り返し回想された記憶は、欲求に磨かれて角が取れ、自然と心地好《よ》い思い出ばかりを齎すようになっていた。自分も愛する人と、あんな家庭を持ち得たかもしれない。そうすれば、やっぱり子供を持っただろうか？　男の子か？　女の子か？　父親と母親とのどちらに似ただろう？　父親そっくりの怠け者だったらどうしよう？　音楽家にさせただろうか？　バカロレアに合格させる為に、沢山家庭教師をつけただろうか？　自分は父さんのように、根気好くディドロやヴォルテールの話をしてやることが出来ただろうか？　言葉は？　ポーランド語か？　フランス語か？　いや、どちらも出来るに越したことはない。序《つい》でに英語も勉強させよう。ドイツ語も、ラテン語も。まるでメンデルスゾーンだ！……こんな寄宿学校の女学生めいた空想が、寂寥《せきりょう》とともに頭を満たした。

サンド夫人の愛人となる前に、ショパンは一度、別の女に婚約を申し出たことがあった。相手は、マリアという名の九歳年下のポーランド人で、父が自宅の隣に経営していた寄宿舎を通じてその三人の兄とは親しくつき合っていた為に、彼とはいわば幼馴染みの間柄であった。マリアの生まれ育ったヴォジンスキ家は、ポーランドでも屈指の大貴族で、彼らの祖先の一人は、嘗《かつ》てのポーランド王ジグムント一世老王と結婚したボナ・スフォルツァの従者であり、十六世紀になってポーランドの地を訪れたイタリア貴族であった。

千八百三十年の革命以後、ジュネーヴに移り住んでいたヴォジンスキ伯爵《はくしゃく》の一家は、ワルシャワへと帰る途中に一年ほど滞在していたドレスデンで、既にパリでの活躍の噂《うわさ》を耳にしていたフレデリック・ショパンの訪問を受けた。彼らの許《もと》でマリアと再会したショパンは、一週間ばかりの慌《あわただ》しい滞在の間に、俄《にわ》かに彼女を愛するようになった。そして、一年を置いて、今度はマリエンバートで一月《ひとつき》をこの家族と過ごした際に、彼は思いきって彼女に求婚したのであった。

婚約は、延期に延期を重ねた末に終《つい》に結ばれることなく已んだ。ヴォジンスキ家では、彼らの結婚を望ましいと考えてはいなかった。理由は様々であった。家柄の違いは当然にあった。結核紛《まが》いの咳《せき》をして、時には世間で、死亡したとの噂さえ実《まこと》しやかに囁《ささや》かれる彼の健康状態も一家の快くは思わぬところであった。マリアは彼の好意を喜び、実際に彼を愛してもいたが、親の反対に逆らってみせるほどに熱心に愛することは出来なかった。

　ショパンは落胆した。自分が愛されていないとは思わなかった。そして、彼女の家族でさえ、自分を憎んでいる訳ではないことも知っていた。数年ぶりに一家を訪《と》うた時、彼らが自分を、嘗て館《やかた》に遊びに来ていた身分違いの青年に対する儀礼上の丁重さを以《もっ》て迎えるのではなく、彼ら自身の生活する社会に、自らの才能と成功とによって新しく加わることとなった一芸術家に対する敬意を以て迎えてくれたことは、何にも増して彼を感動させた。しかし、マリアとの結婚が叶《かな》わぬこととなった今、彼は、そうした彼らの態度の裡《うち》に極めて精緻《せいち》で洗練された残酷さを感ぜずにはいられなかった。自分は単に自《うぬ》惚《ぼ》れていたに過ぎないのだと思った。そして、そのおめでたさを知った。なるほど彼らは、温かく迎えてくれた。そして、自分はそれに相応《ふさわ》しく振る舞った。彼らは恐らくは、昔馴染みの人間に対するあの親愛の情から、自分の成長を頼もしくさえ感じたことだろう。愛されていたとは敢《あ》えて言うまい。しかし、憎まれていた訳ではない。自分は立派な客人だった。ただ彼らの家族に加わる為には少々相応しくなかったのだ。

　ショパンは、貴族の家系に入って、成り上がることを望んでいた訳ではなかった。そうした社会の齎《もたら》してくれるものは、パリでも十分に享受《きょうじゅ》していたし、称号や勲章の類《たぐい》にも無関心であった。彼がマリアとの生活に思い描いていたのは、もっとささやかな取るにも足らぬような幸福の数々であった。顧《かえりみ》て、彼は自分の願いの幼稚さを恥じた。それをマリアのような女に望むのは、いかにも見当違いだったと思った。そして、そうした未来が、自分からはどれほど遠く隔たったところにあるかを改めて知った。自分は、階級の違いの為に苦しんだのだろうかと考えてみた。多分、そうではあるまい。彼らにとってはそうだったかもしれない。けれども、自分の哀《かな》しみは、何か別のものであろうと思った。

ショパンは、マリアとの結婚の望みが絶たれた時、彼女と交わした数少ない手紙とともに、ヴォジンスキ家から送られて来たすべての手紙を一つに束ね、何時か彼女から貰《もら》った薔薇《ばら》の花とともに封筒に入れて、桃色のリボンで封をした。表には、ポーランド語で「我が悲哀」と走り書きした。少し滑稽《こっけい》な感じがした。「悲哀」というのは、どうだろうかと思った。けれども、書き直す気はなかった。どの道自分独りしか目にすることのない代物《しろもの》だ。その言葉からは食《は》み出してしまう感情も、その言葉には満ち足りない感情も、自分には分かっている。自分だけが知っていればいい。万が一にも誰かの目に触れるようなことがあれば、言葉が却《かえ》って隠れ蓑《みの》になってくれるだろう。言葉は案外何も伝えないものなのかもしれない。或《ある》いは、真実以外の何か別のものを伝えてしまうのかもしれない。――そんなことを考えた。

サンド夫人の愛人となってから、ショパンは、彼女との恋愛生活に夢中になったのと、マリアとの思い出から逃れたいのとで、こうした家庭生活に対する憧《あこが》れを、諦念《ていねん》を以て処理することに馴れてしまった。サンド夫人は、彼に対する自分の愛情を、異性へのそれを超えて母性的な献身にまで高められた清らかなものとして強調したがった。それはいわば、彼女の選択であった。彼女は固《もと》よりもっと激しく男を愛し得る筈《はず》であった。しかし、ショパンとの関係に於《お》ては、自分の演ずる役割はそれより外には考えられなかった。彼は、そうした彼女の態度に違和感を感じ、自尊心の痛みを味わわねばならなかったが、その一方で、聖母的な女とジャン＝ジャックの描く子供のように無垢《むく》な男との美しい関係という彼女の願う恋愛のあり方に、知らず識《し》らず自分の身振りを合わせているところがあった。彼はそこで、自分にとっては失われてしまったポーランドでの家庭の生活を、マリアの時のように夫として新たに築くのではなく、再びひとりの子供として、新しい母との間に模倣しながら恢復《かいふく》しようとしていることを感じた。諦《あきら》められた欲求が、今は別のかたちで満たされている。幾度もそのことに気がつきそうになった。しかし、それを意識しようとすると、忽《たちま》ち激しい不快に襲われて、慌《あわ》てて顔を背けてしまった。

ショパンが、モーリスとソランジュとの喧嘩《けんか》に立ち会ったのは、自尊心とこうした欲求との均衡が危機に瀕《ひん》し始めた、まさしくその時のことであった。

騒動が長引くにつれ、ショパンは、この一件に於て保ってきた彼らとの距離を狭めながら、自分は一体何をなすべきだろうかと考えるようになった。事態が終息するに越したことはない。しかし、争いの根が深いことは彼も承知していた。具体的な解決の目処《めど》もつかぬまま、幾つかの些細《ささい》な口論の際に、彼は迂闊《うかつ》にもソランジュの肩を持つような仲裁の仕方をした。モーリスは、激しく反発した。そして、オーギュスティーヌとともに、次第にショパン本人に対しても敵対心を露《あらわ》にするようになっていった。

　ショパンがソランジュに加勢をしたのは、彼女に対する同情は固《もと》より、モーリスとオーギュスティーヌとの関係について、自らも常々不信を抱いていたからであった。そもそも彼は、オーギュスティーヌを養子にすることには反対であった。まだピガールに住んでいた頃から、彼は、しばしば家に訪ねて来てはモーリスと秘密めかした遊びに興ずるこの少女を、何となく好きになることが出来なかった。昂奮《こうふん》したソランジュが、彼女の育ちの悪さを罵《ののし》ったりする時、彼は表向きソランジュを諫《いさ》めはするものの、内心その気持ちが理解出来るような気がした。ソランジュは、そうした彼の本音に気づいていた。そして恐らくは、モーリスについても、彼が快くは思っていないことを察していたのであった。

　ショパンは、モーリスとオーギュスティーヌとの関係のだらしなさを、甚《いた》く軽蔑《けいべつ》していた。何ら珍しくもない、この年頃の若者にありがちな性的な放縦に過ぎないと思っていた。オーギュスティーヌの父親が怒鳴り込んできた時、サンド夫人の期待を逆手にとって、モーリスに彼女と結婚すべきだと強く主張したのは彼であった。結婚するつもりなどないことは、最初から分かっていたからであった。

ショパンは、サンド夫人との関係に於て断念し、母に対する子のような役割に甘んじていなければならなかったこの家族との生活の中で、二人の連れ子に対する態度を通じて、初めて父性の役割を担《にな》えるかもしれないと漠然と意識するところがあった。愛人であることには変わりなかった。法律の上でも、事実の上でも、自分がこれまで彼女の夫でもなければ子供達の父親でもなかったことは、十分承知していた。今後もそれに変わりはない。それでも彼は、この事態を解決する為に自分の果たすべき役割の大きさを自覚するようになっていた。サンド夫人の聡明《そうめい》さには信頼を置いていた。しかし、事我が子の問題に関する限り、取り分けそれがモーリスのことである場合に、彼女がしばしば理解し難い奇妙な判断を下してしまうことを、彼は何度も経験していた。自分ならばこう言うだろうにと思いながら、黙っていることが度々あった。それを今、敢えて言おうとするのは、否応《いやおう》もなく自分がその場に引き込まれてしまったからであり、同時に自らそれが必要であろうと判断したからであった。

しかし、ショパンの態度は受け容《い》れられなかった。彼を当惑させたのは、その反発が独りモーリスからのみならず、サンド夫人からも起こったことであった。モーリスは、今や母親の愛情の競争者としてだけではなく、家長となる為の競争者としても彼を敵視するようになっていた。しかも彼こそは、ヴィアルド夫人がリストの許を去ってまでして教えを乞《こ》いたがった一流の芸術家であり、今以て彼女と親密な交流を保ち続けている魅力的な男であった。側《そば》にいて、これほど目障《めざわ》りな人間はなかった。父親として認めることなど以ての外である。サンド夫人も認めなかった。そもそも彼女は、女に永遠に未成年であり、また奴隷《どれい》であることを強いる家長制度という悪《あ》しき仕来《しきた》りに断乎《だんこ》として反対していた。それは彼女の思想的な信念であり、政治上の目標であった。そうした時に、どうして選りにも選って自分の家庭に改めて家長の座など設けなければならないであろうか？　それに、家庭問題に関する自分の判断には絶対の自信を有していたし、何よりも、今日まで二人の子供を育ててきたのは自分なのだという矜《ほこり》を持っていた。こうした問題の処理に関するショパンの能力など、初めから信じてはいなかった。今更勝手だとも思った。協力し合い、話し合って子供を育ててゆくことなど、考えつきもしなかった。

彼女は何処《どこ》かで、ショパンがソランジュに好意的であるのを、オーギュスティーヌがモーリスの加勢をすることと同じように考えていた。そしてそれを、自分に対する裏切りのように感じて不快に思った。この八年間というもの、病気の時も、創作の苦悩の時も、どれほど献身的に彼を支え続けてきたかということを思い返して、無性に腹が立った。自分はただ一方的に仕えてきたに過ぎない。苦しみの時にあって、彼は断じて自分の力にはなってくれなかった。その役割を引き受けてくれたのは、モーリス。独りモーリスだけだった。――そして、ソランジュの自分に対する反抗とショパンの態度とを幾分混同さえしていた。

ショパンは、結局のところ、自分がこの家族にとっては他人以上の者ではないことを知って、改めて深い失望を味わった。次第に苛立《いらだ》ちを抑えられなくなって、つまらぬことで癇癪《かんしゃく》を出した。或《あ》る時、サンド夫人の準備した食事の中で、モーリスにはたっぷりと肉のついた鶏の胸の部分が、彼には骨と皮しかないような腿《もも》の部分が宛《あて》がわれた。それがまるで当てつけのように露骨だった。平素なら気にもならないこんなことが、どうにも我慢出来なかった。惨《みじ》めさが俄かに込み上げて来て怒りを爆発させた。彼は、「僕は、お恵みの対象として扱われることに満足出来ない。」と言った。けれども、数年分の不満を皆ぶちまけてしまうことは出来なかった。しどろもどろになって言《こと》に窮すると、モーリスが憤然としてこの莫迦《ばか》気《げ》た怒りに抗議した。そして終《つい》には、ショパンと一緒に住むことは出来ないから自分の方が家を出て行くといって母親を脅した。勝負はここに決した。サンド夫人は、愛人の子供染《じ》みた嫉妬《しっと》に呆《あき》れていた。いい歳《とし》をした大人が、食べもののことで取り乱すなんてといよいよ彼を軽蔑した。食べ盛りの若者に、自分の肉を譲るくらいの寛大さはないものかしらと眉《まゆ》を顰《ひそ》めた。モーリスの方が、ずっと大人だと思った。そして、息子に家を出るとまで言わしめた彼の横暴に、彼女自身も大いに憤慨した。

騒ぎはすぐに収まったが、その余韻は長く尾を曳《ひ》いた。サンド夫人やモーリスの主張は尤《もっと》もだと思った。そして、それが理解出来ることが、余計に彼を苦しめた。自分は——と彼は思った——我慢し過ぎたのだ。これまで何も言わなかった人間が、突然あんなことで大騒ぎをすれば、誰だって驚くに決まっている。オーロールは、すべて僕の大人気なさのせいにしている。しかし、そもそもあんな酷《ひど》い仕打ちをしたのは彼女の方だ。もっと早く言うべきだった。けれども、言ってしまえば、今日まで自分達はこうした関係を続けることが出来なかったに違いない。それが分かっていた。そして、それが怖かった。今だって怖い。何と莫迦なことを言ってしまったのだろう。ああ、モーリス！　僕はあんな子供に嫉妬しているのか？　まさか。彼は言わなかったか、そうまでして胸の肉が欲しいのなら、僕のを食べればいいと。何と惨めなことであろう。——それでも僕は、あの狡猾《こうかつ》さをどうしても愛することが出来ない。僕の失言を捕らえて、さも大人ぶってみせるあの狡猾さ。出て行く気など更々ない癖に、そんな言葉を口にして、母親の同情を巧みに引き寄せるあの青臭い狡猾さ。まだ子供なのは分かる。しかし、あんまりかわいげがないじゃないか。……

　この一件のあと、ノアンの館は静かになった。ショパンもサンド夫人も、もう一度同じようなことが起こるのならば、それは何か重大な結末を招かざるを得ないであろうことを漠然と意識していた。破滅の予感が、神経質で、余所々々《よそよそ》しい平穏を保った。顔を合わせると、ぎこちなく冗談を言い合ったりした。

ショパンがパリへと戻ってからも、こうした状態に変わりはなかった。彼は、暇さえあればノアンの彼女に手紙を書いた。何気ない調子で街の様子を伝えたりしたが、話題の選択には細心の注意を払っていた。サンド夫人は、手紙を通じて様々な雑務を彼に頼んだ。用事のない時には、無理にも拵《こしら》えてそれを頼んだ。遠慮のなさこそが、互いの関係の良好なことを示してくれると信じていた。彼も、そうした彼女の意図を理解した。努めて勤勉に依頼に応じた。頼られることは嬉《うれ》しかった。面倒なことほど、喜んで引き受けた。手紙の往復をしていると、二人の間に横たわっている様々な問題を束《つか》の間《ま》忘れることが出来た。不安のない訳ではなかった。しかし、こうした時期を経たあとには、却って以前のような親密さを恢復出来るかもしれないとも思っていた。根拠はなかった。ただ何となくそんな風に感じていた。

千八百四十六年の冬は、こうして過ぎていった。

三

年が明けても、パリにはよく雪が降った。

ショパンの周りは、相変わらず病気の者ばかりであった。風邪を恐れて、彼も出来るだけ家で大人しくしていたが、それでも退屈さが昂《こう》ずると、ひょっくりと馬車で彼らの見舞いに出掛けたりした。着られるものなら何でも着て行った。ズボンの下には、フランネルの下着を三枚も重ねて穿《は》いた。訪問を受けた者達は、普段は杖《つえ》ほどにも細い彼のからだが酒樽《さかだる》のように着脹《きぶく》れしているのを見て、思わず吹き出して礼を言うのも忘れて笑った。彼も、そうして喜ばれると嬉しくなって、去年死んだフュナンビュール座のドゥビュローを思い出して一枚々々を大仰な身振りで脱いだりした。戯《おど》けていても、品のあるところが余計におかしかった。段々と小さくなってゆく様を自分でも鏡で確認した。愉快に笑ったあとには、誰もが心から感謝した。その時になって、彼らは初めてそうした厚着の意味するところを真面目《まじめ》に考えるのであった。

パリに戻って来てから、ショパンは何度かウージェーヌ・ドラクロワと会っていた。どちらもこんな時には一番に病人の仲間入りをしそうなのに、不思議とまだ寝込むようなこともないので、今年は何となく良いことがありそうだなどと笑い合ったりした。冗談めかした気軽な会話が深刻な調子を帯びてしまわないようにと、お互いが同じように気を遣っていた。二人ともそれぞれの理由に於て不安だった。こんな言葉を何処か本気で信じてみたいと思っていた。そして、そうした心境をそれとなく察しながら、どちらもやはり詮索《せんさく》し合うことはしなかった。

ショパンがドラクロワと知り合ったのは、千八百三十三年のことであった。最初は単に数多《あまた》ある芸術家の知人の一人として、一応は知っているという程度であったのが、三年ほどしてマルリアニ伯爵《はくしやく》夫人のサロンでちょくちょく顔を合わせるようになってからは、少しずつ言葉を交わすようになり、それから更に二年を費やして漸《ようや》く親しく交わるようになったのであった。第一共和制時代の千七百九十八年に生まれ、ショパンよりも十二歳年長であったドラクロワは、その頃既に、青年時代に魅惑《うち》された社交界の華やかさからも身を退けて、次第に、創作の孤独の至福と苦悩との裡に、抗し難く呑《の》まれゆくかのようにして沈潜しつつあった。人と会うことが、以前ほどには喜びと感ぜられなくなっていた。サロンの名士達にはとうから退屈していたが、今では詩人や小説家のような人達に対してさえも疎《うと》ましさを感ずるようになっていた。一頃頻《しき》りに交わっていたロマン派の芸術家達にせよ最早《もはや》興味の埒外《らちがい》で、彼らと勇ましい議論を戦わせていた自分の過去も面映ゆく回想されていた。自《おの》ずと交際の範囲も限られていった。新古典派の画家達からは勿論《もちろん》のこと、ロマン派の画家達からでさえも、そうして少しく孤立していた。旧《ふる》くからの友人に対しては、人の倍も愛情を感じていたが、新しく知り合う人間に対しては、儀礼上の丁重さを保ったまま深く関わり合おうとはしなかった。人嫌いという訳ではなかった。しかし、何処か狷介固陋《けんかいころう》と目されるような雰囲気があった。そしてショパンは、そうした時期に差し掛かっていた彼が、新たに真に友情を結びたいと感じた数少ない例外の一人であった。

サンド夫人は、人によく「あの二人は、似た者同士で馬が合うのよ。」と語っていた。ただし、表面上はそうであっても、深くつき合うとなれば、ドラクロワの方が遥《はる》かに魅力のある人間だと思っていた。二人とも、知人の域を出ない間は申し分もなく慇懃《いんぎん》であるが、そこから一歩踏み込んで、多少なりとも友情の名に値するような関係を築こうとすると、ショパンがますます冷淡に、幾分怯《おび》えながら自分の裡に閉じ籠《こも》ってしまうのに対して、ドラクロワは、誰もが彼からは望むべくもないと思っているような予想外の親切を示してくれるというのが彼女の意見であった。

そもそも、この二人の親しく交わるようになったきっかけがサンド夫人であった。ショパンがリストを介して彼女と知り合ったのは、千八百三十六年のことであるが、その二年ほど前に、ドラクロワは知人のフランソワ・ビュローズから彼女を紹介されていた。ビュローズは、《アンディアナ》によって注目されたこの新進の閨秀《けいしゅう》作家と、当時逸早《いち》く定期寄稿の契約を結んだ《ルヴュ・デ・ドゥ・モンド》誌の主監であった。この雑誌では、ユーゴーやバルザックを初めとして、デュマ、サント＝ブーヴ、ヴィニー、ミュッセ、といった主な寄稿者を肖像画によって紹介するという企画を持っていた。その際に、前年に掲載された《レリア》によって購読者の好奇心を一身に集めていたジョルジュ・サンドの肖像画を依頼されたのが、ウージェーヌ・ドラクロワだったのである。ドラクロワは、この若い作家について多くを知っている訳ではなかった。男装を好むことや人前でも平気で煙草《たばこ》を吸うこと、それにメリメやミュッセと派手な浮名を流したことくらいは人並に知っていた。何時《いつ》だったか、その頃住んでいたヴォルテール河岸十五番地の家の近所で、ミュッセと歩いているそれらしい女を見掛けて、「ああ、あれがジョルジュ・サンドか。」と思ったことがあった。精々その程度であった。

その彼が、ビュローズの依頼を引き受けて彼女の肖像画を描くことにしたのは、経済上の困窮もさることながら、ビュローズに、「彼女は才能のある女性ですが、一部ではとても不評を買っています。その評判の悪さときたら、まるであなたの絵に対する世間のそれと同じなのですよ。時代の先を行く者は、何時でもその風を真面《まとも》に受けなければなりません。」と冗談半分に説得されて、少し興味を持ったからであった。《レリア》は、発表以来様々な毀誉褒貶《きよほうへん》を受けていた。そして、面白がられるのは何時でも貶《けな》す側の言葉と決まっているから、彼の耳にもその悪評の方ばかりが届いていた。多くの者が内容の不道徳さに顔を顰《しか》めた。登場人物の極端な性格や、小説としての、構成上、形式上の不備も槍玉《やりだま》に上がった。そしてそれらは、小説と絵画という違いこそあれ、実際に《地獄のダンテとヴェルギリウス》以来、彼の作品が散々被《こうむ》ってきた批判とどれも似たようなものばかりであった。

ドラクロワは、依頼を受けた後に《レリア》を読んでみて、なるほど駄作だと思った。

こんなものと自分の絵とはとても比べられないと、最初の期待を慌《あわ》てて取り消した。けれども、アトリエでポーズを取ってもらい、その合間にミュッセとの有名な恋愛の顚末《てんまつ》などを聞かされるうちに、彼女本人の魅力には次第に興味を惹《ひ》かれるようになっていった。そして、肖像画が完成し、カラマッタによる版画が無事雑誌に掲載されてからも親密な交流を保ち続け、何時しか彼女との手紙の遣《や》り取りは、外に替え難い彼の大きな喜びの一つとなっていた。

ウージェーヌ・ドラクロワは、ショパンがパリに来た当初から、既に世に風評の轟《とどろ》く著名な画家の一人であった。しかし、彼が人に知られていたのは、称讃《しょうさん》と尊敬との為《ため》ではなく、画壇の悪名高き画家という甚だ不名誉な評判の為であった。

ドラクロワと会った後に、初めて彼の作品を目にする者が何時もそうであったように、彼の作品のみを知っていて、その後初めて画家本人と会する者もまた必ず同じような驚きを抱いた。ショパンは、彼を紹介される前から、何度か、「あれほど親切でお優しい方が、どうしてあんな薄気味の悪い絵ばかりをお描きになるのかしら？」といったサロンの会話を耳にしていた。実際に彼は、《キオス島の虐殺《ぎゃくさつ》》などというもののしい題を付されたその作品をリュクサンブールの美術館で観《み》て、これなら人が恐ろしがるのも尤もだと思った。そして、彼を深く知るようになり、互いの家を頻繁に往来するようになると、そうした作品についての印象のみならず、皆の感じている不思議——その為人《ひととなり》と画風との奇妙な不一致――についても、尤もなことだと思うようになっていった。

一月も半ばを過ぎた或る朝、ドラクロワは、住込みの使用人に見送られて、ノートル＝ダム＝ド＝ロレット街五十四番地の自宅のアパルトマンをあとにした。使用人は、ジェニー・ル・ギユーという名の彼よりも三つ年下の女で、彼此《かれこれ》もう十年以上も彼の許《もと》に仕えていた。彼女は以前に、親友のピエレの家で働いていた。それが、暫《しばら》く勤めた後に暇を出されそうだというので、そのピエレの妻の紹介で、彼が月給四十フランで雇うことにしたのである。ブルターニュ地方の田舎の出で、素朴ではあったが、少し頑固なところがあって、顔立ちも、狭い額とそこから続くYの字形の太い鼻梁《びりょう》、それに奥まった顎《あご》とが、何となくそれを窺《うかが》わせるような垢抜《あかぬ》けのしない作りであった。そうした印象も手伝ってのことか、この女は、どうも人に疎まれ易《やす》いところがあった。取り立てて何がどう悪いという訳ではない。ただ、することと一々が、人の癇《かん》に障《さわ》るといった風である。親切でしたつもりのことが、お節介だと注意を受ける。それで、「はい、はい」と聞き流しておけば好《よ》いのに、そうした融通が利《き》かない。主人の方も、言い分は分かっているので憎く思うことも出来ない。が、それで得心のゆく訳でもない。どうも気に喰わない。一緒にいると居心地が悪い。そうしたことが重なって、人の好いピエレのような男の家でも、どうやら余り良い扱いは受けていなかったようだった。

ところが、ドラクロワは、このジェニーと不思議に気が合った。普段は滅多に人に相談などしようとも思わない彼が、どういう訳か、彼女にだけは何でも話してみたくなった。それが、家計のことだとか、食事のことだとかならいざ知らず、制作途中の作品のことまでをも相談したりするので、親しい画家仲間などは、皆呆気《あっけ》にとられてこの二人の遣り取りを眺めていた。

昨晩も彼は、アトリエにコーヒーを運んでくれた彼女に、官展《サロン》に出品する予定の幾つかの作品について意見を訊《き》いてみた。ジェニーは、何時もの調子で色々と前置きをして、自分には先生の作品を評する能力などとてもありませんからと遠慮したが、それでもいいからと無理にも促すと、その腕の部分の中間色《ドミタント》の感じがいいなどと、なかなか的を射たことを言うので、彼は我が意を得たりとばかりに笑って、満足気に礼を言った。

『中間色《ドミタント》の感じがいい、か。……』

乗合馬車《オムニビュス》の乗り場まで歩いて行きながら、彼はふとそんなことを思い出しておかしくなった。

このところ曇天の日ばかりが続いていたが、今日はすっきりと晴れていて、何処《どこ》を見渡しても雲一つなく、そのせいか、地面には霜が降りていた。

この日彼は、人を訪ねたあとに、リュクサンブールへと向かう予定であった。人というのは、建築家のアルフォンス・ド・ジゾールのことである。ジゾールは、ペルシエの弟子で、パリの政府関連施設の改築に携わっている有能な男であった。千八百三十六年から千八百四十一年までの足掛け六年に亘《わた》り行われたリュクサンブール宮の庭園側ファサードの改築は、彼の指揮によるものである。ドラクロワとは、丁度その頃からの知り合いで、彼が、アドルフ・ティエールの肝煎《きもいり》で国会上院の図書室の天井の装飾を依頼された時には、委員会への主題の提示等を巡って、色々と便宜を図ってやったりした。この日も実は、新たに委嘱されたそのリュクサンブール宮の大階段の壁の装飾を彼に手掛けてもらいたいと考えて、その意思を確認する為に家まで呼んでいたのであった。

乗り込んだばかりの馬車をじきに降りると、こんなことなら歩いて行っても良かったなどと思いながら、ドラクロワは、白い息を吐いて十時の約束に三十分遅れてジゾールの家を訪れた。

「おはようございます。今日はまた寒いですね。あなたも、自慢の髭《ひげ》が白くなってますよ。」こう言って笑うと、ジゾールは、外套《がいとう》を脱ぐ暇《いとま》も与えずに暖炉の方へと誘って、歩きながら話を切り出した。「あなたが丁度、例の下院の図書室の仕事を終えそうだというので、一番にこの話を持って来たのですよ。で、どうなのですか、進み具合の方は？」

ここで、漸く椅子《いす》を勧めた。ドラクロワは、外套を脱いで腰を卸した。

「ええ、まだ、少し時間は掛かりますが、……」

「少しというと、どのくらいですか？」

「はっきりとは言えませんが、年内には何とか完成すると思います。」

「そうですか。もう少し早くはならないのですか？」

「勿論、それに越したことはないですが、……ちょっと難しいでしょう。私にとっても大仕事なのです。完成すれば、二つの半円蓋《はんえんがい》と五つのクーポラとからなる五十五メートルの天井の全体が、二十二の題材からなる様々な作品群で埋め尽くされる予定です。《ギリシアに文明を齎《もたら》すオルフェウス》、《イタリアを蹂躙《じゅうりん》するアッティラ》、それに、ソクラテスやアレクサンドロス大王、アルキメデスに、ヘロドトス、アダムとエヴァ、洗礼者聖ヨハネ、……とにかく、そういった規模ですから。ご存じだとは思いますが。」

「ええ。――そうですか。聞くところによると、今は天井に直接描いているのだそうですね？」

「ええ。二つの半円蓋の方だけですけど。」

「それはまた、何か考えがあってのことなのですか？」

「いえ、初めはカンヴァスに描いたものをあとで嵌《は》め込むようにしていたのですが、完成したものの一つを据えつけてみたところが、熱気で裂けてしまいまして、それで已《や》むを得ず、直接壁に描くことにしたのです。駄目になった絵は、最初からやり直しですよ。」

「熱気で？　ははァ、あそこは、上が硝子《ガラス》窓になっていますからね。それででしょうか。」

「ええ。恐らくは。」

「しかし、それは、災難でしたね。」

「まったく。」ドラクロワは、苦笑いしながら、少し大仰に溜息《ためいき》を吐《つ》いてみせた。相手も、同情するような顔をして、

「しかし、そうした分の追加報酬の請求は、きちんとすべきですな。何せ我々芸術家は、いい、貧困に喘いでおりますから。」

「ええ。しかし、同じブルボン宮の『王の間』の時にも、最初は一面だけの約束だった欄間部の壁面を、途中から全部やって欲しいと頼まれて、当然に報酬の増額を要求したところが、却下されてしまいましたから。今度の方が、理由が理由だけに難しいでしょう。最初から予測がついた筈《はず》のことだとか何とか言われるのがオチですよ。一応交渉してはみますが。」

「そうですか。知りませんでした。酷《ひど》い話ですな。実は先日、今回の件もあって、丁度そのブルボン宮の『王の間』と上院の図書室との装飾を観て来たばかりなのですよ。『王の間』の方も勿論ですが、それにも増して、あの図書室のクーポラは、まったく以《もっ》て傑作の名に相応《ふさわ》しい作品ですな。私は改めて感動しましたよ。一週間ほど前だったか、《コンスティテュスィオネル》にトレの評論が載っていましたが、あれも、――ルネサ

ンス以後、これほど美しい壁画が制作されたことはない——と絶讃してましたね。」

こう言われるとドラクロワは、照れとも違う少し苦い顔をして、

「ええ、有難うございます。ただトレの評論は、題材に関する間違いが余りにも多くて、あれはあれで困った代物《しろもの》なのですよ。特に半円部のアレクサンドロス大王を描いた方の絵については。」

「ああ、そうでしたか。なるほど。私も経験はありますが、自分の作品に対して好意的な批評家が、まったく見当違いな誉《ほ》め方をしてくれるというのも、おっしゃる通りなかなか困った話ですな。年がら年中、難癖ばかりつけているような連中に対しては、それなりに身の処しようもあるのですが。」

「そうなのですよ。特に、下院ならばまだしも、上院の図書室のようなところは、普段人の来るようなところではないですから、あれを読んだ人は、何の疑いもなく信じてしまうと思いますよ。」

「ええ。そして、自分で観て来たかのように、まだ記事を読んでない人にまで喋《しゃべ》って回るのでしょうな。しかしそれは、考えようによっては、まだ許されるべき話ですよ。だって、そうでしょう？　これはあなたの方が身に染《し》みて感じてらっしゃることでしょうけど、官展《サロン》の作品のような何時でも観に行けるものですら、実際には観ることをせずに、批評家の記事を鵜呑《うの》みにして観た気になっているのですからね。建築家だって被害者で

すよ。リュクサンブール宮のファサードについても随分と酷いことを言われましたが、本当に観て言っている人なんて稀《まれ》ですからね。あんな大きな建物、嫌でも目に這入《はい》りそうなものを。」

「実際に観ても、自分で何かを発見するということではなくて、前以て読んでおいた批評家の言葉を確認するということしかしないでしょう？　あれは何故《なぜ》でしょうね。我々の時代の或《あ》る種の知的混乱がそうさせているのかもしれませんが。価値判断にみんな自信が持てないのでしょう。」

「ええ、しかし、知的混乱ということになれば、それはあなたにも大いに責任があるのですよ。あなた以前には誰でもダヴィッドのように描かれた絵だけを称讃しておけば済んだのですから。これは、良い意味で言っているのですが。」

「誉め言葉ですか？」

「そうですよ、誉め言葉ですよ。」

「有難いことです。しかし、ダヴィッドのような絵に対する評価という話に限れば、案外価値判断も硬直している気がしますがね。……」

そう言うとドラクロワは、序《つい》でに日頃から溜まっている批評家に対する鬱憤《うっぷん》も少し晴らしておきたい気がして、

「まァ、いずれにせよ、批評家というのは珍妙な存在ですよ。作品の善《よ》し悪《あ》しを判定す

る為には本来それなりの権威が必要とされる筈ですが――例えばモーツァルトが同時代の音楽家の作品を批判し得るのは、彼がまさしくそれに値するだけの作曲家としての実績を持っているからで、つまりはそれこそが権威となる訳ですが――、批評家の場合は寧《むし》ろ批評するという行為そのものによって――褒めるにせよ貶《けな》すにせよ――あべこべにありもしない権威を捏造《ねつぞう》しようとしている訳ですからね。あれは本当におかしな話ですよ。」

「失笑されるような悪文で誰某の小説の文章は酷いなどと扱《こ》き下ろしている批評は実際によく見掛けますからね。」

「そう。それは、そもそもそうしたことを指摘するに足る名文家にのみ許された仕事の筈でしょう？　批評家は自分にその権威が欠けている事実を何喰わぬ顔で一旦《いったん》棚上げにして、ともかくも批評してしまうことによって何時の間にかそれがあるかのように振舞っているのですから、まったく質《たち》が悪いですよ。」

こうした話題で暫く談笑した。ドラクロワは、不平や人の悪口というものは、少しく遠慮のある者同士の心を何と容易に結びつけることかと妙な感動を覚えた。そして、折角芽吹いたこうした和やかな雰囲気を逃さぬうちに、折を見て話を戻し、もう一度仕事についての確認をした。

「――そうです。凡《およ》そのところは先日お話しした通りですが、要は大階段の壁を覆《おお》う装飾画を描いてもらいたいということです。題材は、今のところナポレオンに関する歴史画をと考えています。先ほどの話ではありませんが、グロの世代くらいまでの画家達は、それなりにみんな立派な歴史画を描くことが出来ましたが、それ以降はもうろくなのはいませんからね。しかし、結局のところ、歴史画の優位という事実に変わりはないのですよ。あなたのこの分野に於《お》ける才能を、——それも、ダヴィッドのそれとも違ったもっと清新な情景を描き得る才能を、私は非常に高く買っています。取り分け、装飾画の技法にも長《た》けているということは、我々建築家にとって、実に有難い重宝すべき才能ですよ。」

「ええ、過分なお誉めの言葉に感謝します。大変興味深いお話ですし、きっとご期待に添えると思います。」

「それを伺って、安心しました。まだ正式に決定した訳ではないのですが、私は是非ともあなたにと考えています。あのリュクサンブール宮の絵を観《み》たあとですから、尚更《なおさら》です。」

話がつくと、ドラクロワは、最後にまた丁寧に礼を言って、しっかりと握手をし、早くも頭の中を幾つかの主題でいっぱいにしながらジゾールの家をあとにした。乗合馬車《オムニビュス》に乗り込むと、自分の絵があの大階段を飾り、宮殿を訪れる者皆の目を引くところを想像して昂奮《こうふん》した。外国からの賓客が、政治上の重要な問題を論じながら、階段の途中で思わず足を止め、「ほほう。」などと声を挙げる。そして、感心しきった様子で絵を眺め、誰の作かと尋ねる。「ウージェーヌ・ドラクロワですよ。我が国の偉大なるルーベンス、偉大なるティッツィアーノです！」――思わず頬が緩みそうになった。一刻も早く宮殿に着いて、改めて階段の壁を見たくなった。実際に見れば、何かそれに相応しい主題も思いつくかもしれない。目はきっと、今はまだ空っぽの壁一面を、忽《たちま》ちにして勇壮なナポレオンの軍隊で埋め尽くすだろう。

『それにしても、ナポレオン人気は不滅だな。あんな場所にまで引っ張り出されるとは。いや、うまくその人気を利用している政府の手柄というべきか？　《民衆を導く自由の女神》があそこの美術館に展示された時には、物騒だなんだと、たったの数箇月間しか公開されなかったのに。結局ナポレオンなんて人も、もう歴史上の人物になってしまったのかな。……』

下院図書室の天井画を描き終えたあとに、引き続き何か大きな仕事を――出来ればまた公館の装飾画のような仕事を手掛けたいとは、以前から考えていたことであった。それは、実際上の問題として、自分の死後に作品が散逸してしまわぬ為《ため》には、そうすることが一番確実だろうと考えるのと、日々の生活の為には、纏《まと》まった金額の報酬を貰《もら》って余計な経済上の不安から解放されたいと思うのとの二つの理由があるからであった。しかし、そうした尤《もっと》もな理屈を遥《はる》かに凌《しの》いで、彼にはともかくも、描きたいという強い欲求があった。出来るだけ沢山、しかも、出来るだけ大きな絵を描きたかった。彼は叶《かな》うことならば、パリ中の建物の壁という壁に、一つ残らずすべて自分の絵を描いて回りたいとさえ思っていた。人がよく冗談の種にして笑うミケランジェロの有名な逸話――山一つすべてを彫刻にする計画を立てていたという例の逸話も、彼にとっては何ら奇とすべき話ではなかった。その気持ちがよく分かった。自分が彫刻家であったならばきっと同じことを考えたに違いない。山一つどころか、島一つ国一つですら彫刻にしたいと夢想しただろう。しかし、そうしたことを考える時には、必ず今現在の遅々として進まぬ自分の仕事ぶりへと思いを引き戻されて、憂鬱な気分になった。思い描いた場面のすべてが、瞬時にカンヴァスの上に現れるのであるならば、どんなにかいいだろう。一々制作せねばならないとは、何と不自由なことか！　想像力は、肉体の仕事ののろさにどれほど立腹していることであろう。その出口の小ささに、どれほど苛立《いらだ》ち、臍《へそ》を曲げているることだろう。まるで、海の水すべてをストローで汲《く》み上げようとするようなものだ。

彼は、霜に濡《ぬ》れた自分の靴が床に残した真新しい足あとを眺めながら、ジゾールの言った「もう少し早くはならないのですか？」という言葉を思い返した。すると、今まで愉快だったのが、急に興醒《きょうざ》めして、自分が約束でもした気になっていた先ほどの会話が、それほど確かなものだったのかと心配になってきた。

『あれはどういう意味だったのだろう？　あの時は、今更人に言われるまでもなく、こっちだって早く終わらせたいに決まっているじゃないかと、それでも黙って腹も立てずに聞き流したが。わざわざ念を押すくらいなのだから、あれが何か引っ掛かっているのだろうか？　天井に直接描いているというのを気にしていたな。カンヴァスに描いて嵌《は》め込めば、もっと早く終わるじゃないかと言うつもりだったのだろうか？』

彼は、完成までに要する時間を改めて計算してみた。そして、早まるどころか、本当に年内に完成させることなど出来るのだろうかと心配になった。当たり前に考えれば、出来る筈であった。しかし、これまでにも、幾度もそうした目処《めど》をつけてそれを達成出来ずにきていた。どうして今度ばかりはそうではないと言いきれるだろうか？　それを考えると不安に気の遠くなるような心地がして、今日までこの仕事の為に費やしてきた月日のことを考えた。

『内務大臣のモンタリベから、下院図書室の装飾を画料六万フランで依頼されたのが三十八年のことだった。ジョゼフィーヌとベルギーやオランダを旅行したあとに、ディエップやらフェカンやらを廻って、最後にヴァルモンに滞在して帰ったあとだから、九月のことだ。それから、ヌーヴ・ギュマン街にアトリエを借りて、ルイ・ド・プラネやラサル＝ボルドに手伝わせながら準備を始めたのが十一月頃だった。そのあと、官展《サロン》の為の色々な作品とヴェルサイユ宮の為の《十字軍のコンスタンティノープル入城》と——あれは、一万フランだったな——を抱えながら、更に上院図書室の装飾の仕事までをも引き受けたのが四十年だ。あれはティエールのお陰だった。悪口ばかりを言われたサン＝ドニ＝デュ＝サン＝サクルマン教会の《ピエタ》の仕事を引き受けたのも同じ年だったな。——それから何だ？　金がないから、傍らで《ハムレット》やら《ゲッツ・フォン・ベルリヒンゲン》やらの版画もやった。評論も幾つか書いた。ラサル＝ボルドに下絵を写させて、上院図書室の仕事の方に本格的に取り掛かったのが、四十四年、いや、四十五年だったか。その頃下院の方はというと、……』

回想が現在へと近づいてくると、流石《さすが》に記憶も密になってきて、少し面倒になって残りは整理せずに放って置いた。

『考えてみると、最初は下院も会議場の方まで全部独りでやるつもりだったんだからな。題材をあれこれと書き出して提出したっけ。……今にして思うと無謀な話だな。自分に出来るかどうかなんて考えもしなかった。ただの一度でさえ。……』

彼がこんな風にして順を追って記憶を辿《たど》ることが出来るのは、このところ何時《いつ》も同じようなことばかりを繰り返しているからであった。そして、一通り思い出すと、最後は決まって、それを何年間、何箇月間のことかと数字で計算してみるのであった。以前にはこんなことはなかった。漠然と捗《はかど》り具合を考えてみることはあっても、そこから換算して完成するまでの時間のことだけを考えていた。それは、必要な計算であった。未来に望まれる時間は常に定まらず、果てだと思っていた先から決まって更なる時間が立ち現れて来る。しかし、過去は違う。何度計算してみたところで変わる筈《はず》はない。そんなことは誰よりも承知している筈であるのに、気づいてみると必ずそれを数えている。費やされた時間の長さが、どうにも気になって仕方がないのである。

彼は、知らぬ間に身についていたこの奇妙な習慣の意味を理解し兼ねていた。長い距離を歩いた人間が、漸《ようや》く見えてきた目的地を前にして、思わず後ろを振り返ってみたくなる――そうした心情と同じだろうか？　しかし、どうも違う気がした。作品の完成を前にして、誇らしさと満足感とからおめでたい感慨に耽《ふけ》っているに過ぎないのだとすれば結構なことだと思った。そのくらいのことはしても良い筈だ。誰が咎《とが》め得よう？　一日中創作に没頭した日のあの得も言われぬ充実感。自分という人間が何か崇高な存在へと向かって開かれてゆくような遥かな眩暈《めまい》。自分がそれに触れ、それに満たされるに値する人間であると知ることの無上の喜び。殉教聖人の屍《しかばね》のみが知るような遍身を満たす敬虔《けいけん》な疲労感。――それらの数々を思い返し、独り私《ひそ》かに楽しもうというのであれば罪のない話だと思った。或《ある》いは、その為に費やされた膨大な苦悩の時の一つ一つに思いを致して、それが作品の完成によって報いられるまさにその瞬間の到来を今や遅しと待ち侘《わ》びているのであるならば、それこそは、狩猟の成功に歓喜の雄叫《おたけ》びを挙げる未開人の夢ほどにも健全な精神の欲求であった。その日を経た後には、自分は、戦場で受けた銃弾の傷あとを繰り返し数えては悦に入る戦勝国の帰還兵のように、何時までもこの数年間の日々を思い返すのかもしれない。それは決して悪い気分ではないだろう。——しかし、本当にそうであろうか？　どうもそうとは信じられなかった。少なくともそれだけではない気がした。

『そうだとするならば、……もし仮にそうであったとするならば、それらの年月を数える度に沸き上がって来る、胸の裡《うち》のこの苦痛にも似た不快感は、一体何に由来するというのであろう？』

馬車を降りて少し歩くと、顔馴染《かおなじ》みの守衛に挨拶《あいさつ》をして建物に這入《はい》った。先ほどまであれほど楽しみにしていた大階段の壁は、今はもう何の感興も齎《もたら》してはくれなかった。階段を上り幾つかの部屋を抜けると、そのまま誰もいない図書室へと向かった。

彼がこの日リュクサンブールへと足を運んだのは、美術館で、版画家のアルフォンス・マッソンと会う約束をしていたからであった。しかし、ジゾールの家を予定よりも早く出てしまった為に、待ち合わせの時刻まで暫《しば》く暇を潰《つぶ》さねばならなかった。

図書室へ這入ると、彼は、真っすぐに中央のクーポラまで進んで、金の縁飾りの奥に控える自作の天井画を見上げた。題材は、《神曲》の《地獄篇第四歌》から採られたものである。彼は、その長大な詩篇の中でも、《煉獄篇《れんごくへん》》や《天国篇》を退屈しながら読み飛ばし、殊《こと》に《地獄篇》をのみ偏愛していた。そして、《地獄篇》の中でも、名も知らぬフィレンツェ人に加えられる拷問《ごうもん》の品評会のような後半部分よりも、足を踏み入れたばかりの地獄の景色の雄渾《ゆうこん》な描写の部分をこそ好んでいた。このクーポラを初めてみた時、彼は、詩人が比喩《ひゆ》を思いつくような連想の素早さで、すぐ様地獄の圏谷の円を思った。そして、その思いつきを気に入った。図書室であるということを考え併せて、それは是非とも辺獄《リンボ》でなければならなかった。そこに集う絢爛《けんらん》たる異教の天才達こそが相応《ふさわ》しかった。彼は視線を巡らせて、館内の至るところから眺められるようにとクーポラ下方の円周に沿って配置された人物達を順に目で追っていった。詩人の王ホメロスのあとに続く、ホラティウス、オウィディウス、ルカヌス。そして、ヴェルギリウスに導かれて彼らとの邂逅《かいこう》を果たすダンテ。——左へ転じてギリシアの偉人達の群。師アリストテレスの肩に手を置き、マケドーネを描くアペレスを眺めるアレクサンドロス。人々に囲まれて精霊の齎す棕櫚《しゅろ》の枝に手を伸ばすソクラテス。デモステネスを見下ろすクセノフォン。竪琴《たてごと》を持つオルフェウス。その足許《あしもと》に横たわるヘシオドス。二人に詩を献ずるサフォー。——次いでローマの偉人達。幼児達に武器を取るようにと誘われるキンキナトゥス。マルクス・アウレリウスの側《そば》に座るポルツィア。月桂樹《げっけいじゅ》の傍らのトラヤヌス。甲冑《かっちゅう》に身を固めたカエサル。その彼と反目し合うようにして佇《たたず》むキケロ。……画家はそこで詩人の描き出した人物達を自在に且《か》つ厳格に構成した。彼らの頭上には、建物の天井を破り、この日の鮮やかな空をも貫いて、別の高みへと続くかのような悠遠な青空が描かれ、そこに、巻物を銜《くわ》える一羽の鷲《わし》と飾り板を掲げる二体の天使とが描かれている。

巻物には、「こうして私は、その歌、鷲のごとく他を凌《しの》いで高きに昇る麗《うるわ》しき詩聖一族の集いを目《ま》の当たりにした」という詩句が、板には、「彼らはその名声の故《ゆえ》にこのような高い尊敬を受ける」という詩句が記されている。彼は、自らの描いたその空に向かって、まさにこの瞬間にも詩人達の立ち昇ってゆく声を耳にするような心地になって胸が熱くなった。独り彼らの詩《うた》ばかりではない。その声とともに、この図書室の書物に記された言葉という言葉が、そして、この地上に溢《あふ》れ返ったありとある言葉のすべてが、悉《あまね》く空へと向けて放たれ、天上の遥かな存在の許へと昇りゆく様を想像して慄然《りつぜん》とした。その時世界は、言葉を奪われ沈黙する筈であった。人間は互いを、そして自らを偽る術《すべ》を失い、自然の単純さと率直さとを取り戻す筈であった。失うのは、二つの言葉であった。外へと向けて発せられる言葉と内へと向けて発せられる言葉。……この胸の中から、言葉が失われれば、どれほどの静寂が得られるだろうか？　どれほど安らかで、平穏な静寂が。――密《ひそ》やかに発せられようと、声高に発せられようと、いずれにせよ、言葉は精神の為には喧騒《けんそう》である。それは、無限に精神そのもののようでありながら、何時も何処《ど》かで精神を裏切っている。自分の言葉が、他の数多《あまた》の人間の言葉とともに、煉獄に至ってその炎に清められ、次第に遠く、幽《かす》かになって、何時か神の威光に呑《の》まれつつ、静かに雪の融《と》けるようにして消えてゆくのであるならば。……その時この胸の中には、ただ無邪気な純粋さばかりが残されるのであろうか。苦悩することさえをも知らぬような無邪気な純粋さばかりが。——

思いの余韻がそのまま細く棚引いて、先ほど馬車の中で考えていたことへと続いた。意識は再びクーポラの表面の絵具の上へと連れ戻された。

——結局、長過ぎたのだ。……

彼は、庭園に面して連なった大窓のうちの中央の張出部分に嵌められた一枚へと近づいて、外に目を遣《や》った。

冬枯れの庭園には、今は疎《まば》らに人の影があるばかりで、普段の賑《にぎ》やかさは鳴りを潜めている。僅《わず》かに見受けられる彼らの姿でさえも、一箇所には留まらず、或いは散歩の為に、或いは単に横断の為に、あちらこちらで動いている。そうした空虚を満たそうとする為か、記憶が、水の溢れるようにして現実の光景の上を覆《おお》い、それと同時に嘗《かつ》ての思索の残片までもが心中に流れ込んで来た。彼は一度、積雪の日の翌日に、同じようにここに立って外を眺めたことがあった。その日、庭園には誰もいなかった。ただ、所々に乱暴に踏み荒らされたあとがあって、それが、ぼんやりと視線を巡らせる彼の注意を引きつけた。遊び疲れた子供達の散らかして帰った奮戦のあとであった。白が剝《は》げて地面が寒々と覗《のぞ》いている。きっと雪合戦でもしたんだな。……今は遊ぼうにも、雪が凍って玉一つ握ることすら出来そうにない。そして、その時眺めた、池の水面に張る薄氷の磨き立てた鎧《よろい》のような銀色の反射を思い出すと、それが、吐息の白に曇っては澄み、澄んでは曇る目の前の硝子《ガラス》窓と重なって、水に閉じ込められたような息苦しさを感じさせた。踵《きびす》を返して、改めてあのクーポラの下に立つべきであろうか？　自作の輝きを今一度この目で確かめる為に。そこで費やされた長い試練の時が、いかなる報いを受けたかを知る為に。……

記憶の氾濫《はんらん》が、時折その踏みしだかれた雪景色をちらつかせつつ、至るところに何時見たとも何処で見たとも知れぬような光景を開いていった。……カルティエ・ラタンから、議論に熱中してここまで歩いて来たという風の二人組の大学生の姿が見える。彼らのうちの一人の足許に、子犬に追い掛けられて走って来た数人の少女達がぶつかる。顔を顰《しか》めて振り返ると、乳母が駆け寄って詫《わ》びを言う。それが思いの外美人である。青年二人は、顔を見合わせて意味ありげな笑みを浮かべる。少女達は、乳母に促されて謝ると、悪びれもせずにすぐにまた走り出す。子犬が負けじとそれに従う。すると、乳母も慌《あわ》ててあとを追った。二人は今度は、先ほどとは違った意味で笑い合った。この様子を見て、お針子らしき女を連れた、やはり大学生風の青年が急にあと戻りをし始める。二人とは顔見知りであるのだろうか。女と一緒のところを見られたくはなかったのか、手を引くと、言い訳をしながらそそくさと公園の出口へ向って歩いて行く。その遠く、池の近くに目を転ずると、職業さえも定かでないような幾人かの中年風の男達が長椅子《ながいす》に腰を卸している。互いに口を利《き》く訳でもない。それぞれに、本を読んだり、人の動きを観察したりして、無聊《ぶりょう》を慰めているのだが、たまにオデオン座の女優のようなのが通ったりすると、申し合わせたかのように一斉に顔を上げる。そして、隣を気にしながらまた視線を落とす。家族連れもいる。夢中になって喋《しゃべ》る息子に、二親が熱心に耳を傾けている。男の身なりは悪くない。こんなところにいても、案外代訴人か何かかもしれない。そのすぐ側を、乞食《こじき》の老婆《ろうば》がうろうろしている。自分の設定した国債の額を、百遍も勘定し直さなければ気が済まないといった風の年金生活者の姿も見える。……

その影絵芝居のような風景の幻視。それを見つめる自身の眼差《まなざし》。――自分は何時でも、余りに彼らから遠くにいた。そして、一方ではその距離を埋めることを熱烈に望みながら、今一方では努めてそれを保とうとしていた。

創作は芸術家に世俗の生活への軽蔑《けいべつ》を強いるものであろうか？　それを拒む時、彼がその魅惑に敢《あ》えて背を向ける理由は何であろうか？

大作の制作に携わる時、彼は常に、二十年にも亘《わた》る流浪《るろう》の日々の中で《神曲》を書き上げたダンテの偉大さを想《おも》え――たった独りでシスティナ礼拝堂の天井を埋め尽くしたミケランジェロの偉大さを想えと自らに命じた。そうして己を鼓舞し、怠惰を戒め、自身を彼らの高みにまで引き上げようと努力した。偉人に対する強い憧《あこが》れは、なるほどこの人生を幾分かは生きるに値するものへと変えてきたのかもしれないと彼は思った。しかしそれは、断念された今一方の人生の代償として本当に十分なものであったのだろうか？

……ミケランジェロは、立派な絵画は、神に近づき、神と一体となるのだと言う。敬虔と不遜《ふそん》との入り混ざったその奇妙な、しかし力強い言葉。そして、この時代に残されたのは独り不遜のみである。神への讃歌《さんか》は既にありし日の遠い谺《こだま》に過ぎない。信仰が画家に力を与えることの出来た幸福な時代は遥《はる》かなる過去である。自分のような人間が読む本といえば、相も変わらずディドロであり、ヴォルテールである。それは何を意味するのであろうか？　この時代の人間は恐らく一人残らず大革命の生み出した永遠の亡命者であろう。我々の父祖の代の人間は、最初の人類が口にしたあの知恵の木の果実を、最後の一滴の汁に至るまで飲み尽くそうとしたのだ。そして人間は今度こそ完全に楽園から追放されてしまうこととなった。現代とは、つまりはそうした時代のあとに訪れたのだ。その時代に人が依然として創作に情熱を注ぐとするならば、それは無論信仰によるのではあるまい。それを説明するのは、ただ理由ともならぬような理由でしかないのではあるまいか？

確かに、時代に対する反発が人を芸術へと駆り立てるという事情は分かる。しかし、彼がその時、時代の準備した生活とどの程度まで隔たることが出来るのかというのは、問題の複雑さを更に一歩踏み込んで教えさせることとなる。不幸にして人は、果敢な選択によって人生を切り刻むことなしには、決して何ものも手にすることが出来ないように定められている。右の手に絵筆を持ち、左の手にパレットを持ったまま、更にその上何かを摑《つか》むということは固《もと》より不可能である。その決断は、時代への嫌悪《けんお》というただそれだけの理由で下されるべきものではない。縦《たと》え下され得たとしても、その後不断に訪れ続ける生活への未練は容易に彼を籠絡《ろうらく》することであろう。だからこそ、強いて軽蔑をすら抱かねばならなくなる。創作の意欲に理由が必要な訳ではない。しかし、そこに仄《ほの》めく或る不毛さの予感に歯を喰い縛ってでも耐えることには理由がある筈《はず》である。偉大なものは、嘗てはすべて天から齎された。それが即《すなわ》ち人の営みに意味を齎していた。しかし、今は違う。偉大なものは、ただこの地上にしかない。そして、それを担《にな》い得るのは独り人のみである。その孤独に耐えて何事かを成し遂げるということ。それが即ちそのまま行為の意味になるということ。人間の偉大さへの尊敬の念とは、この地上から発して天へと至る道に違いない。あの地獄巡りをするダンテのように。……

——どうしたというのだろう？　何の懐疑に陥っているのだろう？

　庭園に溢れ返った人の幻が、記憶の中でこの後幾年も掛けて失われゆくであろうその姿を、自ら演じて始末しようとするかのように、ぽつり、ぽつりと消えていって、最後には辺りは元の空《から》になった。そうしてまた、雪の日の足あとが思い出された。今はまだ融け残っているそれらの足あとも、次第に輪郭を失ってゆき、やがてはどれも一様に泥に沈んで消えてゆく筈であった。彼は、今朝乗合馬車《オムニビュス》の床に見た、自分の足あとのことを考えた。馬車を降りようとする時、それはもう他の数多《あまた》の客の足あとに紛れて判然としなくなっていた。そんなことは今まですっかり忘れてしまっていたが、思い出すとどうにもそれが頭から離れなくなって、記憶の中の雪の上にも、ある筈のない自分の足あとが紛れ込んでいるような気がしてきた。自分の足あとは、そうして誰のものとも知れぬ数々の足あととともに消えてゆくのであろうか? それらと何の変わるところもなく。隠しを弄《まさぐ》ってみて、彼は、少し以前から煙草《たばこ》を絶っていたことに今更のように気がついた。探し当てたのは、懐中時計だった。

——自分には確かに、彼らを軽蔑する途《みち》があった。そして、幾分かは、努めてそれを自らに課そうとしていた。……

建物の中は、耳に痛みを覚えるほどに静かだった。彼は振り返って、もう一度クーポラの方を見上げた。しかし、そこまで歩いて行くことはしなかった。

『……虚《むな》しい時間の遣いようだな。誰もいないこんな部屋の片隅で、愚にもつかない言葉の氾濫で頭の中をいっぱいにしている。……人間が自ら偉大であろうとする時、彼は終《つい》にこうした滑稽《こっけい》さを逸《のが》れることが出来ないのであろうか? 例えばあのルーベンスのような人は、こんな惨《みじ》めな思索に耽《ふけ》ったことがあっただろうか? それはやはり近代に特有の憂鬱《ゆううつ》なのであろうか?……あらゆる偉大さが天上の彼方《かなた》へと遠ざかり、失われようとする時代に、その空隙《くうげき》に自ら昇り至らんと欲する。——もし仮に、偉大さによって更なる偉大さへと到達し得る何者かが存在するとするならば、それは独り神のみであるに違いない。神が天上から覗《のぞ》き込んでいる限り、人間は何時《いつ》まで経《た》っても芝居小屋の猿に過ぎまい。人間が、人の仕草を真似《まね》てみせる芝居小屋の猿を面白がるように、神もまた、きっとその巨大な創造の行為を真似ようとする我々に憫笑《びんしょう》を注いでいるに違いないのだから。しかし、人間が猿よりも少しは知恵があり、しかもその為《ため》に大いに不幸であるとするならば、それは彼が自らの滑稽さを知っていることだ。そして、同じ人間同士でさえも、その滑稽さに気づき、互いに笑い合っていることだ。人は、苦痛に耐える術は知っている。悲しみに耐える術もだ。しかし、自ら滑稽であることに耐える術などあるだろうか？　神に笑われるのならばまだいい。同じ人間に、そして、自分自身にさえ笑われることに、果たして我慢など出来るものであろうか？……創造とは、そこに悪意があったか否《いな》かに拘《かかわ》らず、いずれにせよ巧妙な仕業だ。神が、我々被造物が偉大さへと向かおうとする道の途中にこのような障碍《しょうがい》を設けたのは、まったく理に適《かな》っている。これが為に多くの者は挫《くじ》け、神の玉座は遂《つい》に脅《おびや》かされることなく済むのだから。……』

懐中時計で時間を確かめると、彼は漸《ようや》く窓辺を離れてクーポラの下に立った。

『考えてみれば、……何という主題だろう。辺獄《リンボ》を下から見上げているのだから。……それならば、我々は一体何処にいるというのだ？　嘆きの谷の底深くか？――二十三歳の自分は、芸術家としての出発を飾る記念すべき作品の為に、よりにもよって地獄巡りの最初の光景を題材として選んだ。予感といっては、余りにも出来過ぎているだろうか？……しかし、その後の苦渋に満ちた画業を思えば、それは確かに予感とも呼び得る。

……今でも自分は、ダンテの小舟に乗って暗い地獄の河を進んでいるのだろうか？或《ある》いはもう、岸に降り立ち、歩き始めるくらいのことはしているのだろうか？ だとすれば、今は一体幾つの圏谷を経たところなのだろう？ ここを抜ける術は？ やはりダンテのように、一旦《いったん》は地獄の底の底まで下って行かねばならないのであろうか？……

ふと、彼の脳裡《のうり》に『神曲』の何処かにあった数行の歌の文句が蘇《よみがえ》った。

——俺たちは侘《わび》しかった、
　日の当る楽しげな麗《うるわ》しい大気の中にいても
　心中に憤懣《ふんまん》がもやもやとしていた
　今でも黒い泥の中で俺達はもの憂《う》い——

『……滑稽か。まったくだ。耐え難いほどに。……こうした気分のあとに、人は、己の思念を逞《たくま》しく転換させることが出来るものであろうか？——それ故《ゆえ》に人間は、時に神よりも偉大である、何故《なぜ》ならば、人間が真の偉大さへと到達する時、彼は、神自らは終に知ることのない卑小で惨めな試練の数々を克服して、初めてそこへと至るのであるから、と。……』

今度は意識して、《地獄篇第四歌》の最後の詩句を思い返した。

――静寂の中から出て揺めく大気の中へと這入《はい》る。

そして私は、光明のない場所へ出た。――

美術館へ行くと、既にマッソンが、《キオス島の虐殺《ぎやくさつ》》の前でぽつんと独りで立って画家の到着を待っていた。ドラクロワが来ると、彼は、挨拶《あいさつ》もそこそこに今更のようにこの作品の美点を誉《ほ》めそやし、特に人物表現はプッサン、色彩はコンスタブルだと言わずもがなの指摘をした。何事かと訝《いぶか》りつつ暫《しばら》くは黙って耳を傾けていたが、やがて彼が、それらの美しい色彩が版画によって失われるのは実に残念だと言うのを聴くに及んで、漸く事情を察知した。彼は、その外の色々な理由をも併せて、結局のところ今回の計画は断念せざるを得なくなったと残念そうに言った。彼は以前から、《ラルティスト》誌への掲載の為に、この絵を自分の手で版画にしたいと申し出ていたのであった。

ドラクロワは、これまで返事を先延ばしにしていたのを、今日は承諾するつもりで来ていたので、彼の言葉に何とも拍子抜けのする思いがした。そして、気遣う彼が、続けて立ち話をしようとするのを適当な言い訳をつけて切り上げると、独りでさっさと美術館をあとにした。

リュクサンブールを出ると、彼は、近所に住む画家のアドルフ・ルルーのところに立ち寄り、さして長話もせずに出て来て、もう一軒弟子のヴィモンの家を訪れることにした。

途中パンテオンに寄り道して、クーポラに描かれたグロの天井画とジェラールのパンダンティフとを観《み》た。グロの聖ジュヌヴィエーヴを描いた絵には以前と同様に失望を覚えた。意図は大胆で、筆致は悪くなく、しかも、全体としてみれば効果を欠き、散漫で失敗していた。ジェラールの方は天井画のみ以前に観たことがあり、パンダンティフには真面《まとも》に目を遣《や》ったことがなかったが、こちらにも一向に感心しなかった。《死》、《栄光》、《祖国》、《正義》という四つの主題の絵についてそれぞれに構図と色彩との分析を試みたが、家に帰るまですべてを覚えている自信はなかった。

ヴィモンの家で、忘れる前にと今観て来たばかりのジェラールの絵の批判をし、一層の同情を込めてグロについてもその画技の衰耗を指摘して、最後に、肝心の弟子の作品を見てやって幾つかの忠告を与えると、ここも早々に立ち去って、突然思い立って植物園に行くことにした。

このところ、仕事で屋内に籠《こも》ってばかりだったので、少し散歩したい気分だった。植物園までは歩くのに丁度好《よ》い距離であったが、途中で道を間違えてしまい、古道具屋ばかりの見知らぬ地区へと迷い込んでしまった。狭い路地に密集する建物はどれも粗末で、店先からでもたった一つしかない部屋の中に所狭しと家族全員の暮らしている様が見えた。

『台所も、寝室も、みんな一緒か。中世の家みたいだな。こんなところがあったなんて。

……』

考えてみれば、パンテオンより東のこの辺りは、これまで一度も訪れたことがなかった。彼は、もう四十年も住んでいながら、こんな小さな街の中に未《いま》だに通ったこともない場所があるのを知って不思議な気分になった。そして、狭いパリとはいいながらも、実際にそこで暮らしている人間が、どれほど限られた範囲の中で生活しているかということを改めて考えた。自分のような気楽な身分の人間は、こうしてうろうろと歩いて回ることも出来る。しかし、ジョゼフィーヌの周りの人間などは、一生こんな場所を見ることもなく過ごすのだろう。場所だけじゃない。ここに住む者と彼らとは、死ぬまで一度も顔を合わすことがないのかもしれない。――そうだ、革命でも起きない限りは。……そんなことを考えた。

植物園に着くと、庭園を奥まで抜けて、自然史博物館の方へと足を運んだ。この日の目当ては、こちらであった。ヴィモンの家を出てから、一旦はこのまま家に帰ろうかとも考えていた。しかし、今日が火曜日だということを思い出して、剝製《はくせい》を観に行くことに決めたのである。自然史博物館は、火曜日と金曜日とだけの公開であった。

館内に這入ると、そうしてわざわざ足を運んだ甲斐《かい》があったと早くも満足感を味わった。正面に構える二頭のアフリカ象に一頭のインド象、周囲に集まった犀《さい》や河馬《かば》。奥へと進むと、胡獱《とど》や海馬《せいうち》、鯨、鱶《ふか》。名前も分からぬ数多くの魚。それに、蟹《かに》や海老《えび》、蛇に蜥蜴《とかげ》、カイマンやガビアルのような鰐《わに》の類。箆鹿《へらじか》、ガゼル、山羊《やぎ》、羊、オーロック、牛、縞馬《しまうま》、駱駝《らくだ》、ラマ、ビクーニャ。虎《とら》、豹《ひょう》、ジャガー、ライオン、ゴリラ、猿、狒々《ひひ》。そして、最奥部《さいおうぶ》には、一際《ひときわ》高く聳《そび》える数頭の麒麟《きりん》。……歩みを進めるほどに、彼は言い知れぬ喜びを感じた。象や犀の身に迫って来るような重々しい質量感とその岩とも見紛《みまが》うような肌とが、震えるような快感を呼び覚ました。ルーベンスの河馬狩りの絵を思い出して、躍動する河馬の四肢に漲《みなぎ》る未知の弾力と、濡《ぬ》れた皮の下から立ち昇る体温とを、滑《ぬめ》りとともに掌《てのひら》にじかに感ずるような気がした。間の抜けた顔をして、口を開けたまま剝製にされた魚の前で、思わず立ち止まって吹き出した。そのすぐあとには、鯨のからだの優美な曲線に心惹《ひ》かれた。箆鹿《へらじか》や山羊など、幾つかの動物の折れた角や千切れた耳の跡に、注意深く目を凝らした。鰐の牙《きば》の古びて変色した黄色に却《かえ》って残酷さを感じた。虎や豹の若々しく引き締まった筋肉は、俊敏に土を蹴《け》る軽快な跫音《あしおと》を想像させた。そのその一方で、立ち上がって構える狒々《ひひ》の人間のような姿には少しく気味悪さを覚えた。……見るものすべてが、その都度新しい感興を齎《もたら》した。それは単に、珍奇さへの好奇心にのみ由来するものではなかった。種の無限の多様性と形態の尽きせぬ変化とが、数の増大への気の遠くなるような感覚を俟《ま》って、彼を創造の巨大な営みの中へと放り込んだ。次々に目の前に開けてゆく光景が、生物の生成されるまさにその瞬間に立ち会っているかのような——その瞬間を生き、自らも別の何ものかへと新たに生成されゆくかのような錯覚を起こさせた。美と醜悪との、洗練と粗雑との、豊饒《ほうじょう》な混沌《こんとん》。海へと、空へと、大地へと果てしもなく産み落とされてゆきながら、猶《なお》も、新生の瑞々《みずみず》しい浄福感を伴って、讃歌《さんか》のように神へと連なる生物達の壮麗な風景。音楽のような律動にうねる完全な静寂。永遠に始まり続ける新しい時間。……

そうして日常のあらゆる記憶から逃れたところで、気がつけば数時間もの時を過ごした。時間の経つのがまるで感ぜられなかった。あっと言う間だった。それでも、知らぬ間にからだを抜けていった時間の澱《おり》が、少しずつ足腰に溜《たま》って痛みを発し始めていたので、彼は自分が、何時までもここに留まっている訳にはいかないことを否応《いやおう》もなく感じさせられた。名残惜しいが長居し過ぎたようにも思った。最後に見た麒麟の不自然に伸びた頸《くび》の格好が、興を醒《さ》ませて、彼に帰る決心をさせた。

しかし、幸福感の余韻がそれで損なわれた訳ではなかった。建物を出ると、夕日を受けて長い影を落とした菩提樹《ぼだいじゅ》の並木が、来た時よりも更に一層美しく見えた。意味もなく、その影の上を歩いてみたりした。足を踏み下ろそうとする度に素早く靴の底に自分自身の影が忍び込む。それがアラベスクのように絡《から》み合う大小の枝の影の上でおもしろく動いて、彼の足取りを踊るようなリズムへと導いた。

家に帰ると、夕食をとりながら、早速ジェニーに今日のことを話した。

「やっぱり、たまには外に出なくては駄目だね。本当に君も連れて行ってあげたかったよ。今日は溜まっていた雑務をみんな片づけてしまおうと思って、随分と頑張ってあっちこっち歩いて回ったんだ。どれもつまらない用件ばかりだったけどね。最後にヴィモンの家から植物園まで歩いたんだけれど、その間にまったく知らない場所を通ってね。君は知ってるかい、あの辺りの古道具屋ばかりが建ち並んでいる通りを？」

「いえ、存じません。」

「そう？　いや、そうだろう。君だってパリに出てから、この辺でばかり生活しているんだからね。あそこだけじゃなくて、この街の中でも知らない場所なんてきっと沢山あると思うよ。それは言い換えれば、どれほどみんなが狭い場所の中で生活しているかっていうことだよ。僕はしかしね、今日博物館の中にいた時は、そういった自分の生活の場所からも解き放たれて、普段の生活の嫌なことなんかもみんな忘れて、自分がそんなものよりも、もっと高いところへ向かって昇ってゆくような感覚を持ったんだ。人間の創造した文明なんかよりも、遥《はる》かに大きな創造に向かってね。」

　彼は夢中で喋《しゃべ》った。ジェニーはそれを、精々気晴らし程度の意味にしか取らなかったが、それでも、嬉《うれ》しそうに語る彼の顔を見ているのは彼女にとっても喜びであった。

「それは本当にようございました。歩くというのもきっと健康にいい筈《はず》ですわ。」

　ドラクロワは、彼女がそう言うのを聴いて、どうやら自分の言おうとしたことは大して伝わらなかったらしいと気がついた。けれども、不快になることもなく、

「そうだね。だから、植物園からも、カルティエ・ラタンの辺りまでは歩いたんだよ。」と彼女の理解した意味に合わせて話を結んだ。

食事を終えてジェニーが自室へと退《さ》がった後、彼は何時《いつ》ものようにアトリエへ行くともせずに、炉端に座って筆を執った。今日は別にもう一仕事あった。少し以前から日記を書く計画を立てていたのを、帰り道の気分の好さに任せて、今日から実行しようと手帳を買って来たのである。

彼は、二十代の頃にも暫く日記をつけていたことがあった。それは、日々の生活の中で考えたことなどをその都度何かに書きつけておけば、あとできっと役に立つだろうと思っていたからである。日記は、公開せぬことが重要だと思っていた。人に見られると思うと衒《てら》いも出る。嘘《うそ》も出る。書きたいことも書き辛《づら》くなる。それで、何時も自分の為だけに書いているのだと意識しながら、筆に上すのを躊躇《ためら》われることも随分と正直に書いた。創作上の苦悩から日々の家計、画家仲間の悪口、友人との喧嘩《けんか》、果てはモデルの女に対する欲情の高ぶりについてまで、皆正直に書いた。しかし、この執筆の習慣は纔《わず》かに数年続いたに過ぎなかった。創作が多忙を極め、その意欲も昂《こう》じてくると、日記をつける時間が惜しくなった。文字を書くよりは、素描《デッサン》の練習をしたかった。そして、或《あ》る時怠けてしまったのを機に、到頭書くのを已《や》めてしまった。

その後は、折々思い出したように、素描《デッサン》帳なり手帳なりに、思いついたことなどを書き留めたりしていた。それらは、運が良ければ手許《てもと》に残った。しかし、大抵は、紙挟みに挟んでおいた筈が、なくしたことすら気づかぬうちになくなっていた。そうしたことが続いていたので、書き留めるにしても、何か帳面のようなものを準備したいとは前々から思っていた。日記を再開したいということを具体的に考え始めたのは、上院図書室の仕事を終えて、自分の絵画技術についての考えをもっと深めてゆきたいと感ずるようになった頃からであった。

書き始める前に、彼は、以前の日記を引っ張り出して来て、正直に何でも書くということはどういうことなのかと改めて考えてみた。昔の文章を読むと、なるほど、今にして思えば面映ゆいようなことも沢山書かれてあって、当時の自分が、ただ自分の為だけに書くという決意に対して、それなりに誠実であったことがよく分かった。書き始めの日を母親の命日に合わせているということが、その真面目《まじめ》さを表していた。とはいえ、最初の方の頁《ページ》などには好きになった女のことばかりが書いてあって、自分はこれの為に日記をつけ始めたのではあるまいかと思わず苦笑が漏れた。嘘かもしれないと思う部分がない訳ではなかった。それでも、人に見せる気になるかといえば大いに抵抗を感ずるので、少なくとも本心を書こうとする努力のあったことは認められた。その上で、やはり内容の選択はされている。それは、隠そうとしたからではなく、重要だと思うことのみを書こうとしたからなのだと一応納得してみた。固《もと》より一日の出来事すべてを書くなど不可能である。しかし考えてみると、羞恥心《しゅうちしん》なり虚栄心なりによって故意に書かずにいることとそうして必要を感ぜずに書かずにいることとの間に、どれだけ差があるのだろうと疑わしい気がしてきた。選択は避けられない。それならば、書きたくないことを書かずにいることも可能ではあるまいか？　いや、それでは意味がない。書きたい、書きたくないという心情の問題は一先《ひとま》ず措《お》くことにして、最終的に書くか書かないかの判断は、結局必要の有無に任せることとなろう。必要があれば書きたくないことも書くという、いわば当たり前の方針である。しかし、嫌なことはまったく書かないということも、或《ある》いは偽って書くということも、可能であるのかもしれない。先ほど読み返した時にも、嘘かも知れぬという箇所はすぐに分かった。それが一つもなかったというならば、却《かえ》って問題だ。そんなことは恐らくあり得ぬだろうから、自分の嘘を信じてしまっているということになる。だが、自分で偽って書いたことに、自分自身が誤魔化されることなどそうそうない。寧《むし》ろそうして偽りたかったということ自体が、一つの真実であるのかもしれない。そもそも、完全な忘却などあり得るだろうか？　読み返してみて、何時のことだか何のことだかさっぱり分からぬという話は殆《ほとん》どない。書かれてないことまでも思い出される。過去の日記を読むということは、そこに書かれた文字によって嘗《かつ》ての自分を理解するというよりも、それに導かれて一時的に嘗ての自分に立ち返ることとなのかもしれない。嘗ての自分になるというのならば、一切を、言葉に表れなかったことまでをも知り得る筈である。文字が高々その仲介の役目を果たす程度であるならば、いっそ出来事のみを箇条書きにするだけで良いかもしれない。……しかし、それも味気ない。それに、十分ということもないだろう。少し書いていれば、要領も摑《つか》めるだろうか？　いずれにせよ、自分の為《ため》にも甚だ有益で、他人の鑑賞にも耐えるようなものも、書き得るかもしれない。

こんなことを考えながら頁を開くと、早速今日の朝のことから書き始めた。図書室で考えたことは省略した。あれこそ書く気にならぬ話であった。それから、パンテオンのジェラールの絵について書こうとすると、案の定思い出せぬことばかりなので、記憶に対する自分の過信も大して当てにはならぬものだと失笑した。その代りに、自然史博物館でのことは驚くほどよく覚えていた。念を入れて動物の名前を書いてゆくうちに、あの時の幸福を再び感ずるような気がして昂奮《こうふん》した。目の前にありありと館内の光景が浮かんだ。しかし、その感動を表現しようとする自分の筆の拙劣なことにはまったく幻滅した。自分が詩人であったならばどれほど好かったことかという、先ほど読んだ昔の日記の中の文句を思い出して、進歩なんぞというものは、そう易々《やすやす》とは訪れぬものだと改めて実感した。それでも、書き終わるといかにも一日の最後に相応《ふさわ》しい充実感を覚えた。そして、大いに満足して暖炉の火を消すと、寝室に退がって冷たい布団《ふとん》の中に潜り込んだ。

四

明くる日、ドラクロワは、日中は自宅のアトリエで中断していた《ヴァレンティーノの死》の背景に精を出し、夕方になるのを待って、フォーブール・サン＝トノレのマティニョン街十番地にあるジョゼフィーヌ・ド・フォルジェ男爵《だんしやく》夫人の家へと食事に出掛けた。

ドラクロワは普段、見知らぬ人からフォルジェ男爵夫人との関係を問われると、「あれは、自分のいとこに当たる人です。」と答えていた。笈《きゅう》を負って田舎から上京し、最近になって社交界に足を踏み入れたばかりであるような青年などの中には、こうした説明を真に受けて、「ああ、そうなのですか。」と納得する者もあった。しかし、それは稀《まれ》であった。大方の者は、この説明をいかにも奇妙に思って聴いた。中にはそれをあからさまに顔に表して、訝《いぶか》しそうに眉《まゆ》を顰《ひそ》める者もあった。事実、彼ら二人の間柄は、血縁上の所謂《いわゆる》いとこ同士とは呼べぬものであった。そして、そうした人々が、何かの機会に二人が愛人関係にあることを知ると、どうしてそれを隠さねばならないのか、隠すにしても、もっとましな嘘もあるだろうにと、また違う意味で首を傾《かし》げるのであった。

しかし、ドラクロワがフォルジェ夫人のことをいとこと呼ぶのには、彼なりの根拠があった。そして、それを示す為には、彼は何時でも二人の家系を数代溯《さかのぼ》って説明せねばならなかった。

ジョゼフィーヌ・ド・フォルジェ男爵夫人は、その名の響きがボナパルティストらの内に呼び起こす郷愁の源にある女性と、実際にそう遠くはない血筋の人であった。というのも、彼女の母方の祖父であるフランソワ・ド・ボーアルネ侯爵は、皇后となる前のジョゼフィーヌ・タシェ・ド・ラ・パジェリと結婚し、二子を儲《もう》けた後に革命によって処刑されたアレクサンドル・ド・ボーアルネ子爵の兄であったからである。つまり、彼女の母エミリは、ジョゼフィーヌ皇后の姪《めい》に当たる人なのである。エミリ・ド・ボーアルネは、成人すると、帝政時代の郵政大臣であったアントワーヌ・ド・ラヴァレット伯爵と結婚した。その二人の間に生まれた一人娘が、後のフォルジェ男爵夫人ジョゼフィーヌという訳である。

一方、ウージェーヌ・ドラクロワの方はというと、彼の両親は、元はどちらもドラクロワの姓を名乗る家系であった。母方の祖母であるフランソワーズ＝マルグリットは、フランドル出身の装飾家具師であったヴァン・デル・クルーズの娘で同胞七人中の第三子であった。このデル・クルーズがフランス語化して、しばしばその作品に、ド・ラクロワ、或いはドラクロワと署名されることとなったのである。彼女は生涯に二度結婚している。最初に結婚したのが、ルイ十五世王室仕えの装飾家具師であったジャン＝フランソワ・ウーバンである。ここで一度ドラクロワの姓は失われた。彼との間には三子を上げた。その中《うち》の長女が、ヴィクトワール、即《すなわ》ち後にウージェーヌ・ドラクロワの母となる人である。二度目の結婚相手は、ジャン＝フランソワ・ウーバンの弟子で、後にルイ十六世様式の家具を創始することとなるジャン＝アンリ・リーズネールである。彼との間にはアンリ・フランソワーズ一子のみを儲けた。後に新古典派の画家となって、青年時代のウージェーヌ・ドラクロワにゲランのアトリエを紹介したのはこの人である。他方、父方の祖父は、シャンパーニュ地方アルゴンヌのベルバル伯爵の経理管理人であったクロード・ドラクロワで、妻マルグリットとの間に十二子を儲け、その中の長男がシャルル、即ちウージェーヌ・ドラクロワの父となる人であった。シャルルは長じてロデズで教職に就いたが、やがてリモージュに出て、当時リムーザンの地方長官として辣《らつ》腕《わん》を振るっていたテュルゴの秘書となり、彼がルイ十六世の即位に際してパリに帰るに及んでは、同行してそのまま彼の許で海軍大臣及び財務総監の第一秘書官として活躍した。テュルゴの失脚に伴って彼も一旦《いったん》は職を失ったものの、革命が勃発《ぼっぱつ》するとこれに参加し、国民公会の成立に際しては自らマルン県選出の議員となってルイ十六世の処刑に賛成票を投じた。その後、総裁政府時代には対外関係大臣に任ぜられ、あとをタレーランに譲ってからは、バタヴィア共和国駐箚《ちゅうさつ》全権公使、マルセイユ州知事、ボルドー州知事を歴任した。秘書官時代の千七百七十八年には、ヴィクトワールと結婚し、後に四子を儲けた。フェルディナン＝ヴィクトル＝ウージェーヌ・ドラクロワは、長兄シャルル＝アンリ、長姉アンリエット、次兄アンリに続く、末子であった。

ウージェーヌ・ドラクロワが、フォルジェ男爵夫人のことをいとこと呼ぶのは、彼女の父方の家系であるラヴァレット家が、元はアルゴンヌの出で、その当時ドラクロワの父方の家系の者といとこ同士であったという話を以前に聞いたことがあったからである。彼はこの話を甚《いた》く気に入って、周囲の者にも自慢気に話していた。そして、親しい友人などに、「我々のような成上がり者の末裔《まつえい》は、そうして貴族との血縁を何処《どこ》かに探したがるものさ。」などとからかわれると、憤慨して、何時もそのあやふやな証明を試みるのであった。

ジョゼフィーヌ・ド・ラヴァレットは、十五歳の時には、早くもトニー・ド・フォルジェ男爵と結婚して、ウージェーヌ、エミリアンの二子を上げたが、後に別居し、作家のキュヴィリエ＝フルーリの愛人となって、更にオルタンス一子を儲けた。千八百三十一年からソワソンの郡長を、翌三十二年からはロード県知事を務めていたフォルジェ男爵は、その四年後、溺《おぼ》れ掛かった自分の息子を助けようとアリエール川に飛び込んで死んだ。子供は助かった。ウージェーヌ・ドラクロワが、キュヴィリエ＝フルーリを介してフォルジェ男爵夫人と直接に知り合ったのは、その数年前のことであった。

ドラクロワは、彼女よりも四歳年上であった。初めに魅了されたのは彼の方である。そして、暫く遠慮がちな手紙の遣《や》り取りを交わした後に、彼女の心も動き、終《つい》にその新しい愛人の地位を勝ち得るに至ったのであった。

フォルジェ男爵夫人は、その当時、経済的な繁栄には必ずしも恵まれていなかったにも拘《かかわ》らず、依然として帝政貴族の有力者達が多く集う社交界の女王であった。その美貌《びぼう》と家柄の確かさとに加えて、彼女には、それに相応しい生まれ以《もっ》ての才気のほどを証明する一つの伝説があった。彼女が十三歳の時、忠実なるボナパルティストであった父アントワーヌ・ド・ラヴァレット伯爵は、ナポレオンの百日天下の際の協力者として死刑を宣告されることとなった。度重なる恩赦の嘆願も聞き容《い》れられず、刑の実施もそろそろかという或る日の夕刻、彼女は、父親との最後の別れの為にと、修道院の寄宿学校から外出許可を貰《もら》い、気弱な母親エミリの手を引いて拘置所へと面会に行った。そして、中で二時間ほどを過ごした後に、母親の衣装を纏《まと》った父ラヴァレット伯爵の手を引き、来た時と同じように、堂々と守衛の前を通って出て行ったというのである。エミリは、別に外に逃れた。ラヴァレット伯爵は、待たせてあった馬車に乗り込んだ。そして、脱走に気がついた者達が、漸《よう》く追いついた時には、馬車の中にはジョゼフィーヌと従僕とが乗っているだけであった。その後ラヴァレット伯爵は、無事にウージェーヌ王子の許へと亡命を果たした。母は捕えられて、長らく拘置所で尋問を受け、釈放されると、同じく尋問を受けて、事件の噂《うわさ》の為に、小さなフォーブール・サン＝ジェルマンともいうべき寄宿学校で冷遇されていた娘を自宅へと引き取った。事件の手柄を知ったボナパルティスト達は、快哉《かいさい》を叫んで、母エミリの賢妻ぶりを称《たた》えた。ラヴァレット伯爵は、六年の亡命生活の後に、赦《ゆる》されて故国に帰った。ジョゼフィーヌが、フォルジェ男爵のような退屈な男と結婚したのは、そのブルボン家との浅からぬ縁と豊かな財産とが、ラヴァレット家の社会的、経済的な困難を救ってくれると母エミリに諭されたからであったが、実際に父の帰郷の為には、その新しい地位が大いに有利に働いたのであった。

　こうしてジョゼフィーヌは、俄《にわ》かにその名を高くした母エミリとともに、少女時代から、「あの」だとか「あの脱走劇の」だとかいう語を名に冠して語られる特異な存在となり、それが今以てサロンに集う名士達の憧《あこが》れにも似た感情を掻《か》き立てているのであった。

　ドラクロワも、彼女の愛人となる前から、この親子の評判は当然に聞き及んでいて、以前に、かのラヴァレット伯爵夫人が親戚《しんせき》の家を訪ねると知った時など、一目その顔を拝みたいと、アトリエから飛んで行ったくらいであった。そして、ジョゼフィーヌと親密な間柄となった後に、彼女の口から直接にこの話を聴き、事もなげに、「わたくしも、寄宿学校では、随分と苦労いたしましたわ。」などと言うのを聴くと、普段の愛情にも加えて、ナポレオンの軍隊の英雄の武勇伝にでも接するかのような盲目の尊敬を覚えるのであった。

彼ら二人の関係は、既に十五年以上の長きに亙《わた》って続いていた。愛情を抱き始めた頃には、互いの裡《うち》に芽生える感情の一つ一つが、どれも華やかで、大袈裟《おおげさ》で、花弁の縁のように輪郭がはっきりとしていて、苦痛と紛《まが》うほどの喜びに満ち、明るい陽射《ひざ》しを目にしたあとの赤々とした残像のように、離れて心静まってからも、その余韻を生活の中に曳《ひ》くようであったのに、それが段々と、淡く、複雑な彩《いろど》りの裡に沈みゆくようになっていって、今ではそのことを、愛情の薄れと感ずるべきなのか、より誠実な愛情への深化と感ずるべきなのかが、二人ともに分からなくなっていた。

ドラクロワは、この日も当たり前のように、彼女の家で夕食を済ませ、子供達と加減の優れない母親とがそれぞれ奥の自室へと退いた後に、二人だけになった居間で彼女と暫《しばら》くとりとめもない話をした。

食事の間、彼は、昨日の自然史博物館の話をして、ラヴァレット伯爵夫人を楽しませていた。この薄幸の夫人の苦労話は、ジョゼフィーヌからも、本人からも、そして、噂好きの他の多くの者達からも事ある毎《ごと》に聞かされていたので、会うと自然に、彼は、何か愉快な話でもして彼女を喜ばせてやりたい気分になるのであった。話題の選択が、彼の彼女に気に入られている所以《ゆえん》であった。それは、年若い者達の喜ぶような毳々《けばけば》しい噂話の類《たぐい》であってはならなかった。時には若やいで、彼女自身がそうした話を聴きたがる際には、自ら進んで品位を落とし、しかも、熱過ぎるスープを冷ましてやるようにして、それを喋《しゃべ》って聞かせた。そんな時、彼女は、自分から知りたがったことも忘れて、話の内容に「まァ！」と目を丸くして驚いた。そして、あとで娘にだけこっそりと、「ドラクロワさんも立派な方なのに、人の噂話なんて本当にお好きなのねェ。」と笑って語ったりした。そのことは、勿論《もちろん》彼もジョゼフィーヌから聴いて知っていた。そして、そんな風に微笑《ほほえ》むラヴァレット夫人の顔を想像してみて、満足感に思わず頬を緩めるのであった。

植物園での話は、しかし、そうした稀に聴けばこそ彼女も喜ぶといった類の話題ではなく、彼女の笑みを普段通りにもっと自然に引き出すことの出来る話題であった。ドラクロワは、ジェニーとの会話で悟ったように、自分の感じたことは、結局うまく伝えることは出来ないだろうと諦《あきら》めて、内容をジェニーが解した通りに変更して語った。幾分は、気恥かしさも手伝っていた。しかし、喋り出すと、いい歳《とし》をした大人が、仕事の鬱《うっ》憤《ぷん》晴らしに子供のように無邪気に博物館ではしゃいで来たかのような話になって、少し後悔した。こんなことなら、二人を困惑させてでも、あの時の言葉にしようのない思いのすべてを長々と披露してみせた方が良かったかしらと思った。

『しかし、食事がまずくなるほど必死に喋ることに、何の意味があるというのだ？』

そんなことを考えているうちに、会話の方は恙《つつが》なく、

「あなたは、お仕事ばかりしていらっしゃいますから、たまにはそうして息抜きすることも大切ですわ。」という結論に至った。彼は、「ええ、そうですね。」と返事をしながら、意図した通りの話の流れに安堵《あんど》しつつ、こんな些細《ささい》なことに一々余計な知恵を絞る自分に、我ながら呆《あき》れるような気がした。

フォルジェ夫人には、日記の話をした。この話は、あとでゆっくり彼女と二人だけで語り合えるようにと、食事中には喋らずに取っておいたのだった。

「日記を？」

彼女は、暖炉の火から目を離すと、興味深気に彼の方を振り返った。長く火に当たり過ぎた為《ため》か、両頰がテーブルクロスの上に零《こぼ》したワインのあとのように桃色に染まって、それが、いかにもアングルなどが喜んで描きそうなギリシア風の端整な鼻梁《びりょう》の影と愛らしい不調和を来《きた》していて、向かい合った彼を思わず微笑ませた。

「そうなんです。新しい手帳も買って。」

「そう。でも、どうしてまた、日記なんかつけ始めましたの？」

「これが初めてという訳ではないのですよ。前にもつけていたんです。まだ二十代の頃でしたけど。丁度、母の九回忌の記念日に書き始めたんです。」

「お母様は、お幾つで亡《な》くなられたのでしたかしら？」

「五十六歳です。」

「あら、もっとお若い時でいらしたかと思ってましたわ。あなたはお幾つでしたの？」

「僕はまだ十六歳でした。だって、僕と一番上の兄とは、十九歳も離れてるんですから。」

「そうでしたわね。──お兄様は残念でしたわね。」

「ええ、でも、六十六歳でしたから。あんなに戦争ばかりで、負傷したり捕虜になったりしたのに、母より十年も長生きしたなんて、考えてみれば不思議な話ですよ。」

長兄のシャルル＝アンリ・ドラクロワは、丁度一年ほど前の千八百四十五年十二月三十日にボルドーで歿《ぼっ》し、危篤《きとく》の知らせを受け、駆けつけたものの死に目に会えなかった彼は、生き残ったただ一人の近親者として年を跨《また》いで現地に逗《とど》まり、葬儀や財産処理等の法的な手続きを済ませて来たところであった。シャルル＝アンリ・ドラクロワは、退役時には、将軍にまで昇り詰めていた帝国軍の著名な軍人で、永くウージェーヌ・ド・ボーアルネ王子に副官として仕えていた為に、血縁のフォルジュ男爵《だんしゃく》夫人も、話にはよく聞いていた人であった。

「僕も、せめて兄の歳くらいまでは生きられると良いのですが、こう病気ばかりしていては、……」

彼は、冗談のようにして笑った。フォルジュ夫人は、こんな時の彼が、普段と違って思わず本音を漏らしていることがよくあるのを知っていたので、やはり冗談のように、

「それは大丈夫ですわ。あなたのような方こそ、意外に長生きなさるものよ。」と笑って言った。ドラクロワは、慰めのつもりで言っているのだろうとは思いながらも、一瞬、本当に彼女は、まったく冗談だと思っているのだろうかと疑って不安になった。しかし、それを確かめることはしなかった。ジョゼフィーヌは、そうした彼の気色の変化を敏感に察しながらも、その不安については理解せず、ただ、やっぱり本音だったのだと思って、

「でも、あなたみたいな気紛《きまぐ》れ屋さんが、日記なんて続くのかしら。前の日記は、どのくらい続きましたの？」とわざとまた日記の話へと戻した。ドラクロワは、苦笑いしながら、

「三年ですよ。」

「たったの三年？」

「ええ。でも、モロッコの旅行中は書いてましたけど。」

「それでも、四年にもなりませんわ。今回は、どのくらい続くかしら。何なら賭《か》けましょうか？」

「乗りましょう、その賭けに。でも、あなたに損をさせるのはかわいそうだな。今度は、続きますよ。昨晩は最初の日だということもあって、随分と沢山書きました。食事の時にも話していた、ジェラールの絵のことだとか、自然史博物館のことだとか。今日はこ

んなことしているから、余り長くは書けそうにないですけど。」

「あら、そう？　でも、せめてわたくしが、何時《いつ》にも増して魅力的だったという一行くらいは、書いてくださるんでしょうね。」

二人とも笑った。しかし彼女は、今日のこの会話は、本当のところどんな風に書かれるのかしらと想像して、今口にしたばかりの自分の言葉に、少し恐れをなした。そして、思わず、

「それは、誰かにお見せになるの？」と尋ねてみた。

彼は、逆の意味で彼女を安心させる為に、

「勿論、誰にも見せませんよ。自分の為だけに書くのです。」と答えたが、

「それでは、わたくしの悪口も、存分に書けますことね。」と言われ、慌《あわ》てて、

「悪口！　ええ、そうですね、僕がそんなことを書く筈《はず》がないことは十分承知している癖に、あなたはすぐにそうやって、意地悪をして僕を困らせると、たっぷり書きつけておきましょう。」と言った。

彼女は笑って、

「そのくらいでしたら、許してさしあげますわ。」と言った。

その後ドラクロワは、ここへ来る前に会った知人の画家のジュール＝ロベール・オーギュストの話をして、彼から借りたジョルジュ・デュヴァルの《恐怖時代の回想》とい

う本のことを話した。二人とも未読であったので、標題に導かれて、幼少期のことなどを好き勝手に喋った。

遅くなって帰ろうとすると、ラヴァレット夫人が、わざわざ階段を下りて見送りに出て来た。そして、寒いからうちの箱馬車《クーペ》を使って欲しいと御者に指示を出した。ドラクロワは、礼を言って馬車に乗り込んだが、彼女がショールに包《くる》まったまま出発するまでじっと立っているので、

「お風邪を引かれると大変ですから、どうぞ中へお這入《はい》り下さい。」と気遣った。

馬の走り出す直前に、明後日、ジョゼフィーヌとロッシーニ自身の監督によるニデルメイエールのパスティッチョ作品《ロベール・ブリュース》を聴きに行く約束をしていたのを思い出した。そして、それを確認しようと、

「明後日《あさって》のオペラ座は、」と言い掛けた時、御者が馬を鞭《むち》打って箱馬車《クーペ》を出してしまった。窓から顔を出して後ろを振り返ると、彼女が、覚えているという合図に何度も頸《くび》を縦に振っていた。暗がりの中に、白の絵具をサッと二筋擦《なす》ったように、二人の姿がぼんやりと浮かび上がっていた。

『時間はまた、手紙ででも知らせて来るだろう。』――そう安心して、窓を閉めた。

家に着くと、少し不機嫌そうにジェニーが出て来た。そして、ポンサールが訪ねて来て、劇の台本を置いて行ったと伝えた。卓の上には、《アグネス・ド・メラニー》の台

本が載っていた。外套《がいとう》を脱いで二三頁《ページ》捲《めく》っているうちに、年末ショパンの為に、オデオン座の席を取ってやったことを思い出した。ここのところ会っていなかった。そう思うと急に会いたくなって、近いうちに家を訪ねようと計画を立てた。

数日後、彼は、気の重いのを押してポンサールに台本の礼状を書き、その重い気を悟られぬように、すぐにジェニーに持って行かせた。芝居が成功しなかったという噂は前々から耳にしていたが、実際に読んでみると、それも納得されるような出来映えであったので、どう感想を書いたものかと暫く筆を執り兼ねていたのであった。擬古典主義悲劇《リュクレース》の初演の頃から、ドラクロワは、世間での成功とユーゴーやデュマといった同業のロマン主義者達からの酷評との間で一喜一憂しているこの作家を、何度も励ましてきた。今回は、世評も芳《かんば》しくはないらしいということが尚更《なおさら》不憫《びん》に思われた。あれやこれやと思い悩んだ末に、結局、さして具体的な感想も書けぬまま、それでも精一杯の讃辞《さんじ》を連ねて、評論家の悪口に耳を貸す必要はないと同情を込めて慰めておいた。

手紙を書いた翌日には、アドルフ・ティエールの家に晩餐《ばんさん》に出掛けた。

ドラクロワがティエールと出会ったのは、今から二十五年も前のことである。千八百二十二年に、彼の官展《サロン》初出品作である《地獄のダンテとヴェルギリウス》が惨憺《さんたん》たる悪評を被《こうむ》っていた時、独り決然と絶讃の記事を書いたのが、当時まだ《フランス革命史》

さえも発表していなかった二十五歳のアドルフ・ティエールであった。ドラクロワは、《コンスティテュスィオネル》紙上に掲載されたこの若いジャーナリストの記事を、大仰だとは思いながらも喜んで読んだ。《地獄のダンテとヴェルギリウス》については、グロやジェラールといった既に画壇に名を成した幾人かの画家や、ゲランのアトリエの先輩だったジェリコーなど、その価値を認めて励ましてくれる者も僅《わず》かにあったが、公《おおやけ》の場では大方嗤笑《ししょう》ばかりを浴びせ掛けられていたからである。それ以降、二人は永く交流を保った。ティエールは、政治家となってからも一貫して彼の絵を称讃し続け、ブルボン宮の「王の間」の装飾や上院図書室の装飾など、政府関連の大きな仕事を持って来ては積極的に彼に依頼した。これは、経済上の問題に於《お》いても、画家としての歩みに於ても、彼にとって甚だ益するところが大きかった。彼はそれらの恩について、どれほど深い感謝を抱いていることか知れない。けれども、心安く友情を育《はぐく》む気には到頭なれなかった。そうした厚意は、何時も有難く感じてはいた。しかし、その人品に対しては、余り信用が置けないというのが本音であった。野心のあることは構わなかった。それは彼とて同じであり、頼もしいとさえ感じた。彼自身は死別により、ティエールの方は捨てられて早くに父を失っていたので、成功というものに対する情熱に於ては寧《むし》ろ大いに共感さえしていた。しかし、まさしくその苦労の故《ゆえ》にか、何となく肚《はら》に一物あるような狡猾《こうかつ》そうな雰囲気があって、どうしても心安く打解けることが出来なかった。時にはその友情を素直に信じてみて、そうした恩恵を被りながら邪推を巡らせる自分の方をこそ狡猾に感じたりもした。また時には、好むと好まざるとに拘《かかわ》らず、自分のような画壇の嫌われ者が画家として生活してゆく為には、彼との関係は是非とも保っておかねばならぬのだと割り切って考えてみることもあった。それでもドラクロワは、画壇に登場したばかりの右も左も分からなかった当時の自分が、彼の熱烈な讃辞を嬉《うれ》しく思い、素直に感謝したという事実だけは今以《もっ》て疑いもなく信ずることが出来、またティエールの方もあの記事を書いた若き日の純粋さだけはきっと今も信じているに違いないと思うことが出来ればこそ、二人の関係を単に打算の上にのみ成り立っているものと考えるのではなく、確かにそれが友情の名に値するものであることを自らに納得させることが出来るのであった。

サロンに迎えられると、ドラクロワは、丁度今到着したばかりのシャルル・ド・レミュザ伯爵と出会《でくわ》した。下に停まっていた品の好《よ》い箱馬車《クーペ》はこの人のものだったのかと妙に納得される気がした。ティエールが人の相手をしていてその到着に気づかぬ間に、ドラクロワは、所在ない様子で立っている彼に歩み寄って挨拶《あいさつ》をした。レミュザ伯爵の方も、以前に何度もここで顔を合わせているので、「今晩は。」と微笑《ほほえ》みながら返事をした。そして、そのまま二人とも黙ってしまい、それ以上言葉を交わすこともなく別れてしまった。ドラクロワは、ティエールの家で会う退屈な政治家達の中でも、彼だけは、常々魅力のある男だと思っていた。ティエールと同じ千七百九十七年生まれで、派手ではないが趣味の洗練も教養の豊かさも申し分なく、殊《こと》に流石《さすが》に王宮育ちと言うべきか、ここに集まって来る人には稀有《けう》な極めて自然な品性を備えているところが気に入っていた。一度ゆっくり話してみたいとは前々から思っていることであった。しかし、この人には、どうも気安く声を掛けづらいような雰囲気があって、それこそがティエールや自分などとは明らかに違う生まれ育ちの良さということなのだろうかと考えてみたりもしていたが、ともかくも何度も会っている割には真面《まとも》に喋《しゃべ》ったことは殆《ほとん》どなく、それが余計に今更親しげに話をすることを妨げているのであった。

ドラクロワは、今交わしたばかりの貴重な挨拶のことを考えながら、今日はあれで終りだろうなと思った。そして、自分の予言の冴えに、吹き出しそうになった。とその時、向こうの方で彼を紹介する者の口から、一際《ひときわ》大仰に「不滅の」という言葉の発せられるのが聞こえてきた。レミュザ伯爵は去年、ティエールに遅れること十三年目にして漸《ようや》くアカデミー・フランセーズの会員に選出されたところであった。そのことを思い出すと、彼は、自分は一体何時になったら、あんな風に人から尊敬と羨望《せんぼう》との眼差《まなざし》を向けられることになるのだろうかと急に気が滅入《めい》った。四十歳になるまでに彼は、既にアカデミーの絵画部門に三度も立候補しており、しかも三度とも落選の憂き目《うめ》に遭って、以後はもう立候補することすら已《や》めてしまっていた。

テーブルにつくまでに、更に幾人かの名前も思い出せぬような政治家達に挨拶をしていると、

「あら、ドラクロワさん、お久しぶりですこと。」と呼び止められて、後ろを振り返った。声を掛けたのは、ウェストファーレン王ジェロムの娘で、一昨年、渋々嫁いだロシアのアナトール・デミドフ伯爵と離婚して以来、途端に顔色が良くなったと冗談を言われているマティルド皇女であった。

「今日は、ティエールさんから、あなたもお見えになるって伺って、とっても楽しみにして参りましたのよ。」

「また、お目に掛かることが出来て光栄です。私の方は存じ上げませんでした。実は一昨日も、彼と食事をともにしたのですが、そんなことは教えてくれませんでした。いらっしゃると存じていれば、もっと入念に髭《ひげ》の手入れをして参りましたものを。」

「まァ。」

「ヴィエイヤールさんのお宅で、お目に掛かって以来でしょうか？」

「ええ、そうでしたかしら。……」

――こういう人まで呼んでいるところが、ティエールの抜け目のなさだと彼は思った。

『首相時代に、ナポレオンの遺《い》骸《がい》をイギリスから取り返して以来、彼を警戒していたボナパルティスト達の間の評判も、随分と良くなったと聞いてはいるが。……バロの一党

の一部の連中が、単に彼に約束された将来の地位によってのみ魅力を感じているというのではなく、自分達の不甲斐《ふがい》ない親分と引き比べて、心情的にも彼に親近感を覚えているというのは、こんなところからなのだろうか？　如才ないな。……』

ティエールと少し立ち話をした後に食卓につくと、それが、彼とも、レミュザ伯爵《はくしゃく》とも、マティルド皇女とも離れた席で、ドラクロワは、家を出る前から覚悟していた退屈が、まったく現実のものとなって身に降り懸かって来るのをどうにか耐え続けねばならなかった。最初こそ、このところのアダム・ミツキェヴィチの動向についての話題で、ますます神懸かり的でとても正気の沙汰《さた》ではないと、二年前に政府から中止命令の出たコレージュ・ド・フランスの「スラヴ史及び比較文学講義」の創設に関わったティエールの見解を問うといった、まだしも聴いていて多少は面白い話であったが、途中からレミュザ伯爵の議会改革の提案へと話頭が転じ、続いて選挙法の改正についての煩瑣《はんさ》な議論が始まってからは、いよいよ興味を失ってしまった。食事は豪勢であったが、みんな話に熱中していてそれどころではなかった。数人の給仕が、そうして殆ど手もつけられずに冷えきった皿を次々と下げていってしまうので、彼も急《せ》かされているような気になって、少しも落ち着かなかった。仕方がないので、ずっとワインを飲んでいた。が、それも、贅沢《ぜいたく》な意匠を凝らした足の長いグラスが、どうもうまく手に馴染《なじ》まなくて、みっともなく二度も三度も中身を零《こぼ》してテーブルクロスを汚してしまっているような有様だった。隣の男が、その都度それをさも気の毒そうな顔で眺めた。齷齪《あくせく》と何気ない様子でグラスを取り替える給仕達も、部屋を出た途端に顔を見合わせて嗤《わら》っているような気がした。それが何とも屈辱的に感ぜられて、終《しま》いにはグラスそのものに腹が立った。そうした様子を看《み》て取ってか、向かいの者が、何度か議論への参加を促して、「それについてのあなたのお考えをお聴かせ願えますか？」と声を掛けた。少しく酔いが回っていたとはいえ、それがいわば親切から発せられた問いだということくらいは彼にも分かった。その気持ちに報いる為《ため》にも何か答えたかった。しかし、政治についての自分の意見など、どうせろくなものではないことは彼自身が誰よりも一番よく知っていた。それこそは、自分の中でも無知が最も幅を利《き》かせて、完全な勝利を収めている場所である。しかも、相槌《あいづち》を打ってばかりで、話の内容は少しも聴いてはいなかった。頭の中では、先ほどからずっと、チマローザの《秘密の結婚》の序曲が意味もなく繰り返し流れ続けていた。相手もどうせ本気で訊《き》いている訳ではあるまい。そう思って、しどろもどろに適当な返事をすると、案の定、大人が子供の意見を聴くような寛大さで、「なるほど。」と反論もされずに聞き容《い》れられた。そして、こうした遣《や》り取りに相手も気まずさを感じたのか、今度は話頭を転じて、自分の凡才を大いに強調しながら、「私のような者にはまったく想像だにつきませんが、あなたのお描きになるような絵の主題というものは、一体何処《どこ》から湧《わ》き上がってくるのでしょうか？　やはり、何かの瞬間に閃《ひらめ》いたりするものなのですか？」と尋ねてきた。

こうした答えの仕様のない質問に、彼はしばしば逢着《ほうちゃく》した。そして、そうした場合の常で、ただ曖昧《あいまい》に同意してみせながら、こんなことなら、会話に這入れずに孤立しているくらいの方がよほどましだったなどと考えた。それでも、相手の気遣いは分かるので、余り素っ気なくしても悪かろうとどうにか話を合わせていると、段々と向こうも調子づいてきて、先ほどまでの議論に引っ掛けて、

「つまり、あなたにとってのアングルというのは、我々にとってのギゾーのようなものなのですな。主権は理性にありという訳です。」と大してうまくもないような冗談を言った。

彼は、仕方なく微笑んで、「ええ。」と頷《うなず》いてみせた。

『お互い様だな。どっちが悪い訳でもないさ。……』

そうしてただ、出来るだけ早く家に帰ることばかりを考えていた。

ティエールがソファで居眠りを始めたのを機に帰宅すると、彼は、こうした話を事細かにジェニーに訴えた。ジェニーはそれに一々憤慨してみせながら、

「先生の貴重なお時間を、そんな人達の為に費やさなければならないなんて、本当に残念に思います。」と言った。

彼女は、本心からそう思っていた。そして、その場にいるドラクロワの姿を想像して

みて、どうにも我慢ならなくなって、唯一《ゆいいつ》知っているティエールの悪口を、思うがままにあれこれ言い散らした。ドラクロワは、それがすべて的を射ているとは思わなかったし、余りに凄《すご》い勢いだったので、少しティエールが気の毒にもなったが、彼女の素朴な優しさには慰められるような気がした。喋り終わると、実際に不快も和らいでいた。あのまま誰とも会話せずに床に就いていたならば、どれほど恐ろしい夢に魘《うな》されていただろうかと想像して、ゾッとした。そして、今更のように彼女に感謝すると、飽き足らぬ分は日記に書きつけて、漸く満足して床に這入《はい》った。

五

翌日は、夕方まで《馬に乗るアラブ人》と《ヴァレンティーノの死》の制作に没頭し、それから知人のラベの家に立ち寄った後に、旧《ふる》くからの友人であるフレデリック・ルブロンの家を訪れた。

ブレダ街五番地の彼の家のサロンには既に数人の客が集まっていたが、その談笑の中心にいるのは、ここの常連である音楽家のマニュエル・ガルシアであった。

ガルシアは、偉大なテノール歌手であった同名の父親が二度目の結婚の際に儲《もう》けた最初の子で、ドラクロワよりも七歳年下であった。自らはバリトン歌手で、若い頃には舞台にも立っていたが、父親と違って人前で歌うことを好まず、千八百二十九年にパリに帰って来てからは、専《もっぱ》ら声楽教師として名声を博していた。七年前には《歌唱芸術要諦《ようてい》》という声楽教本を著して評判となり、その後コンセルヴァトワールの声楽教授となったが、一般には同じく歌手である二人の妹の方が遥《はる》かに有名であった。一人は、彼より三歳年下で二十八歳の若さで落馬事故の為に夭死《ようし》したマリア・マリブラン、もう一人は、十六歳年下で七年前に著名な批評家で、イタリア座の支配人でもあるルイ・ヴィアルドと結婚したポーリーヌ・ヴィアルドである。

この日は昨晩とは違い、食事は歓談とともに楽しく終わったが、途中からガルシアと二人で演劇についての議論となり、昨日の鬱憤《うっぷん》晴らしにドラクロワも大いに語った。ガルシアは、ディドロの有名な、「卓越した俳優を作るのは、感性の絶対的欠如である。」という逆説を批判しながら、俳優は、そうして自己を把握しながらも、やはり情熱的でなければ——情熱を模倣するのではなく、真に情熱を有しているのでなければ務まらないという主張を、嘗《かつ》ての実際の演技者としての立場から、また現在の指導者としての立場から唱えた。それに対してドラクロワは、ディドロの説は大方正しいが、ただ彼が、俳優の感性を拒むに当たり、想像力がその補いをつけるということを十分に説明していないという反論をした。

「僕は、晩年のタルマと交流があって、彼の家の装飾も手掛けたことがあるんだけど、その頃に何度か、こんな風に議論してね。彼の常に主張するところでは、自分は舞台ではまったく好き勝手に振る舞っているように見せながら、その実、自己の霊感を導き、自己を判断する自由は完全に掌握しているし、また是非ともそうあるべきだと言うんだ。」

「ええ、それは、ディドロの主張通りでしょう。しかし、それでは余りに、……」

「いや、君の言おうとしていることは分かっている。それでは余りに、知の勝った生気のない演技になってしまって、観客は誰も感動しないと言いたいんだろう？」

「その通りです。事実、そうではないですか？」

「今の説明ではそう取られても仕方はないが、タルマの言葉にはまだ先があるんだ。――彼が続けて主張するにはね、そうは言っても、もしも誰かが、自分の演技中にあなたの家が火事で燃えていますよ！　と告げに来たとしても、自分は役を演じているその瞬間の状態から抜け出すことは出来ないだろうと言うんだ。僕としては、依頼された制作途中の壁画の運命を思って、苦笑せざるを得なかったけどね。しかし――冗談はさて措《お》き――、これはなかなか深遠な証言だよ。そういった状態は、自分の全能力を支配してしまうような仕事に従事しているあらゆる人間に起こり得ることだと思うけれど、かといって、そういう人間の魂が、感情に呑《の》み込まれてすっかり動転してしまっているかといえば、そうではないんだ。俳優には無論、或《あ》る種の霊感のようなものが必要だろう。けれども、自分自身を貫く支配力も不可欠な筈《はず》だ。それが交互に訪れたんじゃ意味がない。常に同時に存在していなくては駄目だ。君はそんなことが可能なのかと反論するだろう。僕は可能だと思う。それを可能としてくれるものが想像力だ。想像力には、知性が欠かせない。縦《たと》え君の言うように、劇中の人物を感性によってのみ理解するとしても、それを演技に於《おい》て実現しようとするならば、必ず知性の助けが必要な筈だ。そうしてすべては想像力の中で起こる。タルマはさすがに、こうしたことがよく分かっていた。でなければ、どうしてラシーヌなんか演じることが出来るかい？」

ガルシアは、呆気《あっけ》にとられたような顔をして、ドラクロワの言葉を聴いていた。そして、徐《おもむろ》にこう言った。

「私は、あなたの言葉そのものよりも、こともあろうに、あなたのような人が――ロマン主義という運動の最も正統な体現者である筈のウージェーヌ・ドラクロワのような人が、それを言ったということに驚いています。正直に告白すれば、私がこの議論を持ち出したのは、食事の場の気軽な会話としてこれなら容易にあなたの同意を取りつけることが出来るだろうと算段していたからです。」

「僕は絵を描き始めた時から、一貫して古典主義者だ。ただ、アングル達のような偽者《にせもの》の形骸化した古典主義者じゃないというまでの話さ。勿論《もちろん》、ユーゴーのような連中のやっていることと自分の仕事とは、まるで違うものだと考えているよ。」

ドラクロワは、この頃ますます自分がロマン主義者だと言われることに嫌気が差していたので、不快混じりにさも当たり前のように言った。ガルシアは、また目を丸くした。

「これはまた、驚きました。そうですか。しかし、それは措くとしても、私はやはりあなたの主張には賛成出来ません。」

彼は、少し身を乗り出した。

「身内の才能を称《たた》えることは、些《いささ》か慎みを欠く仕業と申さねばなりませんが、その哀れな短い生涯に免じて、あなたは私に、妹のマリブランの例を挙げて反論する権利を与えて下さるでしょう。」

ドラクロワは「勿論」と頷いたが、先ほどから彼が頻《しき》りに口にしていた「感性」だとか「情熱」だとかいう言葉は、なるほどマリブランを念頭に置いて喋《しゃべ》っていたのかと今更のように納得した。

「妹のマリアが、生前どれほどの成功を収めていたかはあなたもよくご存じでしょう。それを思うと、あの早過ぎる死が今でも残念でなりませんが、……仕方はありません。私は、ディドロやあなたの意見に全部反対だという訳ではないのです。ただ、あれのことを考えると、観客に深い感銘を与える真に迫った演技というものは、もっと別の方法でなければ得られないのではないかと思うのです。尤《もっと》もこれは方法とは言えぬような類《たぐい》の話かもしれません。私は我が妹ながら、あれの演技には随分と感動させられたものです。あれが人々に愛されたのは、歌手としての実力は勿論のこと、それに加えて、あの人の胸を打つような演技力があったからこそです。これはあなたも認めて下さるでしょう。容姿の美しさと言う人もいますが、それはさして重要ではありません。縦えポーリーヌよりは恵まれていたとしてもです。ところで私は、何時《いつ》もあれの側《そば》にいたのでよく知っているのですが、マリアは舞台に立つまでに、実際に今日の自分がどんな演技をするのかまるで知らなかったのです！　こんなことは信じられるでしょうか？　しかし、事実そうだったのです。細かな身振りについては言うまでもなく、歩き方一つについてさえ予《あらかじ》め準備されていたものは皆無でした。それなら、どうしてあんな演技が出来たのかと不思議に思われるかもしれませんが、それこそはあれの人並外れた感性のなせる業だったのです。あれは、演技することは考えずに先《ま》ず劇中の人物の心情を一番に考えました。自分の演ずる劇中の人物が悲しめば自分も悲しむ、喜べば自分も喜ぶといった具合です。そうすればどうでしょうか？　身振りなどというものは自然とついてくるものです。考えてもみて下さい。我々が普段の生活の中で、両手を挙げてみたり、頸《くび》を捻《ひね》ったりする時、それらの仕草を、あなたの言われるように前以《まえもつ》て準備しておくなどということがあるでしょうか？　ない筈です。それは飽くまで自然とからだの内から出てくるものです。妹はそれをやっていたのですよ。身振りの研究などせずとも、感性によって劇中の人物の心情を受け止めることさえ出来れば、下手な小細工をして尤もらしく見せようとせずとも、容易に観客を納得させる演技が出来る筈です。私はあなたの言われた方法でも、演技そのものは出来るとは思いますが、やはりそれは、どうしても真実らしさに欠けるものとなってしまうと思うのです。——いかがでしょうか？」

ガルシアは、満足気に口を噤《つぐ》んで返事を待った。そして、相手がすぐに反論しないのを見て、自分の弁の上げた効果のほどに悦に入った。ドラクロワは、それを見逃さなかった。そして、少し癪《しゃく》に障《さわ》った。実際のところ、彼はガルシアの説に一向に感心しなかった。それは殆《ほとん》どディドロが件《くだん》の対話篇の中で終始揶揄《やゆ》し続けている凡庸な俳優そのもののような主張であった。恐らくは、ディドロについては自分では読まずに、ただ人から聞いて、その印象で喋っているのだろうなと彼は見当をつけた。そもそも幾ら同意を求められたところで、ドラクロワは、歌手としても女優としても、さほどマリブランを買ってはいなかった。才能はあったし、若くして死んだのだから比較するのは公平ではないとしても、例えば全盛期のパスタなどに比べれば、ずっと見劣りがしたというのが彼の印象であった。普通なら少しくらい冷や水を浴びせてやりたくもなるところだが、死んだ妹への哀惜の念が勝って、時の経《た》つうちに美点ばかりが浮き立って見えてきたというのも分かる気がした。手酷《てひど》く論難するのもかわいそうかなと思った。しかし、そうしたこちらの手加減に気がつかぬというのも間が抜けていると思った。彼の脳裡《のうり》には、

《ロミオとジュリエット》の劇中でのマリブランの姿が思い浮かんだ。ジュリエットの墓へと辿《たど》り着く場面で、彼女は、舞台の袖《そで》から登場するなりいきなり激しく悲嘆に暮れた様子で、柱に縋《すが》って歩みを止めたり、墓の前で啜《すす》り泣いて蹲《うずくま》ったりした。それが真に迫っていなかったとは必ずしも言えない。しかし、彼女の舞台の多くの場合と同様に、その誇張に満ちた大仰さは鼻持ちならないものと感ぜられた。要は品がないのだと彼は思った。彼女は、優れた俳優には不可欠である筈の崇高さから何時でも百里も遠いところにいた。精々、場末の女の到達し得る程度の崇高さにしか到達し得なかった。縦《よ》し美しいとしても。一言で言えば、彼女には完全に理想が欠けていたのだ。——とここまで考えて、とにかくずっと黙っているのも良くはあるまいと口を開くことにした。

「なるほど、マリブランの例は興味深いね。けれども僕は、二つの点で君の意見に反論してみたいと思う。一つは芸術表現に於《お》ける理想という問題だ。とはいえ、僕はディドロのように意地悪く、俳優は詩人にその糸を握られた操り人形だとまでは言わないけれど、……」

「理想！　それこそは、あなたが、アングル派の画家達を軽蔑《けいべつ》する理由ではないのですか？」

「まァ、待ちたまえ。僕は何も、あの連中の言うような唯一《ゆいいつ》無二の偏狭《へんきょう》な理想のことを言っているんじゃない。ただ、個々の表現に於てしかるべき理想はあると思うんだ。実際に僕は、ヴォルテールの驥尾《きび》に付して、美とは多様なものだと主張することが出来る。これは君も知っている通り、僕自身がずっと信じてきたことだ。そうでなければ、ルーベンスやレンブラントのような絵については語ることが出来なくなるからね。そして、多様であるならば、その多様さの分だけ理想というものがある筈だよ。君は先ほど、身振りというものは準備などせずとも自然と出てくるものだと言ったね。」

「ええ、そうです。」

「しかし、同じ悲しむにしても、十人いれば十通りの悲しみの表現がある筈だ。違うかい？」

「勿論そうです。」

「そして、その十通りの表現の中には、悲しみの程度が同じであるにも拘《かかわ》らず、一目でその深刻さが察せられる身振りもあれば、一見したところでは悲しんでいるのかどうかさえ分からないようなものもあるだろう。それを個人の表現として考える場合には問題はないが、舞台表現としての効果という観点でいえば、自《おの》ずと優劣というのはついてくるんじゃないかい？」

「…………。」

「自然に身振りがついて来るという場合、それが常に最上のものであると君は断言出来るかい？」

「しかし、最上のものではなくとも、実際にそうして表れたものこそが真実であって、それこそが人を感動させるのではありませんか？」

「それなら、こう言ってみてはどうだろう？　マリブランが感性によって登場人物の心情をそのままに受け止めることが出来たというのは真実かもしれない。そして、何らかの身振りがそれに伴うというのも真実だろう。しかし、その表れたところの身振りが自然であればあるだけ、それはマリブラン本人の身振りであって、劇中の人物に相応《ふさわ》しい身振りとは必ずしも言えないのではないかい？」

「でも、」

「マリブランを例にするから、君は混乱してしまうのさ。例えば場末の酒場で育った女が女優になってデスデモーナを演ずる時、念願叶《かな》ってオテロと一緒になれるという場面で、下品な莫迦《ばか》笑いをしたとしたら君は興醒《きょうざ》めしないかい？　彼女は漸《ようや》く恋人と結婚出来る女の気持ちを、その感性によってまさしく感じ取るかもしれない。しかし、そこから自然に出て来る喜びの表現は、やはり場末の女に相応しいものだとは思わないかい？　それでも君は、それが自然で真に迫っているという理由で評価するかい？　僕は丁度一週間ほど前だったか、弟子のヴィモンのところに行った時にも同じような話をしたものさ。彼の《岩上のプロメテウス》は、なるほどなかなかよく描けてはいる。しかしやはり理想を欠いているんだ。僕がそもそもロマン派の連中にうんざりするようになったのはそこさ。ヴィモンを一緒にしてはかわいそうだけど、彼らには理想がないんだ。何でもかんでも好き勝手にやればいいと思っている。自分の表現に対する真摯《しんし》な反省がない。ところが、僕が一頃彼らの主張に賛同していたのは、自分の理想を表現する為《ため》には、アカデミーの推奨する絵画表現が余りに窮屈だと感じていたからさ。ディドロはそれこそ、名優の中には冷静な観客がいなければならないってことを言っているけれど、これは至言で、画家についても言えることだよ。我々は何時も、我々の中に冷静な鑑賞者を有していなければならない。」

「……それでは、あなたとアングル派の画家達とを隔てているものは、表現方法の違いということなのですね。理想というものに対する考え方に於ては、あなたは、随分と彼らに近いような気がしますよ。表現方法についても、あなたは、美の多様性の下に彼らの絵を認めることが出来るのではないのですか？」

「そこなんだ。結論から言うと無理だね。僕は例えば純粋に技法上の話でいえば、彼らの絵の或る部分に感心するようなことはあるよ。けれども、あの生気のない画面には我慢出来ないんだ。彼らの描く絵の中にあるのは、どれも死んだような線と色彩ばかりだ。人物は皆屍体《したい》のように硬直してしまって、地震が起きてもぴくりともしないような格好をしている。少しも生々としたところがない。当然さ。人間は、そして、この世界の中の自然は絶えず動いていて、停止するのはただ死ぬ時ばかりだからだ。恐らく永遠に運動することもなく、猶且《なおか》つ生命に満ち溢《あふ》れたものがあるとするならば、それは独り神のみだろう。不幸にして、人間はそうじゃない。それが分かってはいないのさ、彼らは。——彼らは、或る理想の形態、理想の構図を追求する。それは結構なことだ。けれども、屍体だって硬直する前にポーズをつけさせれば、ギリシア彫刻のような格好は出来るだろう。それに感動するかい？　しない筈《はず》さ。何故《なぜ》なら、動かないからだ。死んでいるからだ。僕はね、理想を目指すという点では、確かに彼らと同じかもしれない。けれども、同時に自然そのもののように、生々とした絵を描きたい。その結果が僕の作品さ。世界は一瞬たりとも止《とど》まることを知らない。線も色彩もだ。ここにこうして君といる間にも、僕達は一秒でも同じ線と同じ色彩とを保ったことがなかった。僕らがそうであったとしても、周りのみんなはどうだい？　絶えず運動をしている。それが、我々の生きる時間というものだ。僕はね、しつこいようだけれども、理想を求める。けれどもそれは、アングル派の連中の絵のように、死んでしまって時間の外に零《こぼ》れ落ちてしまったところに求めるのではなくて、飽くまで今言ったような時間の中にこそ求めなければならないんだ。勿論、絵というものは元々動かないものだよ。しかし、動き得る絵というものと動き得ない絵というものとはあると思う。これは結局、絵の時間に対する接し方の問題だと思うんだ。というのはね、そもそも時間というのは、運動のあるところにこそ生ずるものだろう？　永遠に静止しているのであれば、そこには時間の前後なんてないんだから。ところが、絵というものはその永遠に静止したものなんだよ。カンヴァスの中に描かれた人物達が、自由に動き回ることとなんてあるかい？　当然あり得ない。それならば、そうした動かない、つまりは時間というものを受け容《い》れない芸術である絵画が、我々の絶えず運動し続けるこの世界とどういう接点を持つのか？　それは恐らく、ただ一瞬の接点に於《お》いてのみ触れ合うことが可能な筈なんだよ。新古典派の絵の一つの問題は、視線の移動の緩慢さが許す画面の中の独特の間延びした時間にあるのだと思う。例えばね、今自分の目の前に指を一本立ててみる。そして君の顔を見る。すると、君の顔のはっきりと見えているうちは、目の前の指はぼんやりとしか見えない。反対に、目の前の指ははっきりと見えている時には、君の顔はぼんやりとしか見えない。瞬間に於ては、目は必ずそうやって風景の何処《どこ》かに焦点を合わせ、それよりも遠過ぎるものも近過ぎるものもぼんやりとした姿でしか見ていない。これは、普通に考えれば分かることだね。ところが、新古典派の画家達の絵は、遠近何処を見渡しても隙《すき》一つないほどにはっきりと描かれている。つまり、画家の目が、ゆっくりと時間を掛けながら遠くを見たり近くを見たりして、そのそれぞれの場所に焦点を合わせているということなんだよ。これは要するに、風景がその余裕を与えるほどにじっとしてくれているということだ。遠くを見、さて次は近くを見ようという間、目の前の世界がのんびりと画家を待ってくれている。そんなことがあり得るかい？　ダヴィッドの《サビニの女達》なんて絵を観《み》てみるといい。あれは、戦闘という一瞬も同じ姿のまま止まってはいないような風景を描いた筈の作品だよ。ところが、絵の中には或《あ》る奇妙な時間が流れている。たるんだ瞬間ともいうべき時間がね。それが作品全体を何とも滑稽《こっけい》なものとしているんだ。我々は、ルネサンスの画家達の描いたものを観ても、こんな印象は覚えない。というのは、彼らが、我々のこの世界の時間を決して知らないような神や聖なる存在を題材として描いたからさ。――とはいえ、僕はやはり、ラファエロに於てすら時にそのたるみを感ずるけれどね。《聖体の論議》のような傑作を例に取ってみてもそうだよ。――ところが、我々の時代の画家は寧《むし》ろ歴史をこそ描いた。時間のまさに渦中《かちゅう》にある歴史をね。そして、歴史の一瞬を描こうとしながら、たるんだ瞬間をしか描けなかった。絵の時間との接し方が、だらしないんだ。瞬間には、瞬間の視線で触れなければならない。少なくとも、そうした視線の緊張を表現しなければならない。しかし、彼らの視線は、見渡し、細部をゆっくりと眺める。それでは駄目だ。そんな風に待ってくれるものがあるとすれば、それは死んだ世界だ。屍体は何時《いつ》までも待ってくれるさ。この止まることを知らぬ時間とは関係なしにね。だからこそ、僕はさっき彼らの理想のことを死んでしまって時間の外に零れ落ちたものと言ったんだ。僕の求めるのはそんなものじゃない。僕が自分の絵に求めるものは、理想的な一瞬であり、つまりは、現実態でありながら、何時でも次の一瞬へと――恐らくは、平凡な形態と色彩と構図との一瞬だろうが――連なる運動の為の可能態であることなんだ。僕の描く線は、その直前にはまったく違った形をしていただろう。そして、その直後にもだ。色彩だってそうだ。それも、一人の人物についてのみそうだという訳じゃない。画面の中のすべての人物、すべての動物、すべての事物が、一瞬前と一瞬後にはまるっきり違った姿をしている。そうした絶え間ない時間の中で、いわば奇跡のように、永遠ともいうべき一瞬が顕現する。各々《おのおの》の線と色彩との極めて複雑な運動が、偶然によって完璧《かんぺき》に調和した構図を得る瞬間。理想へと到達しながら、猶も生々とした運動の最中《さなか》にあるような瞬間。——それこそが、僕の求める絵だよ。……」

ドラクロワは、少し熱を入れて喋《しゃべ》り過ぎてしまった為に、すっかりガルシアを当惑させてしまったことに気がついた。実際にガルシアは、その口調にも押されて幾分感動さえ覚えていたが、話の内容がすべて分かったかといえば、そうではなかった。

「僕はつい、絵画の話をしてしまったが、……」と照れるようにして微笑《ほほえ》んでみせると、彼は、また演劇の話へと立ち返った。「勿論《もちろん》、演劇と絵画とをまったく同じものとして語ることは出来ない。ただし、……何を言おうとしていたんだろう？……ああ、そうだ、ただし、想像力が、それぞれに於て重要な働きをするということだけは言える筈さ。劇中の人物を、その身分や立場、育った環境までをも含めて正しく理解し、その理想となるべき人物像を得て、それに相応しい身振りをする。それは、想像力に於てのみ可能なことであって、感性だけに頼っていても、実際不可能だろうというのが僕の考えだよ。」

彼は、この点をもっと強調するつもりであったが、直前の絵画の話に力を込め過ぎてしまった為に、結論だけを短く纏《まと》めてあっさりと結んでしまった。気が抜けてしまってそうなったのか、自分ばかりが長く語り過ぎることを懸念《けねん》してそうなったのか、或《ある》いは、言おうとしていたことが出て来なかったからか、相手の顔色が目に這入《はい》ったからか、それとも単に面倒になったからか、そのいずれの理由ともつかなかった。けれども、そうして短く話を切り上げてみると、会話の流れに対する劇作家のような造形的な意図が働いたように感じて、妙な気分になった。しかし、ガルシアの方は、その為に寧ろ不満を表した。

「あなたの言われることは分かるのです。しかし、そうは言っても、私はやはり妹のマリブランに与えられていたあの輝かしいばかりの称讃《しょうさん》へと思い至らずにはいられません。彼女が観客の熱狂的な支持を受けていたという事実は、否定のしようのないことですから。」

『大衆は何時だって低俗な趣味へと傾いてゆく。そんなことは分かりきっているじゃないか。……』

ドラクロワは、口には出さずに咄嗟《とっさ》にそう思った。そして、そうした思念の沸き上がって来る速さに我ながら驚いた。

「まァ、マリブランのように傑出した才能のある女優の場合は、特別なのかもしれないね。僕が話しているのは、飽くまで一般論だから。」

仕方なくそう言った。

『どうにも、マリブランの天才を強調しなければ、気が済まないのだな。』

彼はせめて、天才とは言わずにおいて、ささやかな抵抗をした。それでもガルシアは、その言葉に、我がことのような誇らしげな表情をした。

「ええ、そうです。私はあなたの意見に対して、少し公平さを欠く聴き方をしているかもしれません。しかし、それは已《や》むを得ないことです。」

こう当り前に言われると、また一つ意地の悪い反論でもしてやりたくなるので、彼は、自分という人間の複雑な心情の仕組みに失笑しそうになった。自分の口から発せられた言葉が、字義通りに受け取られると、彼はしばしば、こうしたもどかしさを感じた。無論、字義通りに受け取ってもらう為に発した言葉である。そうでなければ、困るのは彼の筈であった。しかし、そうして実際に成り立った会話の結果には、どうにも満足されぬ違和感を感じた。時には相手に対して、私《ひそ》やかな軽蔑《けいべつ》の念をさえ抱くこともあった。

いっそ、マリブランを否定するようなことでも言ってみようか？　そう考えた後にやはり思い止まって、初めに言った通りに感性の説に対する自分のもう一つの反論を切り出すことにした。

「もう一つ、僕が感性に頼って演技することに賛同出来ないのは、演劇が、何度も繰り返し上演されなければならないものだというディドロも指摘している例の実際上の問題の為なんだ。」

「その問題こそ、私があなたに質問せねばならないことです。何故なら、あなたの言うような方法では、演技は自《おの》ずと一つの型に嵌《は》まったものになってしまうからです。けれども、妹のマリブランのように、その日にどういった演技をするか本人にさえ分かっていないような場合には、観客はその都度まったく新鮮な発見をすることが出来る筈です。実際にあれは、同一の演技に於て上演の度毎《ごと》に新しい効果を上げ得るように心掛けていました。それは、即興演奏の面白味にも似ているかもしれません。――実際にあれは、サロンでの即興の歌を随分と得意にしていましたが。――パガニーニを二晩続けて聴いた人の言うには、初日と翌日とでは、彼はまるで違ったカデンツァを弾いていたそうです。そういうことは、所詮《しょせん》は一部の天才を授けられた芸術家にのみ許されるのでしょうが。」

ガルシアは、今度は天才という言葉を安心して極めてロマン派的に遣った。ドラクロワは首を振った。

「そうじゃない。寧ろ完成された才能は、一度とことん研究をして――勿論、大いに想像力を用いてだが――その演技の要点を摑《つか》んだならば、もうそこからは出ないものさ。パスタがそうだった。」

ガルシアは、このパスタという名前に過敏に反応した。

「ええ、言うまでもなく、パスタの才能と妹のマリアの才能とは、二つの殊《こと》なった類《たぐい》のものです。パスタの方は、いわば造形的な才能です。その為、几帳面《きちょうめん》ではありますが、幾分冷やかで、形式的で、つくりものめいていて、今の時代から見れば古臭いものと映るでしょう。」

ドラクロワは、先ほど心中に思った造形的という言葉が、不意に相手の口から発せられるのを聴いて注意をそそられた。そして、それが悪し様《あざま》に言われることに不満を持った。

「君は今、造形的な才能というものを否定的に語ったけれども、本来それは、美点として称揚されるべきものではないかい? 僕の言いたいのは、まさしくそこなんだよ。その為には、感性というものの危うさについて、今一度君に理解してもらわなければならない。というのは、感性というものには、必然的に慣れが生じてくるからさ。」彼は、ディドロはどんな例えを用いていただろうかと考えてみたが、思い出せなかった。「例えば、……そうだ、初めて海を目にした時の感動を考えてみるといい。彼は、二度目にそれを見た時にはまた別の感興に襲われるかもしれないが、最初の時ほどの強い新鮮な印象は受けない筈だよ。それが、三度四度と繰り返されれば繰り返されるだけ、印象は弱まる筈だ。」

「ええ、しかし、その話からするならば、人は誰でも、最初に目にした海の印象だけを生涯強く持ち続けるということになる筈ですが、実際は必ずしもそうではないでしょう。二度目三度目に見た海の方が印象に残っているという人は幾らでもいます。」

「いるだろう。ただしそれは、海そのものとの出会いの感動ではなくて、もっと個人的なものが付加されているからだ。愛人と絶交したあとに見たからだとか、知人が死んだあとに見たからだとかね。或る事物なり出来事なりに接した際の自然な精神の反応とはまた別ものの筈さ。」

「そうでしょうか？」

「勿論、何度も見ることによって、それまでには気づかなかったような深遠な秘密を発見して、感動を新たにするということはある筈だよ。ただその話は今は措《お》いておきたいんだ。それは、感性の手には余る仕事だよ。今は感性の問題だ。」

「分かりました。どうぞ続けて下さい。」

「それで、今言ったようなことは、演劇にも当て嵌まる筈《はず》なんだ。つまり、同一の場面を何十回と演じているうちに、俳優は必ず慣れてきてしまう。デスデモーナの不義を知ったオテロの怒りを二十回目に演ずる際に、最初にそれを演じた時と同様の感情の昂《たか》ぶりを以《もっ》て演技することなど出来るかい？」

「それが出来るのが、俳優ではないでしょうか？」

ドラクロワは、才能というものに対するこうしたのんきな盲信の仕方に常々いかがわしさを感じているので、少し強い語調で、「いや、僕は信じないよ。」と断った。そして続けた。

「残念ながら、そうしたことは、想像力の力を借りて劇中の人物を表現することによっても、完全に避けることは出来ないだろう。けれども、その損失はずっと少ない筈だ。俳優は、舞台に立つ度に自分の演技が熱を失って冷やかになってゆくのを、別の何ものかで補ってゆかなければならない。それは、さっきの海の話を思い出してもらいたいが、演技を深化させ、効果を計算することによってのみ可能となることだし、それを可能ならしめるのは、やはり感性とは別のものだよ。恐らく、君は不服だろうけれども、かなり知的なものだろうね。演劇がただの一度だけしか上演されないものであるならば、感性のみによっての演技というのも可能かもしれない。つまり、或る一瞬の霊感のみを頼りに演じきるということだよ。しかし、残念ながらそうではない。そう考えてみると、君が言っていた、マリブランが上演の度に新しい効果を求めていたという話は、なかなか興味深いね。しかし、それは袋小路だ。それをやり始めれば、多分一生掛かってでも演技は完成されないだろうし、その為《ため》に精神は不断の不安を強いられるだろう。」

「ええ、……確かに妹は、そうした苦悩の為に上演の度に恐ろしく疲労困憊《こんぱい》していました。あれが事故で死んだのは本当に残念でしたが、私は時々、あのまま生きていても長生きは出来なかったんじゃないかとも考えたりするんですよ。」

「そうかもしれない。非常に悲しむべきことではあるけれども。」

ドラクロワは、本当は前の言葉に、「そして、そうやってあれこれと新しい効果の為に試みたことが、本当に意味のあることかどうかも疑わしいよ。恐らくは、多くの曲解を含んでいるだろう。第一それは、或るひとりの役者についてのみ議論する場合に可能な話で、舞台の全体としてみれば、やはり各々の役者が好き勝手な演技をする酷《ひど》い代物《しろもの》になるに決まっているけれどね。」とつけ足すつもりでいた。しかし、思わずこう同意してしまったので、せめて、相変わらずそうしたマリブランの逸話を天才の証明のように信じているらしいガルシアに向かって、何か外の念押しするような意見を言おうと思った。そして、ふと彼の父親のことを思い出して、自分の思いつきの良さに感心しながら言った。

「第一ね、君のお父様のことを考えてみたまえ。お父様のマニュエル・ガルシアは、少しも頭でっかちじゃない実に霊感に富んだ演技をする人だったけれども、同一の役に於《お》いて常に新しい効果を求めるようなことはしなかった。僕はお父様のことは本当に尊敬していて、何度も劇場に足を運んだから断言出来るよ。何時《いつ》も同じ演技だった。」

ガルシアは、虚を衝《つ》かれたような顔をして頷《うなず》いてみせた。

「ええ、確かにそうです。私は実際に、父がオテロの役作りの為に鏡の前で顰《しか》めっ面《つら》の研究をしていたのを見たことがあります。」

「そうだろう。感性に頼って演技するだけなら、そんな過程は踏まぬ筈さ。でも君は、お父様のオテロを、パスタについて言ったように、時代遅れの冷やかな演技とは言わないだろう？」

こう言いながら、ドラクロワは、最後の言葉は少し意地悪だったかなと思った。ガルシアが、偉大な音楽家であった父親のことをこの上もなく尊敬していることは知っていた。妹に対する愛着と父親に対する敬意というそれ自体としては少しも矛盾しない一対の感情が、自説を思いも掛けぬ撞着《どうちゃく》へと導いてしまったことに対する彼の動揺が、その表情にありありと看《み》て取れたので、彼は少し気が咎《とが》めた。そして、ついむきになって相手を論破してしまう自分の何時もながらの大人気なさに、あと味の悪さを感じた。

丁度その時、恰《あたか》もそうした雰囲気を察したかのように、ルブロンやその友人などの数人が、暖炉の側《そば》の二人の許《もと》へと集まって来たので、彼は救われたように思って、

「実は今、ガルシア家の偉大なる歌手達を例に挙げさせてもらって、俳優の演技についての重大なる議論をしていたところなんだよ。考えてみれば、一族の中にこれだけの人物がいて、外の芸術家の名前を例として挙げるまでもなく、その名前だけで議論が出来てしまうなんて凄《すご》い話だね。」と、ガルシアの方を振り返った。

ガルシアは、「ええ。」と短く言って微笑《ほほえ》んだ。それが、落ち込んでいるというよりも、

先ほどの議論をおさらいして、まだ反論の余地がないかを探っているといった様子であったので、彼も安心した。ドラクロワにとって更に都合の好《よ》かったのは、集まって来た面々が、ルブロンを除いて悉《ことごと》くマリブランの心酔者で、彼女の素晴らしさを大仰に称《たた》え始めたことであった。

ガルシアは、彼らにせがまれて、マリブランがデスデモーナの役を演じた際に、鍋《なべ》の爆発事故で死んだナルディの妻で、スパール伯爵《はくしゃく》夫人の母親に当たる女優のジュゼップ・ナルディ夫人に教えを乞《こ》いに行った逸話を披露した。一同が、この話にさも興味深気に聴き入っているのを見るや、彼は続けて、マリブランが、シラーの作品の翻案であるピエール・ルブランの《マリー・ステュワート》に出演した際の演技のことを喋《しゃべ》り始めた。

「皆さんは、マリー・ステュワートがライセスター卿《きょう》に説き伏せられて、別荘の庭で遂《つい》にライヴァルのエリザベスの前に膝《ひざ》を着き、心からの哀願を述べるあの屈辱的な場面をよくご存じでしょう。マリーはエリザベスの容赦ない峻厳《しゅんげん》な態度に甚《いた》く傷つき、激昂《げっこう》するのですが、その時のあれの演技といっては、私は金輪際忘れることなど出来ません。彼女は憤然と立ち上がると、狂ったように手巾《ハンカチ》を引き裂き、いえ、手巾ばかりではなく、手袋までをも激しく引き裂いてみせて、あの場面に於てはこれ以上望むべくもない効果を上げたのです。勿論《もちろん》、観客は全員感動して、まるで我がことのように悔しがってマリーの受けた屈辱に同情していましたよ。」

ガルシアが、周囲の賛同を得ながら得々とこう語るのを聴いて、ドラクロワは、心配するほどのことでもなかったと安堵《あんど》する反面、言いしれぬ徒労感のようなものを感じた。そして畢竟《ひっきょう》議論が真に人を説得することなどあり得ないのだという何時もの諦念《ていねん》に至った。

『そんな下品な身振りを、マリー・ステュワートともあろう人がするものか。そんな演技で勝ち得た効果など、芸術家たる者、決してそこまでは身を落としてはならないような類のものだ。それは、大衆は喜ぶだろう。そうした低俗さは、いかにも大衆好みだ。彼らは、夢中になって見物するに違いない。けれども、そんなものに何の価値があるというのだ？ 第一あそこは、怒りとともに是非とも彼女の気高い威厳が示されなければならない場面じゃないか。さもなくば、次の場面のモルチマーの激しい恋情の告白へと芝居が繫《つな》がらない。マリブランの解釈はそもそもが通俗的過ぎるんだ。』

彼は、もう口に出して反論することはしなかった。そして、一同が頻《しき》りに尤《もっと》もだと言って頷き、先ほどの会話を立ち聞きしていたかのように、パスタの名前を出してマリブランをその遥《はる》か上に位置せしめ褒めそやすのを聴きながら、俳優の名声というものがどれほど信用のならないものかということを改めて思った。

『画家や音楽家の名声というものも随分と危ういが、それにしても俳優の場合ほどじゃない。死んでしまった俳優について、我々は一体何を知り得るだろうか？　精々、生前の評判から、その力量のほどを想像してみるくらいのことだ。その評判がこの調子だとは、まったく遺憾千万な話じゃないか。』

ガルシアは、パスタの名前が出されて、それがマリブランの下に置かれたことにますます気を良くした。ドラクロワとの議論では、うっかりと自分が誤っていたような気にもなったが、世間の評判は、やはり自分の正しさを証明しているのだと自信を得た。そして、議論で負かされたことにあべこべに自尊心の満足を感じて、自分は嘗《かつ》ては実際に舞台に立ち、今は実際に舞台に立つ人間を指導している立場の人間で、端から理屈ばかり捏《こ》ねているディドロやドラクロワよりも、遥かに真実というものを知っているのだと思った。

「実際に、パスタがノルマの役を演じてミラノで大成功を収めた時、人々は最早《もはや》、彼女のことをパスタとは呼ばずにノルマと呼びましたよ。勿論、彼女がベッリーニの愛人だということはみんな知っていました。しかし、それとは別にしても、ノルマを演じて彼女を超える者など先《ま》ず現れないだろうとすっかり信じきっていたのです。ところがどうでしょう！　マリアがミラノへ出てノルマを演じるや、彼らはみんな目を丸くして、マリブランこそノルマだと絶讃《ぜっさん》しましたよ。今でもミラノでは、亡《な》くなった哀れな妹のことをノルマとして記憶している人も多いことでしょう。」

ドラクロワは、また不快の込み上げてくるのを堪《こら》えながら考えた。

『だから困った話だというのだ。こうしたトンチンカンな評判の為に、百年先の人間は、パスタの実力とマリブランのそれとを互角に考えるか、或《ある》いは寧《むし》ろマリブランの方を優位なものとしてさえ考えるだろう。莫迦気《ばかげ》た話だ。同時代の評判を決定するのは、結局のところ、俗悪で軽薄な趣味の大衆じゃないか。パスタの為には、まったく以て不幸な話だ。二十四の時に三度も観《み》に行った《タンクレーディ》のパスタが、どれほど素晴らしかったことか！　しかし、百年先の世界では、その名誉恢復《かいふく》の機会は遂に訪れぬのだ。何と理不尽な話だろう。信ずるに足らぬ評判が、何時の間にやら真実になってしまうのだから。その点、画家や音楽家は、作品を後世に残すことが出来る分、まだ恵まれている。安心出来ないことには違いないが。現在は忘れ去られてしまったどれほどの名前が、生前には、流行の気紛《きまぐ》れと同時代人の悪趣味とのお陰で持て囃《はや》されたことか。……自分にしたって、死後に偉大な名誉を恢復せぬとも限らない。作品が皆失われてしまうとすれば、ウージェーヌ・ドラクロワなんぞという画家は、素描《デッサン》一つも満足に出来なかった人騒がせな絵画の虐殺者としてしか記憶に残らぬのだろう。それではまるで気違いだ。』

こんなことを考えているうちに、そろそろ皆が帰り支度を始めたので、彼も席を立って外套《がいとう》を受け取った。今日は少しも喋る機会がなかったと、ルブロンに挨拶《あいさつ》をしてから振り返ると、ガルシアが、

「今晩は、色々と勉強させて戴《いただ》きました。特にあなたが、自分は古典主義者だと言われたのには驚きましたよ。」と言った。その調子から、ドラクロワは、彼がその「古典主義者」という言葉を、極めて浅薄な興味本位の意味でしか理解しなかったことを察して、今し方感じていた徒労感に追い討ちを懸けられたように、力ない笑みを返すより外はなかった。

帰路に就くと、今日の議論のことをぼんやりと考えながら、やはり自分の言うことの方が一理も二理もあると改めて思った。けれども、わざわざそうして確認するかのように思い直してみたことが、負け惜しみのようで気に入らなかった。それから、ガルシアの言っていた感性の説について、もう一度考えてみた。

『あの男の言うことも分かる。しかし、演劇に於ては無理な話だ。絵画の制作ならばどうだろう？　画家の場合も、主題に対しては俳優と同じような接し方をする。けれども、俳優の実技が、度重なる上演の中で段々と冷やかになり、最初の情熱から遠ざかる過程に於て却《かえ》って洗練されてゆくのに対して、画家の実技は、冷静な習作を繰り返し、最初の観念に多くの美を付加してゆくことによってこそ完成へと近づく筈だ。その際にいう美とは、単に洗練のみではなく、制作途中の熱度をも含むことが出来る。ガルシアの憧《あこが》れたような即興的な生々とした感じを、制作に当って、その都度カンヴァスに残し得る。——例えば筆触《トウッシュ》によって。筆触《トウッシュ》に現れた勢いは、或《あ》る微妙な過程を経て、鑑賞者に作品そのものの勢いとして認められる。画家はつまるところ、制作しながら完成像を見出《みい》だしていくというやり方しかないのかもしれない。……』

こうしたことを考えながら、今日のことを忘れずに日記に書いておこうと思って、心持ち足取りを速めた。そして、自分の絵がまったく失われてしまったとしても、これらの思索のあとが日記によって残されるのであれば、後世の人間も、強《あなが》ち自分を莫迦だとは思わないだろうと考えた。

『それにしても、議論というものは虚《むな》しいものだ！　あれでガルシアの考えが変わったかといえば、何一つ変わってはいないのだから。互いに理解せんと欲せば、自らの意見を述ぶるべからずという、あれだな、まさしく。こんなことなら、ルブロンと気楽な会話でもしていた方が好かった。』

懐中時計を見ると、もう深夜を回っていた。歩きながら、彼はふと、翌日マルリアニ伯爵夫人の家でショパンと会う約束をしていたことを思い出した。そして、それを思うと無性に嬉《うれ》しくなって、明日は決してこんな退屈な議論はすまいと考えながら、家路へ向かうその足を意味もなく一段と速めた。

次の日の朝は、少し遅くまで布団《ふとん》の中にいた。床を離れると早速アトリエに這入《はい》り、《ヴァレンティーノの死》の制作を続けた。それから、切りの良いところで昼食を摂《と》り、再び数時間続けた後にそれを已《や》め、アトリエの隅から一枚の肖像画を引っ張り出して来て複製の制作を始めた。描かれているのは、甥《おい》のシャルル・ド・ヴェルニニャックであった。

ウージェーヌ・ドラクロワの十八歳年上の姉アンリエットは、彼の生まれる前年の千七百九十七年に外交官であったレーモン・ド・ヴェルニニャックと結婚し、その六年後に一子を上げた。それがシャルルであった。ドラクロワは、七歳で父を亡《な》くしてから暫《しばら》くの間、母とともに姉夫婦の家に身を寄せていた。その後寄宿学校に通った後、十六歳で母を亡くした際も同様であった。更に、姉アンリエットが、千八百二十二年に夫のレーモン・ド・ヴェルニニャックに先立たれると、また当分遺《のこ》された母子と生活をともにすることとなった。そしてその間、ずっと兄弟のようにして一緒に遊んだのが、シャルル・ド・ヴェルニニャックであった。

シャルルは長ずるに及んで外交官となり、千八百三十一年にはチリのヴァルパライソに副領事として赴任したが、現地で上司と揉《も》め、三年後に本国に召還された際に、帰途のヴェラクルーズで黄熱病《きようねん》に罹《かか》り、辛うじて辿《たど》り着いたニュー・ヨークの病院で治療の甲斐《かい》なく息絶えた。享年三十一歳だった。

ドラクロワは、複製を描き始めて五分も経《た》たないうちから、頭の中に次々とシャルルの記憶が蘇《よみがえ》ってきて、どうにも居た堪《たま》らなくなった。そして、適当なところでそれを放り出し、已めていた筈《はず》の煙草《たばこ》に手を伸ばし掛けた時、折しも窓の外から射撃の練習でも始まったかのような騒音が聞こえてきた。見れば、鶏卵ほどもあるかと思われるような雹《ひょう》が降っている。硝子《ガラス》が割れはしまいかと心配して近づいてみると、雷鳴が轟《とどろ》いて窓が震えた。その途端、今度は後ろで大きなもの音がした。丁度雹に驚いてアトリエに這入って来たジェニーが、雷に怯《おび》えて悲鳴を上げたのであった。

換気の為《ため》に少しだけ開いていた窓を閉めると、ドラクロワは、ストーヴに歩み寄って両手を炙《あぶ》った。外が俄《にわ》かに薄暗くなって、室内にはストーヴの火ばかりが赤々と灯《とも》っている。

「まァ、大変ですわ！」

近寄って来たジェニーが彼の濡《ぬ》れた手を取った。右手に一つ命中した雹のあとが、赤紫に腫《は》れている。

「大丈夫だよ、これくらい。しかし、結構痛いもんだね。何の気なしに手を出してみたら、ものの見事に被弾してしまったよ。あとで青痣《あおあざ》になるかもしれないな。」

「右手ですから、余計に心配ですわ。筆を持つ方の大切な手ですもの。」

ドラクロワは、笑ってもう一度、

「本当に、大丈夫だよ。」と言った。

先ほどから考えていたシャルルのことがまだ頭から離れなくて、正直なところ人と話をするような気分ではなかった。しかし、そうした自分の浮かぬ顔が、暗がりの中でますます痛々しく見えるのだろうと思い、無理にも快活に笑ってみせた。

ジェニーは手を離して、

「それならよろしいのですが。……でも、余り火に近づけ過ぎると、温まって良くありませんわ。」と言った。

ドラクロワは、礼を言って椅子《いす》を二つ持って来ると、彼女と並んで腰を掛けた。そして、言われた通りに左手だけを火に翳《かざ》した。彼は、そのおかしな格好に当然彼女が吹き出すものと思っていたのに、予期に反して至って平然と眺めているので、反対に自分の方が笑い出しそうになった。そして、少し気分も好《よ》くなって、お仕事のお邪魔をしては申し訳ないと切《しき》りに気を遣う彼女に、《ファウスト》の中の《ヴァレンティーノの死》の場面について語って聞かせた。

そうして半時間ほどを過ごした。

「出掛ける前に、もう少し仕事をするから。」

彼がこう言うと、ジェニーは、

「今日はお出掛けにならない方がよろしいんじゃないでしょうか？　こんなお天気ですもの。ショパン様には、また別の機会にでもお会いになれます。」と首を振った。

ドラクロワは、生返事をしたまま絵筆を執った。そして、彼女がアトリエを出たのを確認すると、手にしたばかりのその筆を元に戻して溜息《ためいき》を吐《つ》いた。彼女の言動を不快に感じた訳ではなかった。ただ、以前から薄々気がついていたことに改めて思い当たって、言に窮したのであった。

『ショパンに会うというのを信じていないんだな。……ジョゼフィーヌに会いに行くと思っているんだ。……』

彼は、そのまま仕事を続ける気にもなれずに、またストーヴの前に座り込んで、一時間ほどぼんやりと考え事をしていた。そして、雹の歇《や》んでいることに漸《ようや》く気がついて、予定よりも早く家を出ると、ヴィル＝レヴェック街十八番地のマルリアニ伯爵《はくしゃく》夫人の家へと向かった。

門を潜《くぐ》り、玄関を這入って控えの間に進むと、彼女自らが出迎えてくれた。

「あら、ドラクロワさん、お早いお着きですこと。でも、ショパンさんには負けておいでよ。あなたは、二番乗りですわ。」

「お久しぶりです。ショパンはもう来ているのですか？　それはいい。私は彼に会うのを、本当に楽しみにして来たのです。」

サンド夫人がいない間、独りの食事に退屈しているというので、今日はショパンを招いて、夜会の前に数人で夕食をともにすることになっていた。

「あの方もお喜びになられます。どうぞ。」

サロンに通されると、思った通り、ショパンが暖炉の側《そば》に座っていたので、

「おや、そこは僕の特等席だよ。」と声を掛けた。

振り返ると、ショパンは立ち上がって、

「やァ、暫く。元気そうだね。」と笑った。そのまま二人で抱き合った。

「君も随分と顔色がいいね。」

ショパンは、ちらと暖炉の上の鏡で自分の顔を確かめてみた。

「いや、火の側にいたからだよ。それにしても、さっきの雹は凄《すご》かったね。」

「うん、凄かった。雷まで鳴って。僕は子供みたいに雹に触ってみようとして、この通り一発お見舞いされてしまったよ。」

そう言って右手の甲を見せると、それが本当に青痣になっていたので、ドラクロワは自分でも驚いた。ショパンも、目を見開いて、

「大丈夫なのかい？　でも、ちょっと当たったくらいでそんな風になるんだったら、街を歩いていた人なんてどうしたんだろう？　きっと、今日ここに来るお客の中にも、君と同じような負傷兵がいる筈だよ。」

使用人が、もう一つ椅子を用意してくれたので、二人して炉端に腰掛けた。暫くは互いの近況を語り合っていたが、ふとしたきっかけに、ドラクロワはここへ来る前のことを思い出して、ショパンに甥のシャルルの話をした。

「君には話したことがあったよね。」

「確かアメリカで亡《な》くなった若い人だよね。」

「うん。僕は今日、アトリエで突然彼のことを思い出してね。……どうしてだかは分からない。でも、どうしようもなく哀《かな》しい気分になった。僕はもの心ついた時から、十以上も歳《とし》の離れた兄や姉達に囲まれて育った末っ子だったから、あの哀れなシャルルのことは、本当に自分の弟のように思って愛《いと》しくて仕方がなかったんだ。」

「君の幾つ年下だったっけ？」

「五つだよ。」

「それじゃア、そうだろうね。」

「うん。……色々なことを思い出したよ。父が死んでからずっと僕の家の生活は苦しかったんだけど、あの頃は本当に酷《ひど》くてね。前にも話したかもしれないけれど、そもそもは父が死んだ時にかなりの債権が財産として残されていてね。で、その保証の為に母がボワクスの森の中に安値で土地を購入したんだけれど、それが実は本当に二束三文の価値しかない土地でね。全然父の債権に見合う代物《しろもの》ではなかったんだよ。で、転売も出来ないまま母が死んで、一旦《いったん》はその処理を引き受ける為に僕が身を寄せていた姉の夫のレーモン・ド・ヴェルニニャックが名義上の所有者になったんだけれど、今度はじきにその義理の兄が亡くなってね。結局土地はうまく売却することが出来ずに買った時と同じ捨て値で売り払うことになって、それで我が家の財産は消滅だよ。そのあとは、まァ、当然訴訟にもなってね。暫くは何かと大変だったんだけれど、そんな状態なのに、シャルルはとにかく金遣いが荒くてね。僕はよく注意したものだよ。時には本気で怒ってね。だって、ダヴィッドが描いた姉の肖像画まで売り払ってしまったんだから。あとでどうにか買い戻したけれども。」

「君の家の居間に今でも掛かっているあれかい？　それは初耳だな。……」

「そんなこともあったんだ。……それで、将来も心配になって、彼には外交官の試験を受けることを勧めたんだ。試験に合格したって聞いた時には、嬉しかったな。……でも、ニュー・ヨークなんかで死ぬことになるんだったら、もっと外の道を歩ませた方が良かったかもしれない。あんな遠くで、たった独りで。……かわいそうに。……」

「仕方がないよ、それは。パリにいたって、馬車に轢《ひ》かれて死ぬこともあるんだから。」

ショパンは、慰めるつもりでそう言った。そして、そうした率直な心情を告白されると、自分も何かそれに見合うだけの大切な思い出を語らねばならないような気がして、昨年末ノアンから帰ってくる時に考えていたアドルフ・ヌリのことに思い至った。

「僕も、どうしてだかは分からないけど、何かの拍子に、ふと死んだ友達のことを思い出すことがあるよ。君は、アドルフ・ヌリのことは知っているよね？」

「うん。そんなに深いつき合いじゃなかったけど、一応は。」

「彼の最期《さいご》も？」

「うん。……噂《うわさ》には聞いたよ。」

彼は、自殺だったんだろう？　と口にしかけた。しかし、ショパンの表情を見て、わざわざそうするまでもないと思い直した。

「僕はね、パリに来たばかりの頃に、初めてヌリの歌を聴いてね。素晴らしかったよ、本当に。デュプレも昔から良いテノールだったけど、僕はヌリとは個人的に親しかったから。」

「本当に、あの方はお気の毒でしたわね。」

来客の準備の為に、自ら部屋の中を行ったり来たりしていたマルリアニ夫人が、徐《おもむろ》に足を止めて口を挟んだ。

「普段はとっても面白い方で、あんな風におなりになるなんて思ってもみませんでしたのに。奥様も、それは、それは、ご苦労をなさって。ショパンさんは、彼がパリを発《た》つ前に、皆さんとポーリーヌのお家《うち》で送別会をしてさしあげましたの。そうでしたわよね？」

「ええ、でも、僕が計画を立てた訳じゃありませんけど。」

彼女の何時《いつ》も通りの遠慮のない口調が、今は少し彼の気に障《さわ》った。事実はそうであるには違いなかった。しかし、それはもっと、ゆっくりと語られるべきであった。ドラクロワは、そうした彼の気色を見て、間を置かずに何でも良いから話し掛けようと思った。

「ポーリーヌ・ヴィアルド夫人とヌリとは、親しかったのかい？」

ショパンは、顔を上げた。

「勿論《もちろん》さ。だって彼は、彼女のお父様のお弟子さんだったんだから。」

「ああ、そうだったね。」

マルリアニ夫人も、彼の方を向いて頷《うなず》いてみせた。そして、食事の準備のことで使用人に呼ばれ、断りを言ってその場を離れた。ドラクロワは、急に沈み込んでしまったショパンの様子を見て、死んだ甥《おい》の話題など持ち出さなければ良かったと、反省して別の話題に移ろうと思った。そして、昨日の議論を思い出して、

「そういえば、昨日はそのポーリーヌのお兄さんと一緒だったんだよ。」と言った。

「マニュエルとかい？」

「うん、僕の友達の家でね。」

ショパンは、ヌリのことについてもっと喋《しゃべ》りたいような気がしていた。ノアンからの帰りに偶然に思い出して以来、彼は、死んでしまったこの友人のことを、誰かと懐《なつ》かしく語り合いたくて仕方がなかった。語り合って、少し楽になりたかった。喋れば胸の支《つか》えが取れるように思っていた。しかし、そうして話題が移ってしまうと、何となくそれで良かったのかもしれないという気になった。

　ドラクロワは、話を続けた。

「それでね、彼のもう一人の妹のマリブラン夫人の話になってね。」

「そう？　彼女も素晴らしい歌手だったね。僕は、ヌリを聴いたのと同じくらいの時に、彼女の舞台も観《み》てね。感動したものだよ。君は彼女が、オテロの役で芝居をしたのを観たことがあるかい？」

　ドラクロワは、ショパンが単にデスデモーナとオテロとを言い間違えたのだと思って、さりげなく、

「うん、彼女のデスデモーナは観たよ。」と答えた。

「違うよ、彼女がオテロの役を演じたんだ。顔を真黒に塗ってね。その代わり、高かったよ。全幕で二十四フランもした。その頃は僕も赤貧に甘んじていて、ちょっと無理をして聴きに行ったからよく覚えているよ。あれは、しかし、妙だったな。一緒にデスデモーナ役で共演したのが、シュレーダー＝デフリーントっていう、ドイツ人のソプラノでね。僕は、グートマンを見ていても何時も思うんだけれど、やっぱりドイツ人っていうのは大きいんだよ。その反対に、マリブランは小柄だったからね。二人が舞台に立つと、大女に小男っていう感じでおかしいんだ。そもそもオテロっていうのは、向かうところ敵なしの容貌魁偉《ようぼうかいい》な将軍の筈《はず》なのにね。肝心のオテロがデスデモーナを絞め殺す場面でも、観ていると、今にも反撃されて、オテロの方がデスデモーナに殺されてしまい

そうで、思わず吹き出してしまった観客もいたよ。マリブランは立派な歌手だったから、あんな見せものみたいな舞台はかわいそうだったな。」

ドラクロワは、舞台の滑稽《こっけい》な状況を想像して一応は笑ってみせることが出来た。が、それでも内心は穏やかでなかった。

彼はショパンが、マリブランの才能を何の躊躇《ためら》いもなく称讃《しょうさん》するのに接して、またしても昨日の議論は自分の方が間違っていたのではあるまいかという不安に襲われた。或《ある》いは彼自身が、画家に対してはそうであるように、ショパンもまた、同業の者にのみ許された或《あ》る種の寛大さによってそんな風に言うのだろうかとも思ってみた。それでも、彼があの場にいたならば、自分よりもガルシアの方の肩を持ったかもしれないという考えは、ドラクロワに嫉妬《しっと》にも似た思いを抱かせずにはいなかった。そこで、何気ない風を装《よそお》って恐る恐る言ってみた。

「僕はね、実はマリブランよりも、パスタの方が好きなんだ。好きなだけじゃなくて、実力も上だろうと思っているんだけど、……そう言ってみたら、昨日一緒にいた連中はみんなマリブラン党でね。僕はまったく孤立してしまったよ。ガルシアは一番に反対していたけれど。」

こう言うと、ショパンは予期に反して愉快そうに笑った。その笑顔は、決して大仰なものではなかったが、何処《どこ》かシャンデリアの輝くサロンの扉を開いた時のような眩《まばゆ》さに溢《あふ》れていた。

「それはそうさ。マニュエルが、パスタよりもマリブランの方が劣っているなんて、認める筈はないよ。妹なんだから！　それに、自信家だからね、あの一家は。ああいうところは、ヴィアルド夫人もよく似ているよ。……内緒だけど。」

ショパンは、微笑《ほほえ》みながら最後の「内緒だけど。」という言葉だけを囁《ささや》くような小さな声で言って、聞こえる筈もない遠くのマルリアニ夫人の方を、わざと気にするように振り返ってみせた。そして、

「まァ、マリブランは大袈裟《おおげさ》だったから、君の趣味じゃないだろうね。でも、僕がパリに来た頃には、もう大分マリブラン熱が高まっていて、今更パスタなんて聴けないっていう人も多かったよ。君みたいに二十年代の初めのパスタを知っている人は、マリブランは気に入らないかもしれないね。僕は、その頃まだパリにいなかったから。」とつけ加えた。

ドラクロワは、その大仰さについてはショパン自身も趣味じゃ
ないと言ってくれそうな気がしていたので、頷きながらもがっかりした。リストの派手さを毛嫌いしている彼であればこそ、自分の言わんとするところは理解してくれる筈だと思っていた。年代の問題でもないと思った。それは、ガルシアがパスタの古さを強調したのとさして変わらないように感じた。しかし、実際に彼が、マリブランを高く買っているのならば、そう

した理由づけは、寧《むし》ろ優しさから出たものだろうと思った。そして、昔のパスタを自分は観ていないという言葉に、彼らしい慎みを感じた。

ショパンは、パスタを讃美するドラクロワとマリブランの方が上だと譲らぬガルシアとの二人の議論の様を想像してみて、おかしくなって、

「まァ、マニュエルも、君に劣らず頑固だから。」と笑って言った。

それから二人は、次いでそれぞれにお気に入りの歌手の名前を挙げていって、彼らの若かりし日の思い出話に打興じた。ショパンは殊《こと》に、弟子達には何時も彼の歌うようにピアノを弾くべきだと指導していた「テノールの王者」ジョヴァンニ・バッティスタ・ルビーニについて熱心に語り、その引退を惜しんだ。ドラクロワは、ルイージ・ラブラーシュの名前を挙げ、これにはショパンも賛同して大いに盛り上がった。更には、有名な嘗《かつ》ての「《清教徒》カルテット」の残りの二人であるジュリア・グリージとアントニオ・タンブリーニとについても思いの丈を喋り尽くし、最後に話し疲れたように互いの顔を見合わせて笑った。ドラクロワは、そうした彼らの実力と世間の評判との違いという昨晩の話題を彼とも議論したい気分であった。けれども、次第に客が増えてきて、ショパンが人に呼ばれた後に、彼自身もアルジェに赴いた際に知り合ったポワレルと再会して席を離れ、会話はそのままになってしまった。

食事を終えると、また少しショパンと喋った。ショパンは、ここのところ受けている

マッサージによる治療法の話をして、そのお陰で幾らかは体調が良いという話をした。夜会が始まると、歌や詩の朗読に邪魔されて、長い話はもう出来なかった。機を見て先ほどの話をしかけた時に、或る将校が、自分で作ったという妙な形をしたギターを弾き始めたので、話はまたしても中断されてしまった。ドラクロワは、どうしてギターを弾く人間は、あんなにトリルばかりをやってみせたがるのだろうなどと思いながら、すっかり退屈してその演奏を聴いた。そして、フランス人の音楽の才の乏しさを改めて思った。

『モーツァルト、ベートーヴェン、ロッシーニ、チマローザ、そして、ショパン。フランス人は一人もいないじゃないか。我が国の音楽家といえば誰だ？——ベルリオーズ！何とも、嘆かわしいことだ。……』

演奏が終わると、その見知らぬ演奏者が、

「ドラクロワさんは、ヴァイオリンの方も相当な腕前だと伺いましたが、一度是非お聴かせ願いたいですな。」と声を掛けてきた。

ドラクロワは、ショパンとの話を中断された腹立ち紛れに、「ええ。しかし、私には、ショパンの前でそれを披露するような勇気はありません。」と皮肉を言ってやろうかとも思った。しかし、わざわざ自分からあと味の悪い宴《うたげ》にする必要もあるまいと考え直して、

「そうですね、いずれ何かの機会に。」とだけ返事をした。

六

二月に這入《はい》ると寒さがまた一段と増して、ショパンも到頭病床に就くこととなった。年末から健康でいられることの方が不思議なくらいであったので、そのうち何時かはと予感はしていたものの、いざ発熱し、咳《せき》の発作が始まってみると、恰《あたか》も突然の災厄に襲われたかのように動揺して、夜会の誘いは勿論のこと、日中のレッスンも殆《ほとん》ど断ってしまった。

昼夜を問わず、布団《ふとん》に包《くる》まって横になってばかりいた。加減の悪い時には、何も考えず、眠りに落ちて楽になることだけを願った。頭痛は潮《うしお》のように脳裡《のうり》に満ちた。心臓が鼓動する度に、頭の中の血管という血管が皆膨れ上がって破裂に耐えているかのような痛みを覚えた。無理に眠ろうとすると、自然と瞼《まぶた》に力が這入る。時折それに気がついて、眉間《みけん》の皺《しわ》を開いてみると、閉ざされたままの瞼が余りにはっきりと瞬《まばた》きをするので、がっかりしながらまた虚《むな》しく寝返りを打った。頭まで布団を被《かぶ》って、漸《ようや》く意識が遠くなり始める頃には、今度は咳が邪魔をした。朦朧《もうろう》としてはいながらも不思議に冴《さ》えた頭で、彼は、忍び足で花壇へと近づいていたところに、妹のイザベラが大声を上げて、見す見す目の前の蝶《ちょう》を捕り逃がしてしまった幼少の頃の記憶を思い出した。そして、苛立《いらだ》たしげに布団から顔を出すと、わざと大きく瞼を開いた。そういう時には、部屋の空気が頬に冷たかった。目が痛くなるまで瞬きをせず、根負けして瞼が自分から下りるのを待った。眠りへの道のりは、まっすぐには登れず、周囲を幾重にも巡りながら段々と頂上へと近づいてゆく山道のようであった。仕方なくこうしたことを何度も繰り返しているうちに、運が良ければ眠りに落ちた。そして、目覚めた時には決まって倍も頭が痛んだ。

少し気分の良い時には、書きかけのワルツに手を加えたり、去年ノアンで研究したモーツァルトのレクイエムの書き込みだらけの総譜《スコア》を眺めたりした。一月の間の自分の体調を思い返してみて、悪寒《おかん》がしたり、頭痛がしたりといった病気の兆候をところどころに発見し、もっと節制すべきだったと後悔した。風邪を引いてレッスンに来た生徒のことを思い出して、あの時に移されたのかもしれないと自分でも嫌なことを考えた。顳顬《こめかみ》にオー・ド・コロンを擦り込んでまで、気の進まぬレッスンを引き受ける必要はなかったのだと思った。調子に乗って、人の見舞いになど行かねば良かった。間歇《かんけつ》的に咳の発作が始まって、次第にその合間が狭くなっていったこの二週間ほどのことを考えていると、そこにどういう訳か、ノアンからの帰路の車中で記憶を過《よぎ》った、喀血《かっけつ》の血のしたたりのリズムが重なって、またしても彼をマジョルカ島へと連れ去ろうとした。そして、最後はやはりサンド夫人のことを考えた。

二月にパリに戻って来る予定であった彼女とその家族との到着が、七日の日曜日になりそうだということを、彼は最近になって彼女本人から手紙で知らされていた。

先日マルリアニ伯爵《はくしやく》夫人宅に食事に行った際も、彼は、ドラクロワの来るまでの間、夫人と二人でずっと彼女の家族の話をしていた。話題は専《もっぱ》らソランジュの結婚の予定についてであった。

昨年の夏頃から、サンド夫人は、ソランジュの結婚のことを真剣に考えるようになっていた。これには、ショパンを初めとして周囲の誰もが賛意を示していた。ソランジュ・デュドヴァンは十八歳になろうとしていた。結婚の適齢期を迎えることもさることながら、絶え間なく続く家庭内の紛争の為《ため》には、彼女の結婚は一つの光明となり得る筈であった。

サンド夫人は、自分の嘗ての記憶を辿《たど》っていた。彼女の不幸は、四歳の秋に、生後まだ三箇月の盲目の弟オーギュストと帝国軍のミュラ将軍配下の副官であった父モーリス・デュパンとを僅《わず》か一週間のうちに立て続けに亡《な》くしたところから始まっていた。以後彼女は、息子の結婚には勘当をさえ考えるほどに反対していた父方の祖母と母親との憎悪《ぞうお》に満ちた諍《いさか》いの渦中《かちゆう》で、孤独な少女時代を過ごすこととなった。祖母のマリー＝オーロール・デュパン夫人は、ポーランド王アウグスト二世の息子で父親同様の猟色家として悪名を馳《は》せたモーリス・ド・サックス元帥《げんすい》の落胤《らくいん》であったが、幼い日の修道院での教育と、最初の夫との死別の後、初めて生活をともにした裕福な母の影響、更には三十一歳年上の再婚相手であった徴税官ルイ＝クロード・デュパンとの平穏な暮らしとが幸いし、加えて何よりもそのすべての時期を通じての彼女自身の類稀《たぐいまれ》な向学心が実を結んで、アマンティーヌ＝オーロール＝リュスィル・デュパン即《すなわ》ち幼少時のサンド夫人の目には、何時《いつ》でもルイ王朝時代の優雅を完璧《かんぺき》に身につけた、思慮深く教養豊かな女性と映っていた。一方で母親のアントワネット＝ソフィ＝ヴィクトワール・デュパン夫人は、パリの貧しい小鳥屋の娘で、無学の上に奔放で感情の起伏が激しく、しかも、結婚前には既に父親の知れぬ子供を数人産んでおり、モーリス・デュパンと出会った頃にはイタリア遠征軍の参謀部付佐官であったクロード・コランの情婦であったというような好ましからざる経歴の持ち主であった。この片や穏健な王党派で片や熱烈なナポレオン崇拝者であった姑《しゅうとめ》と嫁との宿命的とも言うべき不和に巻き込まれていったオーロールは、ほどなく祖母からの愛の故《ゆえ》に母に憎まれることとなり、父の死後僅か五箇月にして捨てられるようにノアンに置き去りにされると、以後は折々パリを訪れ、或いはノアンへの訪問を受けて束《つか》の間《ま》母との再会を果たす外は、専ら祖母独りの手により育てられることとなった。彼女が再び母親の許《もと》で暮らすようになるのは、二年間の修道院生活を終え、ノアンへと戻って来た翌年の千八百二十一年末に敬愛していたその祖母が亡くなってからのことであった。マリー＝オーロール・デュパン夫人は、自分の死後の孫娘の身を案じて、その後見人を父方の親類であるルネ・ド・ヴィルヌーヴに指定する旨《むね》を遺書に認《したた》めておいたが、母ソフィはこれを認めなかった。ノアンを訪れた彼女は有無を言わさず強引に娘をパリへと連れ帰ったが、十三年にも亘《わた》る中断の後に漸く再開された親子の生活がうまくはいく筈《はず》はなかった。幼い頃、あれほど母に愛されることを望み、短い滞在の後に何時も冷然とノアンを立ち去る彼女の背中を泣きながら追い掛けた娘は、長じて最《も》早《はや》その愛情にいかなる期待をも抱かなくなっていた。一日でも早く家を出たかった。そうして再び祖母のように自分を愛してくれる人の許へと逃れたかった。誰でも構わない。ただ愛してくれさえすれば良かった。そんな憂悶《ゆうもん》の日々の中で或る時偶然に出会い、忽《たちま》ち恋に落ちて結婚にまで至ったのがカジミール・デュドヴァン男爵であった。

彼女は、結果として不幸な結婚ではあったが、それでも、彼と出会い、家を出た時には、どれほど清々したことかと思い返した。事情こそ違え、ソランジュも同じかもしれない。今はもう離れて暮らしてみるべき時期なのではあるまいか？　自分にせよ、結婚してからの方が確かに母に対する理解も増した。あの愛情の薄かった母に対してさえ！　況《ま》してや長年これほどまでに愛して育ててきたのならば、娘もよもやそれに気づかぬ筈はあるまい。――彼女の反抗に手を焼き、うんざりしていたことは事実であった。しかし、自分が娘を追い出したいと考えているのだとは露ほども思わなかった。ソランジュの結婚を考えることは、子供の将来を思う母親として当然果たすべき義務であった。彼女が、結婚よりも自分と別に暮らすこと自体に幸福を見出《みい》だすのであれば、それでも構わないとさえ思っていた。婿《むこ》探しの役目は自らが引き受けるつもりであった。それは、母親の責任であった。そして、彼女にはそれに足るだけの自負があった。

しかし、事はそれほど容易には進まなかった。ソランジュは、結婚に憧《あこが》れぬ訳ではなかった。兄のモーリスがオーギュスティーヌと二人して自分に敵対するのを見るにつけ、劇《はげ》しい嫉妬《しっと》と劣等感とを覚えて、どうして自分ばかりが独りなのかと憤激を露《あらわ》にした。しかし、母親の望む通りの相手と結婚することは、彼女にまた別の屈辱を強いた。ソランジュは、サンド夫人が娘の婿選びに示す熱心さに男を見る目に対する母親の傲慢《ごうまん》な自《うぬ》惚《ぼ》れを看《み》て取った。自分は何時まで経《た》っても、子供扱いされている。お母様は、何時だって自分が一番正しいと信じている。その癖以前には、自分の本の中に「結婚とはいかなる場合に於《お》いても社会が準備した最も野蛮な制度の一つである」などと書いていたのだ。何という矛盾だろう！　そうしたことを考えると、どうにも黙ってはいられなかった。そして、何かにつけて不満を打明けては、その都度母親の雄弁さにやり込められてしまうのであった。

　サンド夫人には、ソランジュの反抗は、理不尽で子供染《じ》みているように見えた。結婚を望んでいることは知っていた。それが単に夫人《マダム》と呼ばれてみたいからという幼稚な理由に因《よ》っているのだとしても、構わないと思った。そして、せめて自尊心を傷つけぬようにと、自分が婿選びに口を出すのは賢いからでも何でもなく、長く生きてきた分、あなたよりも色々な経験をして色々な人間を見てきたからなのだと説明した。ソランジュは、そうした反論の余地を与えぬ言《い》い種《ぐさ》は意地の悪い説得の仕方だと思った。そして、色々な経験をして、色々な人間を見てきたからというその言葉に、何となく淫蕩《いんとう》な響きを感じて、処女らしい軽蔑《けいべつ》の念を抱いた。

結婚相手として最初に候補に挙がったのは、ルイ・ブランであった。ショパンは、表立って賛成も反対もしなかったが、彼については母親との親密さをこそ気にしていたので、娘の結婚相手として名前の挙がったことは意外であり、その意味に於ては喜ばしくもあった。彼は、己の猜疑心《さいぎしん》を自嘲《じちょう》するだけの余裕を持った。しかし、この組み合わせには、そもそも無理があった。ソランジュは固《もと》より、肝心のルイ・ブランの方も一向に気乗りがしなかった。彼は寧《むし》ろオーギュスティーヌの方にこそ関心を抱いていた。そして、ショパンが何かものを言おうとする頃には、既にこの話はないものとなっていた。

次いでサンド夫人が目をつけたのは、その年ノアンを訪れていた詩人で、ピエール・ルルーに親炙《しんしゃ》していたヴィクトル・ド・ラプラードであった。しかし、今回は噂《うわさ》を聞きつけたラプラード家の両親が、話の進展する前に息子をリヨンの実家へと呼び戻してしまった。

ソランジュは、母親の思惑が悉《ことごと》く裏切られてゆくことには小気味良い満足を覚えたが、その一方で焦燥にも似た失望を感じていた。彼女は、結婚に対する屈折した憧憬《しょうけい》をショパンに打明けようと何度も試みた。しかし、口に出される言葉は、何時も微妙に自分の意図からずれていた。

「お母様は、誰でもいいから——そう、本当にそうだわ——とにかくわたしをその誰かに押しつけて、この家から追い出したがっているんだわ。お母様の頭の中にあるのは、ただお兄様のことだけ。わたしのことなんて、これっぽっちも気に掛けてはいないんだわ！……」

自分で発するこうした言葉に、彼女は表現に難《かた》い違和感を感じた。自分の本当に言いたいことはそうではない。この人がこれを真に受けて、わたしには結婚する意思がないなんて早合点したらどうしよう。そんなことを考えた。けれども、発せられた言葉の牽《けん》引力《いんりょく》は彼女の本心を置き去りにして、あらかじめ準備されていたかのように、いわばそれ自体で自立しているかのように、言葉の連鎖を半ば力尽くで導いていった。

「お母様は、ただお兄様さえいてくれればいいんだわ。わたしは何時だって邪魔者。お兄様とあの性悪のオーギュスティーヌとが、どれほどわたしに酷《ひど》い意地悪をするかあなたならご存じでしょう？　それなのにお母様は、喧嘩《けんか》の原因は何時もわたしの方にあるって思っているのよ！　わたしが出て行けば、あの三人はどんなに喜ぶことかしら？

どんなに喜んで、わたしの悪口を言い合うことかしら！」

そう言うと、彼女は実際に三人の笑顔が目に浮かぶような気がして、ますます腹が立った。そして、初めに抱いていた懸念《けねん》を余所《よそ》に、自分の言葉は、案外気がつかなかった自分の本当の気持ちを探り当てたのかもしれないと思った。

ソランジュが、無自覚に口にする三人という人数には、彼女らしい悪魔的な閃《ひらめ》きがあった。そして、それに続く言葉は、彼女の狡智《こうち》な才能が存分に生かされたものであった。

「そうだわ、あの三人は、外の誰の愛情も必要としてはいないんだわ。わたしはお母様の娘で、お兄様の妹だというのに！　わたしがいなくなるのを悲しんでくれるのは、あなただけ。本当にわたしに優しくしてくれるのは、何時でもあなただけだったわ。ああ、でも、あなた一人がこの家に残されたら、一体どうなるのかしら？　あの三人は、……」

ショパンは、彼女の言葉の意味するところを正確に理解した。そして、それに抵抗しながらも、気がつくと必ず彼女への同情に傾いているのであった。

マルリアニ夫人は、これらの事情について驚くほどよく知っていた。彼女はその経緯の一々に言及しながら、時にショパンさえも忘れ掛けているような些細《ささい》な逸話を引っ張り出してきて彼を驚かせた。そして、この一連の騒動の後に、結局ソランジュが、フェルナン・ド・プレオーという地方の貴族の息子と恋に落ち、求婚を受けたという話も当然耳にしていた。

「七日には、サンド夫人の家族と一緒に、彼もスクワール・ドルレアンのどちらかの家に来る筈です。僕は好きですよ、彼のことは。」

ショパンは彼女にそう言った。これは別段、サンド夫人の一家に気を遣って言ったことではなかった。彼女も「ええ、ええ。」と頷《うなず》いてみせた。

「本当に感じの好《よ》い方ですわね。お顔も綺麗《きれい》だし、大富豪とは言えないまでもしっかりとしたお家柄のようですし。それにあの方、本当は王党派でいらっしゃるのに、サンド夫人の前では滅多にそのことを口に出されないでしょう？　お若いのになかなか心得ていらっしゃいますわ。」

ショパンは、彼にそれほど大した政治的信念があるとも思えなかったので、そんなことに感心している彼女がおかしかったが、それでも一応は、「そうですね。」と相槌《あいづち》を打っておいた。そして、「でもそれは、サンド夫人の方も知っていることですし、どちらかと言えば彼女の方が寛大なんですよ。」とつけ足した。

ショパンは、そんな風にさりげなく彼女を庇《かば》うようなことを言えたのが嬉《うれ》しかった。ノアンにいた頃は、褒めるにしても貶《けな》すにしても、普段なら気にもならないようなことに神経質な躊躇《ためら》いを強いられていた。称讃《しょうさん》すれば、空々しいような気がした。悪口を言えば、本音のようで気が咎《とが》めた。彼女について人に話す為には、何時でも幾分かの努力が必要であった。それが、離れて暮らす間に、少しずつ以前のような気安さが恢復《かいふく》しつつあるように感ぜられていた。考える前に、簡単に彼女の名前を口にすることが出来た。口にしたあとも、それを振り返って考えてみる必要がなかった。しかし、そうしたことには気づいてはならなかった。気がつけば意識して、また元の躊躇いが頭を擡《もた》げた。いっそ彼女のことを思わずに済むのであるならば！　それが出来るならば、どれほどの平穏が得られるだろうか？　考えることは何時も同じであった。そして、それが不可能であることにも変わりはなかった。彼女の記憶は、絶えず彼の思念を去来した。胸の奥に閉じ込めて厚く塗り固めてしまおうとすれば、そのほんの僅かな隙間《すきま》だに逃さず、染み入るようにして立ち現れた。追い出すことが出来ぬのであれば、時々換気をして外の空気に触れさせる必要があった。喋《しゃべ》ることで風通しが良くなるような気がした。誰かに話して、まるで秘密のように胸に凝《こ》っている彼女への思いを解きたかった。言葉が宙に放たれ、気体のように澄んで消えてゆくように。――そうした願いを病が邪魔した。からだがだるくて出掛ける気になどならなかった。ベッドの中でじっとしていると、曖《あい》昧《まい》になっていた幾つかの記憶にまた角が立ってきて、彼は、頭の中に石ころのような乱暴な異物の痼《しこ》っているかのような痛みを感じた。

『……帰って来るのだ、もうじき彼女が。……』

喜びが昂《こう》ずるほどに、不安は一層甚だしくなった。感情に係数があるとするならば、不安のそれは、何時も少しばかり喜びのそれよりも大きかった。到着の日が近づくにつれ、そうして不安ばかりが重く胸に凭《もた》れていった。

『初めに何と口を利《き》けば良いのだろう？　彼女は今何を考えているのだろう？　自分の取り戻そうとしている嘗《かつ》てのような遠慮のなさは、オーロールの目には何か調子っ外れのものと映らぬだろうか？　軽薄さを疑われぬだろうか？　何気ない風を装《よそお》って書き続けたあの手紙の調子は、間違ってはいなかっただろうか？　自分の誠実さを証《あか》すために、もっと丁重に迎えるべきか？——しかし、彼女はそこに僕の冷淡さを看て取って失望するだろう。カロル大公に対するルクレツィア・フロリアニのように！　ならば、自分のこうした悩みのあとを、彼女に示すべきであろうか？　ああ、しかし、そんな下卑た真《ま》似《ね》がどうして出来よう？　三文詩人の読み上げる出来損ないの詩のような、そんな下卑た真似が。僕はこれほどに苦しんでいる。どうして彼女は、気づかぬのだろうか？　何時も、何時も！　苦悩の時にあっても、彼女は僕に冷淡さをしか認めなかった。そして、それに憤慨するのだ。堪《こら》えられぬほどに苦悩の募って、それが溢《あふ》れ出すような時には、今度は珍妙なものでも見るような目つきで僕を眺めた。冷淡なのは彼女の方ではないのか？　彼女はこれほどに僕のことを思って苦しんでいるだろうか？　苦しむほどにまだ僕のことを愛しているだろうか？　ソランジュの言う通り、モーリスさえ側《そば》にいれば良いのだろうか？　そのソランジュでさえ、今頃は母親と仲直りをして、僕のことなどすっかり忘れてしまっているのではあるまいか？　一家は何の不和もなく、ノアンの冬を楽しんでいるのかもしれない。結局、僕は他人に過ぎないのだ。僕だけが独りだ！　ああ、しかし、ソランジュが結婚するということは、僕にとっても喜ばしいことの筈ではないのか？　その為《ため》に、彼女と母親とが和解するのであれば、それは喜ばしいことではないのか？　僕は惨《みじ》めにベッドの中で思い悩んでいるうちに、そんなことも喜んでやれぬ人間になってしまったのか？　そんなことに嫉妬するほどに、卑屈な人間になってしまったというのか？……』

二月七日の夕刻、ショパンは、門の前に停まった馬車の音とそこから聞こえて来た賑《にぎ》やかな声とで一家の到着を知った。使用人のピエールが、五番地の管理人であるララック夫人とともに居間に来て、サンド夫人の一行が今ノアンから戻って来たことを告げた。

「取り敢《あ》えず荷物もございますんで、皆様五番地の方にお這入《はい》りになられましたけど、どうなさいましょうか？　少しお加減が悪いと申し上げましたら、こちらにいらっしゃるようなことを仰《おつ》しゃってましたけど。」

「うん、……いや、大丈夫だよ。僕が向こうに行こう。」

ショパンは、体調が悪いという言葉を、別の意味に解されることを怖《おそ》れて敢えてそう答えた。顔を合わせたくない客が来た時に、彼がしばしば、からだの不調を口実に奥へと引き籠《こ》もってしまうことを、彼女は誰よりも知っているからだった。

『本当に病気であるかどうかは、関係ないんだ。いずれにせよ、オーロールはその言葉を、何時ものように解してしまうだろうから。——わたしに会いたくないのね！——そう思うに決まっている。そうなれば、彼女との関係は悪くなるばかりだ。』

ショパンは、ララック夫人に五番地に火を入れておいてくれたことを感謝すると、ピエールに言った。

「ロズィエール嬢には、ちゃんと伝えてくれたかい？」

「はい、でも、こっちの九番地の方と申し上げてしまいました。」

「構わないよ。来てみていなければ、あっちへ行くさ。」

「グジマワ伯爵《はくしゃく》様やマルリアニ伯爵夫人様には、お伝え申し上げなくてもよろしかったのでしょうか？」

「うん。グジマワには、金曜日にオテル・ランベールで確認しておいたから。マルリアニ夫人は、今は南フランスの方にいる筈《はず》だよ。」

「さようでございましたか。それならば結構ですが。」

「君は向こうへ行って、僕の方から出向くからと伝えておいてくれるかい？」

「かしこまりました。」

頃合を見計らって彼女の家を訪《と》うと、何時《いっ》の間にかグジマワ伯爵とロズィエール嬢とが来ていた。ショパンは、帰って来た家族の一人々々と抱き合って再会を喜び、ソラン

ジュには特に、

「これはこれは、未来のド・プレオー夫人、お初にお目に掛かります。」と、「夫人」という言葉に力を込めて慇懃《いんぎん》に挨拶《あいさつ》をした。

ソランジュは、お辞儀をして笑ってみせただけだった。

サンド夫人は、

「あなた、もう大丈夫なの？」と心配そうに彼の顔を覗《のぞ》き込んだ。

幸いにして、グジマワ伯爵とロズィエール嬢とが、彼が本当に病気で寝ていたことを彼女に説明していたのであった。

「うん、幾らかは。」

「わたしも、ノアンにもこんなに沢山の子供達を抱えて、その上パリにも心配ばかり掛ける坊やを一人抱えて、まったく気の休まる暇がないわ。」

サンド夫人は、そう言って肩を竦《すく》めてみせた。皆笑った。ショパンはその口調に安堵《あんど》した。そして、そうした素振りから、自分の問題は、畢竟《ひっきょう》彼女の関心のまったく取るに足らぬ些細な部分を占めていたに過ぎぬのかもしれないという惨めな思いを抱くよりも早く、胸中に晴れやかな幸福感の広がってゆくのを感じた。雲間から日が射《さ》し始めたようであった。

「彼も金曜日に私とオテル・ランベールで会った時には、まったく瀕死《ひんし》の重病人といった風だったけれど、やっぱりあなたに会うと、ほら、こんなにも顔色も良くなって。端から見ていても、何だか面映ゆいくらいだね。」

グジマワ伯爵は、彼女に向かって言った。ショパンは咄嗟《とっさ》に、彼は自分と彼女との間にある事情を、思っていたよりもずっとよく知っているのだと思った。そして、そうした言葉が、彼女の耳には取ってつけたような白々しさを帯びて響きはしないだろうかと心配しながらも、彼の友情に素直に感謝した。

ショパンは、モーリスとオーギュスティーヌとにもっと言葉を掛けるべきだろうかと思い迷った。すると、そうした心の動きを見透かしてか、わざとそれを避けるようにして、モーリスが、グジマワ伯爵に向かってドラクロワのことを尋ねた。

「先生の下院の絵はどうなりました？」

「どうだろう。彼には年末に会ったきりだけれども、その時は完成はまだまだ先だと言っていたよ。」

「そうですか。」

モーリスは、母を通じてドラクロワと親しく交わり始めた千八百三十九年頃から、一時彼のアトリエに通って絵の手解《てほど》きを受けていた。グジマワ伯爵は、単にドラクロワの友人であるばかりでなく、その作品の収集家でもあった。

ショパンは、先日彼に会った時のことを思い出して、会話に這入ろうとした。が、丁度その時、サンド夫人が、「あら、そういえば、今日は呼ばなかったのね。明日にでも使いを遣らないと、臍《へそ》を曲げるわよ。」と口を挟んだ為に、その機を逸してしまった。続いて今度はフェルナン・ド・プレオーが話し掛けて来た。

「僕は、あなたにまたお会いするのを心から楽しみにしていたのです。僕は今、これ以上はないくらいの幸福な日々を過ごしています。ああ、この気持ちを何て言い表したらいいんだろう？　ノアンでは、皆さんから温かい祝福をしてもらいましたけれど、僕は是非とも、あなたにも僕達の仕合せな将来の為に一緒に喜んでもらいたいのです。」

思い余って、彼はいきなりショパンの両手を握った。ショパンは少し驚きながらも、そうした若者らしい率直さには好感を持った。

「勿論《もちろん》、あなた達二人の仕合せを願うことにかけては、僕だって誰にも引けを取りませんよ。僕は、こんなに素敵な結婚に祝福の言葉を述べさせてもらう光栄に浴して、逆にあなた達に感謝したいくらいなんですから。しかし、こんな綺麗な花嫁を貰《もら》うんだから、あなたはちゃんと覚悟をしてなければいけませんよ。何しろ世間は僻《ひが》みっぽいんですからね。あなたは表を歩く度に、羨望《せんぼう》の眼差《まなざし》を雹《ひょう》のように浴びますよ。」

「雹のように！」

「ええ。――雹は変だったかな？　いや、ちょっと前にパリでは雹が降って、それがあんまり凄《すご》かったから、ついそう言ってしまったんですけれど。とにかく本当におめでとう。」

　ショパンは、そう言うと今度は横に立って黙ってそれを聴いているソランジュの方を向いて、もう一度同じことを言った。

「おめでとう。君ももうご夫人方の仲間入りだね。」

　ソランジュは、「ええ。」と頷《うなず》いてちらとプレオーの方を向いた後に、

「この人は大袈裟《おおげさ》なんだわ。田舎流に。」と言った。

　プレオーは、それを聞いて困ったような顔で彼女の方を振り返った。ショパンも一瞬不審らしく彼女の取り澄ました横顔に目を向けた。しかし、すぐにフェルナンの方を向き直って、笑って、

「照れているんですよ。」と場を繕《つくろ》った。

　ショパンは、長く立ったまま喋っていたので、眩暈《めまい》がして思わず近くの椅子《いす》に腰を卸した。サンド夫人がそれを認めて、一同に食卓に着くように促した。

「わたし達も、長い間馬車に揺られて疲れてしまったから、今日は早めに切り上げましょう。」

　グジマワ伯爵が、ショパンの方を向いて意味ありげに微笑《ほほえ》んだ。ショパンには、その理由が分かった。そして、二三度首を縦に振ると、彼にだけ分かるように遠慮がちに微笑み返した。

翌日、下院の図書室から帰って来たドラクロワは、留守中にサンド夫人の使いが訪れたことをジェニーから聞いた。

「昨日の夕方、お戻りになったようです。」

「そう？　どうしてすぐに知らせてくれなかったんだろう？」

久しぶりに彼女と再会出来ることが何時にも増して嬉《うれ》しかった。

二月に這入ってから、彼もまた申し合わせたかのように体調を崩していた。寝つくほどではなかったので、仕事はどうにか続けていたものの、数日前からそれも難しくなって、昨日は到頭一日中何もしなかった。そうした自分が彼には許し難く思われた。自分の体調を何処《どこ》か信用出来ずにいた。熱もあり、咳《せき》も出ている。しかし、それにも増して憂鬱《ゆううつ》であった。それがただ、さして深刻でもないからだの不調を口実として利用し、仕事を怠けさせただけのような気がした。そう疑って腹が立った。そもそも彼には、その憂鬱なるものの正体が分からなかった。茫漠《ぼうばく》としていて、曖昧で、幾ら考えてみても由来が知れない。何時も突然訪れては、辿《たど》った道すら知れぬほどの速さで、彼を深い暗がりの淵《ふち》へと拉《らっ》し去ってしまうのである。この一週間というもの、なるほど不快は色々とあった。その多くは悲哀ともいうべきものであった。しかし、自分を苛《さいな》む憂鬱が、悲哀そのものでないことは彼も理解していた。悲哀のように具体的ではなかった。かたちも定かではなかった。或《ある》いは、その取るにも足らぬ一つ一つが、胸に沈んで澱《おり》のように溜《たま》っているのだろうかとも考えてみた。湖沼《こしょう》の底に溜った枯枝や枯葉が、何時かその姿を失って同じ一つの泥となるように、胸の底にも、腐敗した悲哀が、憂鬱の黒い泥と化して堆積《たいせき》しているのだろうかと想像してみた。——しかし、因果の関係は、寧《むし》ろ逆である気がした。悲哀は決して憂鬱に先んずることはなかった。それは途切れ、常に一回きりであった。その底で、憂鬱は持続する土壌であった。新たに悲哀を生み出し、古びた悲哀を受け容《い》れ続ける肥沃《ひよく》な土壌であった。それを皆浚《さら》ってしまうことが可能ならば、精神はかくも重苦しい緊張を強いられずとも済む筈であった。そう出来ぬことに、彼は肉体の欠陥に対するかのような不如意《ふにょい》を感じていた。古代の賢人が体液によって人を分類しようとしたように、自分の憂鬱は生理学の領域でこそ扱われるべき問題であるような気さえした。

こうした思いを振り払う為に、今日は朝からテュレンヌ街に売りに出されていたルーベンスの《サン・ジュスト》を観《み》に出掛けていた。そして、午後は下院に行って、日が暮れるまで図書室の天井画に没頭した。ルーベンスが、創作への熱意を恢復《かいふく》させてくれた。偉大な作品を目にすると、その感動が径《ただ》ちに制作意欲へと直結するという芸術家としての自分の単純な仕組みに、彼は少し勇気づけられる気がした。

その翌日、彼は、フォルジュ男爵夫人と《ドン・ジュアン》を聴きに行く前に、サンド夫人の家に立ち寄った。家には丁度、彼女の外にソランジュと見知らぬ青年一人とがいた。ドラクロワは、初めに二人と再会の挨拶を交わした後に、サンド夫人からその青年の紹介を受けた。

「この美しい騎士こそが、我が最愛の大公令嬢の心を華麗に奪い去ってしまった張本人よ。」

フェルナン・ド・プレオーは、噂《うわさ》に聞いていたウージェーヌ・ドラクロワを目の前にして、幾分緊張気味に握手をした。

「はじめまして。お会い出来てとても光栄です。あなたのお噂は、サンド夫人からもモーリスさんからも、勿論ソランジュからも、何時も伺っています。」

「はじめまして。そうですか。それは、困りましたね。随分と悪い噂ばかりを聞かされたことでしょう？」

こう笑って言うと、プレオーは、

「と、とんでもない！　皆さんあなたのお話をなさる時には、本当に愉《たの》しそうに褒めてばかりいらっしゃいます。僕もお目に掛かるのをずっと待ち遠しく思っていたのです。」と慌《あわ》ててつけ足した。

その様子が余りに真剣であったので、ドラクロワは、冗談の分からぬことに呆《あき》れるよりも、却《かえ》って爽《さわ》やかな印象を持った。こういうところはサンド夫人も気に入っていた。ただソランジュだけが、将来の伴侶《はんりょ》のそうした垢抜《あかぬ》けのしない応答に、自分自身の屈辱であるかのような失望を感じていた。

「……僕は狩りが好きなんですが、あなたのお描きになる獣は、本当に真に迫っていて生々としているので、間違っても撃っては駄目よって、さっきサンド夫人に注意をされたところなんです！」

「そうですか。しかし、それもいいかもしれません。ウージェーヌ・ドラクロワの描いた獅子《しし》は本物と見間違えるほどの迫真の出来栄《できば》えで、つい勘違いして猟銃で撃ってしまった人がいるなんて話は、ちょっとした伝説になりますからね。歓迎しますよ。僕も若い頃には、よく狩りをしたものです。今ではすっかりやらなくなりましたけれど。」

暫《しばら》く立ち話をした後に、サンド夫人に椅子を勧められて彼も腰を卸した。

「それはそうと、あなたは今日も下院へ行っていたの？」

「いえ。今日は人が来ていたんで。」

「そう。何だか顔色が悪いから、てっきり山ほど絵を描いて来て疲れているのかと思ったわ。」

「胃の調子が良くないんです。それで朝も、下院へ行こうか家で仕事をしようかとぐずぐずと迷っていたら、人が来てしまったんですよ。昨晩仕事のあとに外に出掛けなかったのが悪かったんでしょう。少し歩いて外の空気に当たらないと、血液の循環が滞ってしまうのだと思うんです。」

「そんな話は初めて聞いたわ。でも、大したことはなさそうね。ショパンに続いて、あなたまで寝込んでしまったら大変だわ。」

「ショパン？　彼は悪いんですか？」

「ええ。でも、モラン博士に診てもらって、大分いいようよ。」

「今は？」

「今はフランショームと例のチェロ・ソナタの練習をしているわ。来週みんなの前で演奏するつもりみたいだから。あなたも来るでしょう？」

「来週？　演奏会でもするんですか？」

「まさか！　彼の家で五六人集めて弾くだけよ。」

ドラクロワは、今日は彼にも会えるものとばかり思っていたので残念に思った。

「呼べば来るわよ、きっと。」

「いえ、邪魔をしても悪いですから、今日は遠慮しておきましょう。……」

こうした話をしている間に、ソランジュが何も言わずに出て行ってしまったので、プレオーは、

「ちょっと、散歩に出て来ます。」と断りを言ってそのあとを追った。

彼の背中に「気をつけて行ってらっしゃい。」と声を掛けると、サンド夫人は溜息《ためいき》を吐《つ》いて、

「あの子には手を焼くわ。……あれほど結婚したがっていたのに。フェルナンも、それは申し分がないとは言わないけれども、素直でいい子よ。何が気に喰わないのかしら？」と言った。

「僕も、なかなかの好青年だと思いますよ。」

ドラクロワは、彼女の困り果てた顔を見て同情しながら言った。彼も、マルリアニ夫人を通じて、この家族の不和については色々と耳にしていた。

「あの子も結婚相手が見つかれば、ちょっとはモーリスとも仲良くやってくれると思っていたのに。……モーリスの方は、彼のことを自分の将来の弟だと思って本当に大切にしているのよ。あの子は偉いわ。このあとすぐに、フェルナンは、ネラックのデュドヴァンのところに行く予定なのだけれど、それにもあの子がつき添ってあげることになっているの。本当に、そこまでしてもらっていながら、どうしてソランジュは、モーリスのことを悪《あ》し様《ざま》に言うのかしら？……」

彼女が続けて胸に蟠《わだかま》っている思いのすべてを打明けるつもりであるのならば、彼は耳を貸そうと思っていた。しかし、それも躊躇《ためら》っているようなので、思いきって気軽な話題に変えて、気を紛らせてやろうと思った。

「そういえば、僕は一昨日、風呂屋《ふろや》を呼んで風呂に這入《はい》りましたよ。」

サンド夫人は、つと顔を上げた。そして、彼女にしては珍しく、煮えきらぬ様子で告白に未練を残しながらも、彼に話を合わせた。

「あら、そう？　あなた、好きねェ。」

「でも、月に一度くらいですよ。」

「十分に多いわよ。それであなた、調子が悪いんじゃないの？　余り頻繁だと、やっぱりからだに障《さわ》るらしいわよ、モーリスが言うには。」

「ええ、そうでしょうが。でも、嫌いじゃないですよ、僕は。」

「そういえば、去年の夏は、ショパンもよく水風呂に漬っていたわ。元々あの人も好きなのよ。特に彼の場合、汗を掻《か》くと自分のからだを嗅《か》いでみたがるの。それで、少しでも臭いと我慢が出来ないみたいで、臭い臭いって、毎日のようにお風呂に這入っていたわ。あんな天使のような人でも、普通の人並にからだが臭くなるなんておかしいと思わない？」

「まったくですね。」

「でもあの人、きっとそれも悪かったのよ。勿論、わたしみたいな田舎育ちは、毎日川に這入って水浴したって平気よ。でも、モーリスなんかはしないわね、やっぱり。きっと風邪引くわ。あなたとショパンとを例に、都市生活者にとって入浴がいかに健康に悪影響を及ぼすかっていう論文を書いたら、なかなか説得力のある立派なものが書けると思うわ。あなたもせめて、体調の悪い時は止《よ》した方がいいわよ。」

「ええ、疲れますしね。でも、さっぱりするんですよ、やっぱり。」

「それはよく分かるけれど。……そういえば、あなた昔、医者に勧められて海水浴にも行ったじゃない？　あれはどうだったの？」

「トゥルーヴィルの？　あれは酷《ひど》かったですね。効果云々《うんぬん》の前に、海水浴着のみっともない姿を人前に曝《さら》して、しかも、肌の乾く間もないくらいに水に潰ってばかりいましたから。」

「そう？　ショパンも流石《さすが》に、まだ海水浴に行きたいとは言い出さないわね。第一、あの人の心の中には、海なんてないのよ。ポーランド人はみんなそう。あるとすれば沼かしら？　でもそれじゃァ、潰ろうなんて気にならないでしょう？」

「ええ、確かに。僕は、子供の頃からフェカンなんかでよく海を見ていましたからね。抵抗も少ないのでしょう。」

「でも、去年の夏の暑がりようを見ていたら、今年辺り、あの人も、海へ行くなんて言い始めるかもしれないわね。そうなればきっと目玉の飛び出るような値段で贅沢《ぜいたく》な海水浴着を仕立てさせるわよ。」

「想像すると、おかしいですね。でも、それでこそショパンですよ。」

　丁度こう言い終えた時に、使用人のルースが夕食の指示を仰ぎに来た。ドラクロワは、それをきっかけに席を立った。

「あら、もうお帰り？　もうじき彼も来るから、一緒にお夕食はどう？」

「ええ、そうしたいところなんですが、今日はこのあとに予定があるんです。」

「予定？　まァ、わたし達をほったらかして行くほどだなんて、一体どんな重大な予定なのかしら？」

「大したことではありません。《ドン・ジュアン》を聴きに行くんですよ。」

それを聴くと、サンド夫人は笑って言った。

「あら、そう？　それは確かにわたし達よりも重大ね。ショパンも、あなたの薄情を恨むかもしれないけれど、きっと赦《ゆる》してくれるわ。でも、友情の寛大さからなんて自惚《うぬぼ》れては駄目よ。モーツァルトに敬意を表してのことよ。」

ドラクロワは、恐れ入ったというように肩を聳《そび》やかした。

「でも、くれぐれもよろしく伝えておいて下さい。残念がっていたと。それからお大事にとも。」

「はい、はい。」

彼女は、そう返事して、彼を外まで送り出した。

翌日から、パリではまた激しく雪が降った。ショパンは相変わらず家に閉じ籠《こも》ってばかりであったが、それでもぼちぼちレッスンを再開して、見舞いの客とも短い時間ならば雑談をした。

著名なチェリストで、現在はコンセルヴァトワールの教授でもあり、彼とは十六年の長きに亘《わた》ってつき合っているオーギュスト・フランショームは、最も頻繁にその病床を見舞った。ショパンも、彼の来るのを喜んだ。時折訳もなくどうしても母国語が喋《しゃべ》りたくなる時には、グジマワ伯爵《はくしゃく》を初めとするポーランド人の友人を呼びに遣《や》った。

グジマワ伯爵は、自然と饒舌《じょうぜつ》になって喋るショパンの話に、何時《いつ》も嫌な顔一つせずにつき合った。ショパンは頻《しき》りに、パリにいる他のポーランド人達の消息を知りたがった。取り分け、幼馴染《おさななじ》みのヨゼフ・ノワコウスキのことが気になっていた。

「彼は、もうじきパリを発《た》つ筈《はず》だよね？　まさか、もう発ったなんてことはないと思うけれど。……この前オテル・ランベールで会ってから、ちっとも訪ねて来てはくれないんだ。僕は痺《しび》れを切らして手紙を書いたんだけど、あなたは知らない、彼のこと？」

「いや、会ってないね。」

「そう。……でも、これは仕方のないことなんだよ。彼が悪い訳じゃない。彼はあの通り変わった奴《やつ》だろう？　あの人のいいフランショームでさえ苦手だって言うくらいなんだから！　それで、オーロールにも、彼女の家族にも煙たがられているんだよ。僕が言ってもノアンに呼んでくれなかった。それを知っているから、来辛《づら》いんだよ、きっと。尤《もっと》も、あの家族に好かれるなんてことは至難の業だからね。ルドヴィカ姉さんくらいなものだよ、悪口を言われないのは。」

「なるほどね。しかし、君のお姉さんほどにも善良でなければ好かれないなんて、まったく、駱駝《らくだ》が針の穴を通るよりも難しい話だね。私のような男は、さぞかし嫌われているだろうよ。ノワコウスキも悪い男じゃないからね。」

「勿論《もちろん》。僕は好きだよ、彼が。間が抜けていて面倒を掛けることもあるけど、何だか世話をしてやりたくなるんだよ。不思議だね。」

ショパンは、普段ならば注意深く胸に秘めておくような話でも、ポーランド語で喋る時には、つい気が緩んで口に出すことがよくあった。あとで反省して、自分の迂闊《うかつ》さを咎《とが》めた。グジマワ伯爵は、そうして語られた言葉の端々から、サンド夫人と彼との関係について色々と想像を巡らせた。そして、彼には内緒ながらも、彼に代わって彼よりも早く彼女への不信を募らせていた。

翌週十七日のショパンとフランショームとの演奏会には、サンド夫人とその家族との外に、ドラクロワ、グジマワ伯爵、それに弁護士のエマニュエル・アラゴとが呼ばれることとなった。ショパンの強い希望で、外の者には知らせることとすらしなかった。

招待された者達は、ショパンの体調を慮《おもんぱか》って約束の八時にはもう全員が顔を揃《そろ》えていた。ショパンが奥で着替えている間にフランショームは皆に挨拶《あいさつ》をし、サンド夫人とは演奏後のことについて簡単な打合わせをした。

今日の夕方、フランショームが独り早めにスクワール・ドルレアン五番地の部屋に来てみると、ショパンは丁度バッハのプレリュードを弾いているところであった。予《あらかじ》め主人から言いつかっていた使用人が、彼をサロンに通した。中に這入るとショパンがピアノから顔を上げたので、そのまま続けるようにと身振りで示した。ショパンはそれと気づかぬほどに微《かす》かに笑みを作ってみせ、また鍵盤《けんばん》に目を落とした。

フランショームは、楽器を置くと、暖炉の前の何時もショパンが愛用している椅子《いす》に何気なく腰を卸した。そして、ふとマントルピースの上に目を遣って、白い封筒に気がついた。その時、演奏を止めたショパンが彼に声を掛けた。

「その椅子、座り心地がいいだろう？ 僕のお気に入りなんだ。」

「うん、そうだね。何時も君が座っているから、一度座ってみたかったんだよ。」

そう冗談めかして答えながら、フランショームは、それとなく彼の気色を窺《うかが》った。蠟燭《ろうそく》の明かりに照らされて、蒼白《そうはく》の面が何処《どこ》か不吉な黄色味を帯びている。

「もう何年くらい使っているかな。あんまり古くなってしまったんで、何時もサンド夫人にからかわれているんだ。あなたともあろう人が、こんな骨董《こっとう》趣味の総裁政府時代《ディレクトアール》様式の椅子なんてって。でも、気に入っているからね。」

フランショームは、彼の言葉の終わるのを待って、やや躊躇いながらも、

「今朝もレッスンをしていたのかい？」と尋ねた。

「いや、今日は、家で休んでいたよ。」

「そう。……」

彼は顔色を曇らせた。そして、椅子の話題に託《かこ》つけて、そのことを訊《き》いてみようとした時に、ショパンが、

「大変申し訳ないが、あとでピアノを前に出すのを手伝って欲しいんだ。今日はこちらの大きい方を使うから。僕とピエールとで君の来る前にやろうとしたんだけど、……」

と口を開いた。

「うん、いいよ。そんなことは気にする必要ないさ。しかし、その前に、……」

「何だい？」

――どう言おうか？　フランショームは一瞬考えた。封筒の中身は、明らかにレッスンの謝礼だった。それが、今朝のことならいざしらず、昨日から、或《ある》いは数日前から、生徒が置いて行った時のまま手も着けられずにほったらかされているのであった。取り忘れているのか？　知っていてわざとそうしているのか？　その不注意も、そのだらしなさも、どちらもショパンには甚《いた》く不似合いだった。そしてそのことが、彼には何か重大な事態の兆候のように感ぜられて、俄《にわ》かに心配になったのであった。

「うん、……」

先ほどは、「新しい椅子を買う為《ため》には、これでは不十分かい？」と冗談に紛らせて、

渡そうと思っていた。しかし、話題が移って咄嗟《とっさ》に良い考えも思いつかなかったので、結局普通に、

「こんなところに、置きっ放しにしていたら物騒だよ。」と手渡した。

暗がりの中で、一瞬ショパンの顔が強張《こわば》ったのが分かった。しかし、彼が近づくとまたすぐに笑ってみせて、現金入りの封筒を差し出されると必ず一度は気づかぬ風《ふり》をする医者の流儀を真似《まね》て、受け取らないような仕草をした。

「うっかりしていた。最初に見つけたのが、君みたいな正直者で好《よ》かったよ。」ショパンはそう言って、封筒を手に取った。「しかし、あんまり深刻な顔をするから、一体何事かと思ったよ。」

フランショームは、そうしたさりげない応対に、彼らしい美質を認めて感じ入った。しかし、自分の抱いた大袈裟《おおげさ》な予感が、強ち《あながち》間違いでもなかったような気がして、友人の将来に漠然とした不安を感じた。

ショパンが奥から出て来ると、椅子に座った者達が早速拍手で迎えた。

何時ものように、襟の釦《ボタン》は一番上まで隙《すき》なく留められ、髪は緩やかに額に掛からぬように撫《な》でつけられている。

コンセルヴァトワールのホールで、リストなどがよくしたような大仰な一礼を皮肉混じりに真似てみせると、ショパンはピアノの方へと向かった。皆興がって一段と大きく

手を叩《たた》いた。足取りは確かであった。しかし、礼をした際に乱れた髪を掻き上げようと、右手が一瞬面《おもて》を隠し左の分け目から右の耳許《みみもと》へとスッと流れていった時、丁度夜のカーテンが開いたように、改めてその顔の蒼《あお》く暗いことが認められて、フランショームは擦れ違い様に思わず、「大丈夫かい?」と小さく声を掛けた。ショパンは拍手の音で聴き取れず、そのまま尋ね返すこともせずにピアノの前に座った。フランショームには、彼が本当に聞こえなかったのか、それとも聞こえない風《ふり》をしているのかが分からなかった。しかし、椅子に座ってこちらを向いている彼の顔が、余りに静かで落ち着いていたので、それ以上語り掛けることはせずに座って弦の調律を始めた。

演奏は申し分なかった。そのことが、集まった者達の胸に様々な思いを引き起こした。フランショームは、最後の数小節を我慢出来ずに演奏者としては些《いささ》か恥とすべき感動の酩酊《めいてい》の中で奏《かな》でた。サンド夫人は、ショパンの健康が心配していたほど悪くはないことを知って安心した。グジマワ伯爵は、その体調の悪さをこそ思って、音楽が微塵《みじん》もそうした影響を被《こうむ》らなかったことに、改めて彼の天才を感じた。ドラクロワは、俗に流れず、しかも生気のある作品という自身の夢見る芸術の理想をそのままに実現しているかのような彼の音楽に対して、常と変わらぬ尊敬を抱いた。

グジマワ伯爵やアラゴ、それにサンド夫人の一家の者が次々と讃辞《さんじ》を述べていった後に、ドラクロワもショパンに近寄って、

「素晴らしかったよ。」と声を掛けた。そして、それが通り一遍の世辞のように聞こえるのを怖《おそ》れて、「僕は、こんな時には、まったく以《もっ》てもどかしい思いに駆られるよ。自分が詩人であったならばどれほど好かったことかと思う。もしそうであったなら、君に対しても、今夜の感動を余すところなく語って聴かせることが出来るのに。」と言い添えた。

ショパンは、

「有難う。外でもなく、君にそう言ってもらえると嬉《うれ》しいよ。前に聴いてもらった時から、またちょっと手直ししたから。」と慎み深く答えた。

ドラクロワは、その応対が洗練され過ぎているように感じて、自分の言葉は、やはり礼儀上のものとしか受け取ってもらえなかったのかもしれないと思った。

場が少し和んだところで、アラゴが、本当に傑作だと思ったが、ただ第一楽章は自分にはやや難解で長過ぎるように感ぜられたと正直な感想を言った。ショパンは「そう？」と応じながら少し考え込むような表情を見せた。サンド夫人は、透かさずその様子を認めて、「彼はあんまりフランショームのことが好きだから、少しでも一緒に演奏していられるようにわざと曲を長くしているのよ！」と冗談を言った。

ショパンの顔にまた笑みが戻った。それから彼女は、傍らのドラクロワの方を振り返って、

「あなたもまだ顔色が悪いのね。」と言った。

「ええ、あれからずっとなのです。暫《しばら》くは下院へも行かずに家でばかり仕事をしていたんですが、今日はショパンが演奏するというので、迷わず飛んで来たのです。実際に、これだけ多くの人間の住んでいるパリの中で、今日の演奏を聴くことの出来た僅《わず》か数人の中に自分が這入《はい》っているということの幸運を、僕は何と表現して良いのか分かりません。」

そうドラクロワが言うのを聞くと、ショパンは、

「駄目だよ、そんなことを言っては。またみんなが演奏会をやれってうるさいから。」

と首を竦《すく》めた。

横からフランショームが、

「いいじゃないか、レッスンばかりやっているよりもたまにはみんなの前で。聴衆が君に浴びせる嵐《あらし》のような拍手の分け前に、僕も少しばかり与《あずか》りたいよ。」と言った。

「君まで、そんな意地悪を言うのかい？　僕はね、やっぱりこれぐらいの人を前にして弾くのが一番好きなんだよ。それでも、今夜みたいに小さな集まりで弾くと、必ず誰かがあとで大袈裟に評判を振り撒《ま》くんだけどね。――先日私は、幸運にもフレデリック・ショパン氏の演奏を聴きましたぞ。いやはや、大変素晴らしいものでしたよ！――なんてね。でもそれは、僕の演奏に感動してのことではないよ、きっと。珍しい何かを見た

り聴いたりした時には、誰だって人に自慢したくなる。あの心情と同じさ。だけど、噂《うわさ》を耳にした人は、僕の演奏がどんなに素晴らしいかってびっくりするような妄想を抱いてしまうからね。それで、僕がうっかり大きな会場で演奏会なんか開いたりすると、いの一番に駆けつけて、まったく失望して帰ってしまうんだ。本当さ。僕の演奏は大きな会場では効果を上げないんだよ。君もよく知っているとは思うけど。今更やれ音が小さいだのタッチが弱過ぎるだのって人から難癖をつけられるのなんてご免だね。」

ショパンは、フランショームが気を悪くせぬように、わざとその「ご免だね。」という言葉を、愚痴を零《こぼ》すような口調で言った。その間、サンド夫人に話し掛けられて相手をしていたドラクロワは、ショパンとフランショームとの方を見て、

「そうなんです。」とやや大きな声で返事をした。ドラクロワは、彼女に先日の《ドン・ジュアン》の感想を訊かれて、それに答えながら、二人も会話の中に引き込もうと思ったのだった。

「実は僕は、土曜日にあなたと会ったあとにも、また《ドン・ジュアン》を聴きに行ったんです。」

ショパンが思い出したように口を挟んだ。

「ああ、そうだ、火曜日は会えなくて残念だった。《ドン・ジュアン》を聴きに行ったそうだね。」

「うん。で、その週末にまた聴いたんだ。週に二度もね。」

「良かったかい？」

「火曜日のは酷《ひど》かったよ。土曜日のは、……まあまあだね。だけど、どんなに酷くても、次の日に思い返すと、その酷い部分が記憶の中で綺麗《きれい》に削《そ》がれてしまって幸福な気分になるんだから、不思議なものだね。」

「傑作だからね。」

「うん、本当にそうだ。雅《みやび》やかさ、表現力、道化、……それから、何だろう？ 恐怖《けう》、優しさ、皮肉、……そんなものが、あれほど適切な度合いで融合している作品は稀有だね。あれは、題材の選択が素晴らしいのだと思うよ。登場人物の性格が実に多様だろう？ それがモーツァルトの音楽の様々な表情によく合っていると思うんだ。ロッシーニのオペラなんかは、あんなに色々な性格の人物は登場しないよね。もしそうだったら、彼の華やかなイタリアぶりは、無理をしてちょっと不自然なものになってしまうんじゃないかな。それにしても、何というロマン主義の傑作なんだろう！ しかも、千七百八十五年の作だっていうんだから！」

ショパンには、その「ロマン主義の傑作」という言葉の意味が分からなかったし、作曲年代ももう少しあとだったような気もしたが、敢《あ》えて問い返すこともせずに、「そうだね。」と頷《うなず》いた。ドラクロワは、そうした彼の仕草から、どの部分かは分からないが、自分の言葉は余り理解はされなかったらしいと察した。が、彼もまた、語を継いで説明することはしなかった。

「……それにしても、あの惨澹《さんたん》たる火曜日の《ドン・ジュアン》を、観客の大半がうっとりとして聴き入っているのには恐れ入ったよ。それにね、彼らは始まりから終りまで、ずっと同じ感動の中にいるんだ。あの最後に石像が現れるような場面でも、別に何も特別の反応を示さないね。ああいう作品を理解する為には、観客はもっと想像力を働かせる必要があるよ。君が大きな会場で演奏会をすると聞けば、僕は今日のように喜んで聴きに行くけれど、実際に、あんな客の前で弾くのが苦痛だという君の言い分も尤《もっと》もだと思うよ。」

ドラクロワは、言葉少なの彼の様子に、段々とその疲労のことが気になり始めて、話を短めに切り上げた。本当は、《ドン・ジュアン》について、もっと彼と議論をしたいところであった。

「なかなか君のように、モーツァルトのオペラを全部宙《そら》で歌えるような人はいないさ。」

ショパンは、そう言って微笑《ほほえ》んだ。そして、

「さすがに病み上がりだから、疲れたな。……」と小声で呟《つぶや》いた。

フランショームが、「奥に退《さ》がるかい？」と尋ねると、

「いや、でも、ちょっと腰掛けたいんだ。」と答えた。

そしてドラクロワに、

「もっと人のいない時に、ゆっくり話したいね。君も忙しいだろうけど、また夕食でも一緒に。」と言った。彼にだけ聞こえるような囁《ささや》くような声であった。ドラクロワは、彼のそうした気遣いに嬉しくなって、

「うん、勿論《もちろん》！」と答えた。

四日後、ドラクロワは、再び彼らと会う機会を得た。この日は、恒例となっているフランショームのコンサートの日で、古典音楽ばかりを演目とするこのマティネを、彼は何時《いつ》も楽しみにしていた。

午前中、訪問客を門前払いして、アトリエで途中になっていた《アラブの喜劇役者達》の制作を続け、一時を過ぎた頃に独りで歩いてフランショームの家に向かった。

熱を入れて仕事をしていたので、カンヴァスの前を離れるのが名残惜しかった。普段は少しも集中出来ず、自分の怠惰な性を恨めしく思うことすらあるのに、予定があり、時間の十分でない時に限って、こんな風に仕事が捗《はかど》るということを彼はつくづく不思議に思った。時計を見ながら、あと三十分、あと十五分と思うと、何としてでも仕事を続けたい気分になる。けれども、たっぷりと時間があり、頓《ひたすら》創作にだけ没頭すれば良いような日には、却《かえ》って一日が際限もなく長く感ぜられたりするのであった。

歩き出してほどなく、隣を走っていた幌付四輪馬車《カレーシュ》が突然停まって、中から彼の名を

呼ぶ声が聞こえてきた。馬車はショパンのもので、声の主はサンド夫人であった。

「何だかよく似た人が歩いていると思ったら、やっぱりあなただったのね。乗って行かない？」

ドラクロワは、笑顔で応じ、馬車に乗り込んだ。

「助かりましたよ。」

「あら、そう？ てっきり健康の為に歩いて行くって言い張るかと思ったわ。あなた、頑固だから。」

「まさか。――ところで、ショパンは？」

「先に行ってるわ。」

「今日は、彼も何か弾くんですか？」

「いえ。今日はハレが弾く筈《はず》だから。でも、どうしてだか、先に行きたいって。そんなにわたしと一緒に行くのが嫌なのかしら？……」

ドラクロワは、彼女とこうして二人だけで会話をするのを嬉しく思った。しかし、彼女がショパンについて言ったその悪い冗談には、笑って頷くことが出来なかった。それで、聞こえなかった風《ふり》をして、

「今日は、ヴァイオリンはアラールですか？」と尋ねた。

「さァ、……どうだったかしら。……」彼女は、そう素っ気なく答えた。

フランショームの家に着くと、ショパンは、彼の夫人と三人の子供との話し相手をしている最中であった。演奏の間は、ドラクロワの隣に座った。ハイドンとモーツァルトとを弾き終えたあと、ベートーヴェンの《ルドルフ》の準備をしている間に二人で少し喋《しゃべ》った。ドラクロワが、ハイドンは期待していたよりもずっと良かったと言うと、ショパンはそれに同意して、

「晩年の作品は傑作が多いよ。彼の場合は、長い年月を掛けて培《つちか》った経験が、最後にこうした完璧《かんぺき》さとなって実を結んだという感じだね。初期のものには、酷いものも随分とあるから。モーツァルトは違うよ。彼には、経験なんて必要ない。最初から、技術が彼の天性の霊感を実現し得るような恐ろしい水準にあったんだから。」と答えた。

ドラクロワは、この言葉が普段自分の考えていることと驚くほど近かったので、少し大袈裟《おおげさ》なほどに何度も頷いてみせた。

「まったくその通りだね。技術というものは、本当に莫迦《ばか》に出来ないよ。絵画でも同じさ。僕は何時もアトリエに来る若い画家達に言うんだ。自分は、百万フランに相当する巧妙さを持っているとしても、更に一スー分の巧妙さでも買い求めたい、自分は誰よりも最高の巧妙さを羨《うらや》むってね。みんな冗談のように聴いてポカンとしているけれど、僕は大真面目《おおまじめ》だよ。霊感というものは、案外誰にでもあるものだよ。けれども、それを色や形によって、或《ある》いは音によって表現する為《ため》には、特別な技術が必要な筈だからね。今

の若い人はその為の訓練を嫌がるんだ。あれは僕には、まったく理解出来ない。その癖、色んなことを知ってはいるから、口でどうにか説明しようとする。絵は決して語らず画家こそが語ろうとするんだ。そんな絵は、言ってみれば文学の下僕のようなものだよ！　だけど、今にそんな退屈な時代が来るよ。何を描いているのかさっぱり分からないような絵の横で、画家が雄弁に自作の解説をしたり、額の前に論文が置いてあって、それを読みながらでしか鑑賞出来ないような絵の展示だとか。きっと来る、そんな時代が。嘆かわしい話だけれどね。」

ショパンには、その話の内容よりも熱心に喋る彼の姿の方が面白かった。そして、あとからその意味を考えてみて、なるほどと納得して、

「そうだね。しかし、『百万フランに相当する巧妙さを持っているとしても、更に一スー分の巧妙さでも買い求めたい。』っていうのは、なかなかの名言だね。今度僕も、生徒に言って聴かせるよ。偉大なる画家の教えとしてね。」と笑ってみせた。

スクワール・ドルレアンにサンド夫人の家族が戻って来て以来、ショパンは、殆《ほとん》ど毎日彼女達と夕食をともにしていた。或《あ》る日のこと、何時も通りに五番地の家で夕食を摂《と》り、自宅に戻ったところに、フェルナン・ド・プレオーが訪ねて来た。

「やァ。昼間は悪いことをしたね。そんなところに立っていないで、暖炉の側《そば》においで

で。」

「すみません、お疲れのところを。」

「いいんだよ、気を遣わなくて。さァ、座って。それで、どうしたんだい？」

ショパンは、わざと砕けた調子で尋ねた。この時間に彼を呼んだのはショパンであった。日中、二人目のレッスンを終えて居間で寛《くつろ》いでいたところに、ひょっくりと彼が這入って来た。

「おや、珍しいね。独りかい？」

彼が話し掛けると、プレオーは、「ええ、」と顔を上げて短く返事をした。思いつめたようなその表情を見て、ショパンは咄嗟《とっさ》に悪い予感を抱いた。

数分ほど黙っていた後に、彼は、「今日も、寒いですね。」と口を開き、それから、レッスンの際の苦労話など、さして興味もなさそうな事柄を、不自然な執拗《しつよう》さで尋ね始めた。ショパンは、それを嫌がりもせず、リストに紹介されて自分に気に入られる為のありとあらゆる秘訣《ひけつ》を伝授されて訪ねて来たロシア人の弟子の話など、出来るだけ面白そうな逸話を幾つか選んで語って聴かせた。パリの音楽事情に疎《うと》いプレオーは、そうした話の面白さが今一つ分からなかったが、それでも、顔を覗《のぞ》き込まれると愉快そうに笑ってみせた。そのうちに使用人が次の生徒様がお見えになりましたと伝えに来た。ショパンは、彼が落ち着かぬ様子で、ズボンの生地を指で皺《しわ》苦茶《くちゃ》にしているのを認めた。そして、「どうかしたのかい？」と問うてみた。

フェルナンは、漸《ようや》く躊躇《ためら》いがちに、

「実は、ご相談したいことがあったんです。」と言った。

「僕はこれからレッスンがあるから、今すぐには聴いてあげられないけれど、夜だったら構わないよ。お役に立てるかどうかは保証しないけどね。」

こう言って微笑むショパンの美しさに、彼は胸を打たれた。田舎者の自分などが終《つい》ぞ知らなかった、そして、その為にソランジュが何時も引き合いに出して嘆いてみせる外でもないフレデリック・ショパンの、都会人らしい洒脱《しゃだつ》な、しかし、十分に誠意の籠《こも》ったもの言いに、劣等感を超えて憧《あこが》れに近い思いを抱いた。そして、

「ええ、それなら是非。夕食のあとにでも、もう一度お伺いします。」と椅子《いす》を立ちながら早口に返事をした。

暖炉の前に座ると、昼間の煮えきらぬ態度を反省したのと、体調の優れぬショパンにわざわざ時間を取ってもらったことへの申し訳なさとで、プレオーは思うところを落ち着いて率直に話し始めた。

「昼間は、大変失礼しました。まだ今の自分の心境をうまく説明する自信がなかったものですから。いえ、それだけではありません。そのことを口に出すのは、最愛の人に対する僕の誠実な信頼を、あなたに疑わせることになるかもしれないからです。けれども、

僕はもう我慢することが出来ません。どうか、あなたのご意見をお聴かせ下さい。……一体、ソランジュは、……僕の花嫁となるべきソランジュは、本当にこの僕のことを愛してくれているのでしょうか？」

ショパンは、予期した通りの彼の質問に一瞬言葉を発し兼ねたが、それでもすぐに敢えて意外そうな顔をしてみせて、

「どうしてそんなことを訊《き》くんだい？」と尋ね返した。

プレオーは、一度下を向いた後に、自らを鼓舞するかのように顔を上げて口を開いた。

「さア、どうしてでしょうか。自分でも、分からないのです。けれども、今の僕は自分にまったく自信が持てないのです。」

「だけど、つい二三週間前まではあんなに喜んでいたじゃないか。僕だって自分のことのように嬉《うれ》しかった。あれから何かあったのかい？」

「いえ。しかし、何もないからこそ不安なのです。そうです。あなたのおっしゃる通り、パリに来てからもう二週間以上も経《た》っています。それなのに、どうして彼女も、彼女の母親も、未《いま》だに結婚の日取りを決めようとはしてくれないのでしょうか？」

ショパンは、返答に窮した。

「僕は少々慎みを欠いているかもしれません。けれども、その話を持ち出すと、彼女達は何時も決まって、曖昧《あいまい》に返事をしたまま話を逸《そ》らしてしまうのです。一体、どういう

ことなのでしょうか？　正直なところ、僕は結婚にこれほど時間が掛かるなんて考えてもみませんでした。僕は、意気揚々と家を出て来ました。父は、息子の仕合せを信じて祝福してくれました。ああ、それがです！　結婚どころか、その予定さえ決まらぬままに帰って来たとなれば、父は僕を何と言って迎えるでしょうか？　いいえ、それでも構いません。いずれこの世界に二つとない幸福を得られるのであるならば、僕はそれさえをも甘んじて受け容《い》れます。けれども、本当に、……本当にその幸福は、僕の許《もと》へと訪れるのでしょうか？」

　フェルナンは、思わず身を乗り出してショパンの手を握った。ショパンは、彼の手の上にもう一方の自分の手を重ねて、一度しっかりと握ってやった後に、

「とにかく、落ち着いて話そうじゃないか。」と彼を椅子に戻した。フェルナンは、椅子に背を凭《もた》れると力なく深呼吸をした。

「君の心配は分かるけれど、……事はそれほど深刻なのかい？」

「ええ、恐らく。」

「何か、外にもあるのかい？」

　フェルナンは、黙ってショパンの目を見つめた。それは、無礼なほどあからさまに、その本心を見定めようとする眼差《まなざし》であった。ショパンは、そうした彼の態度に戸惑いを覚えた。

「ご存じありませんか？」

「何をだい？」

「……クレザンジェという男のことです。」

「クレザンジェ？」

「はい。彫刻家だそうです。」

「知らないな。ダヴィッド・ダンジェならよく知っているけど。」

「でも、あなたはご存じだって言っていました。」

「誰が？」

「オーギュスティーヌさんです。」


　ショパンは、思い掛けずオーギュスティーヌの名前の出たことに驚いた。そして、彼とソランジュとの間には、想像していたよりもずっと複雑な事情がありそうだということに、漸く気がつき始めた。

「君はそんなことはあり得ないと思うかもしれないが、僕は残念ながらそのクレザンジェなんて彫刻家のことは知らないよ。……ちっとも不思議じゃない。あの家族のことで、僕の知らないことなんて幾らでもあるからね。」

　ショパンは、彼の信頼を得る為に、思わずそうつけ加えた。しかし、口に出した途端、意識の外の言葉が事実を指摘する際の不躾《ぶしつけ》な遠慮のなさに不快を感じた。プレオーは、ショパンを信用して安心するとともに、彼が自分以上に事情を知らぬことに或る種の慰めを感じた。

「すみません。疑ったりした訳ではないのです、決して。」

「うん。構わないから続けて。とにかく僕はその人のことは知らないんだから。」

「はい。そのクレザンジェという彫刻家は、何でも去年、サンド夫人に《メランコリア》という彫刻を献呈したそうなのです。夫人はそれを喜んで、パリに帰った時に彼を大変丁重にもてなされたそうです。僕は当然あなたもご一緒だったのかと思っていましたが。」

「いや、僕は知らないよ。」

「そうですか。……それで、今回パリに帰って来た時、そのクレザンジェという彫刻家が、ソランジュに是非とも彫刻のモデルになって欲しいと申し出たそうで――僕には全然教えてくれませんでしたが――、先週の木曜日に、サンド夫人とモーリスさんと、それからそのお友達のランベールさんと連れ立って、彼女がアトリエにポーズを取りに行ったらしいのです。……いいえ、それだけではありません。翌日には彼からまた、今度は《フォーヌ》と題された彫刻が一体、サンド夫人に送られて来ました。僕には何が何だかさっぱり分かりません。最初は、サンド夫人の沢山いる崇拝者の一人くらいに考えていました。けれども、オーギュスティーヌさんが言うには、彼の関心は、どうやらソランジュの方にあるらしいのです。家には毎日のように花束が届けられます。彼女は、今は独りで彼のアトリエに通っています。結婚前の若い娘が、たった独りでです！」

話を聴いて、ショパンには凡《およ》その事情が把握された。そして、フェルナンの心配は、必ずしも杞憂《きゆう》であるとは言い難いように思った。パリに帰って来てから、ソランジュは、以前のようにショパンに泣きついて来ることがなくなった。再会するまでは、そうした彼女の変化に直面したならば、幾分は寂しさも覚えるであろうかなどと考えたりしていた。彼女自身に対してではない。いわばサンド夫人の家族そのものに対してである。けれども、実際にソランジュが、自分のことをもう当てにはしていない様子を見ると、ショパンは、恐れていたよりも遥《はる》かに素直にそれを喜ぶことが出来た。家族の不和は鎮《しず》められたかに見えた。子供の喧嘩《けんか》に巻き込まれてサンド夫人とつまらぬ言い争いをする必要はもうないのである。一体、それに勝ることがあるだろうか？　ただ彼女のことだけを思っていれば良い。いずれはモーリスも結婚する。そうすれば、結局残されるのは二人だけなのだ。——そんなことさえ考えた。しかし今、プレオーの話を聴きながら、彼はソランジュが自分を頼って来なくなったのは、単に味方となるべき資格を持たぬ人間に対する狡猾《こうかつ》な算段が働いたからに過ぎぬのではあるまいかという疑いの兆《きざ》すのを禁じ得なかった。祝福の言葉を述べた時から、花嫁に相応《ふさわ》しからぬ彼女の冷やかな態度は気になっていた。しかし、悪くは考えまいという意識が働いて、照れているだけなのだろうと、或《ある》いは、彼女らしく背伸びをして子供染《じ》みた喜びを表さぬようにしているのであろうと思い做《な》すことにしていた。実際に、体調の悪さも手伝ってそれ以上の余裕はなかった。しかし、そうした彼女の態度から最も自然に引き出される結論とは、要するに、彼女が既にこの結婚に興味を失いつつあるということであった。自分がその気の進まぬ結婚に対して、大いに賛意を示しているのであるならば、どうして彼女が依然として自分を頼りとすることなどあろうか？ 嘗《かつ》てモーリスに嫉妬《しっと》し、オーロールの愛情に飢えた同じ立場の人間と自分を見做していた時のように。……

それにしても、事が余りに秘密裡《り》に進み、自分独りが余りにそれに無知であることに、ショパンは当惑せざるを得なかった。彼は、今は喋《しゃべ》り終わって相手の言葉を待つばかりのフェルナンの顔に目を遣《や》った。骨張った肉の薄い頬は血の気を失って蒼白《あおじろ》く憔悴《しょうすい》したように見え、元々生え足りぬ顎《あご》の周りを覆《おお》った鬚《ひげ》がその為《ため》に一層貧相に映った。

「話はよく分かったよ。君が今喋ってくれたことについては、残念ながら僕はまったく知らなかったから、何か言ってあげることは出来ないけれど、……しかし、元気を出すことだよ。君が単に事態を悪い方にばかり考え過ぎているのかもしれない。ソランジュがたった独りでアトリエに通っているという話が事実だとすれば、それは確かに感心出来ないことだね。僕からも確認してみよう。それから、クレザンジェのことについても訊いてみよう。ただし、君にも我慢が必要だよ。事を荒立てると、あの家族の場合は決して良い方向には進まないからね。僕はソランジュは、やっぱり君のことを愛しているのだと思う。そうだとすれば、君のこうした心配は、君も最初に言った通り彼女を傷つけることにもなる。誤解されるような振る舞いをする方が悪いなんていう当たり前の道理が通じると思っては駄目だよ。理屈でやり込められると、余計に腹の立つものだからね。」

ショパンはここで一旦《いったん》言葉を切って心持ち表情を緩めてみせると、続けて言った。

「いいかい？　ソランジュは難しいところもあるけれど、とてもいい子だよ。それは、あそこの家族も同じだ。君はとにかく、許嫁《いいなずけ》として堂々と振る舞って、彼女に対しては誠実な愛情を保ち続けることだ。今はそうするより外はないよ。」

こんな言葉が慰めになるだろうかと疑いながら、ショパンは喋った。しかし、事態を分析してみたところで、彼に良いことなど一つもあるまいという気はしていた。しかし、フェルナン本人は、最初から半ばこうした忠告を受けることだけを期待していたので、ショパンの言葉を正直に受け止め、何となく心強くさえ思った。礼を言って立ち上がると、彼はショパンの手を、今度は、これがパリの有名音楽家の手なのだと改めて感動しながら握った。去り際《ぎわ》に、ショパンは軽く彼の肩を叩《たた》いた。しかし、振り返ったその笑顔のぎこちなさは、この一件の行く末を既に十分に暗示しているようで、彼の裡《うち》に一層強い憐《れん》憫《びん》を掻《か》き立てることとなった。

七

二月十日を最後に下院へと通うのを止《や》めて、自宅のアトリエで仕事をしていたドラクロワは、月が変わったのを機に、また図書室天井画の制作に戻ることを考えていた。体調は幾分ましになったとはいえ、依然として芳《かんば》しくはなく、仕事場の寒さと換気の悪さとを思うと、外出する気も自《おの》ずと殺《そ》がれた。何時《いつ》ものようにこの仕事に費やした年数を数えながら、彼は、直接天井に絵を描き始めてから、これまでに何度そこへ足を運んだだろうかと考えてみた。——十度だ。丁寧に指を折って確認した。やはり、十度であった。もう何年にも亘《わた》って、同じことを繰り返していた。根を詰めて仕事をし、体調を崩しては遠ざかり、少し間を置いてまた戻る。その一つ一つの記憶が、どれも余りに確かに、はっきりと思い返されるので、彼は、自分の感ずるこの不快がいかに根深いものであるかを改めて痛感した。仕事場に行けば、漸《ようや》く鎮《しず》まりつつある熱や咳《せき》も、またぶり返してしまうかもしれない。天井の硝子《ガラス》窓が冷たい風に音を立てる様を思い浮かべると、全身に悪寒《おかん》が走った。溜息《ためいき》一つで舞い上がる大量の埃《ほこり》を想像して、思わず咳《せ》き込みそうになる。……折角取り戻し掛けた健康を、見す見す逃してしまうことが怖かった。今体調を拗《こじ》らせれば、余計に仕事が遅れるだけだ。そう考えて家に留まろうとする自分を納得させようとした。それは、尤《もっと》もな考えであった。しかし、その怖いということですら、彼は疑わねばならなかった。結局は、怠惰に過ぎぬのではあるまいか。健康に対する不安とは、都合の良い言い訳ではないだろうか。そうした思いが、自責の念へと連なって彼を悩ませた。そして、半ば自棄《やけ》になって無理にも自らを奮い立たせると、決まってわざと到底手に負えぬほどの困難な仕事の計画を立てるのであった。

前日の晩にそうして下院へと行く決心をして目を覚ますと、折も悪くその気を挫《くじ》こうとするかのようにフレデリック・ヴィヨが訪ねて来た。ドラクロワは、躊躇《ためら》いはしたものの、丁度話したい用件もあったので、外出は午後からにして彼を部屋に通すことにした。

フレデリック・ヴィヨは、ドラクロワよりも十一歳年下の銅版画家で、彼此《かれこれ》もう二十年来の友人であった。三十代の頃、ドラクロワは、油彩の傍らで手掛けていた石版画に飽き足らず、エッチングの技法に関心を持っていたが、その時に教えを乞《こ》うたのがこのヴィヨであった。二人が特に互いの家を頻繁に往来するようになったのは、その頃からであり、以後交流を深めてゆく中で、ドラクロワは彼の肖像画を描き、ヴィヨは画家の幾つかの作品の複製を手掛けた。三年前に、あの不遇な《サルダナパールの死》を版画にしたのも彼であった。

ヴィヨは、何時ものように遠慮なく家に上がり込むと、寒いから温まらせて欲しいと言って、アトリエへは行かずに居間の方へと足を向けた。ドラクロワは、ジェニーに熱いコーヒーを入れるように頼んで、彼と向かい合った。

「何時ものこととはいえ、君の訪ねて来るのは早いね。」

「だって、朝しか捕まらないじゃないか、君は。」

「それはそうだけど。まァ、丁度好《よ》かった。君に訊《き》きたいこともあったから。先週、近所のグランジュ＝バトゥリエール街の展覧会を一緒に回った時には、ゆっくり話も出来なかったからね。」

「僕はもっと話したかったさ。それなのに、君の方がすぐに帰ってしまったんじゃないか。」

「うん、あの日は午前中オルレアン公爵《こうしゃく》夫人とサン＝ラザールの方の展覧会に行っていたから、疲れていたんだ。ほら、例の芸術家協会援助基金の設立の為の催しだよ。僕は二点出品していたんだけど、そのうちの一点は、ずっと前に公爵夫人が買い取ってくれたもので、それを今回特別に貸出してもらっていたからね。会いたいと言われれば、いやとは言えないさ。僕自身も改めてお礼は言っておきたかったしね。」

「あの人は、昔から随分と君がお気に入りだね。」

「うん、幸いね。この前も愛想が好かったよ。」

「まァ、貴重な庇護者《ひごしゃ》だから大切にすることだね。」

ヴィヨは、親しみの籠《こも》った皮肉な調子で、その「貴重な」という言葉を強調して言った。ドラクロワは苦笑いした。

「しかし、あの日の展覧会は良かったね。」

「うん。良かった。僕は久しぶりにあんなに感動したよ。」

「君は珍しく、ティッツィアーノに感心していたね。」

「《ルクレティウスとタルクイニウス》だろう？」

「ああ。」

「あれは、感心というより、……何だろう？　あの不器用さと壮麗さとの不思議な混淆《こんこう》。源は一つなんだろうけど。あれこそまさしくティッツィアーノといった作品だね。」

「僕自身も前々から妙だと感じていたことなんだけど、君なんかが、ティッツィアーノが好きじゃないなんて話を聴いたら、世間の人達はさぞかし驚くだろうね。いかにも好きそうなのに。」

「いや、嫌いという訳ではないよ、特に最近は。段々と彼の偉大さが分かるようになってきた。やっぱり、ああいう画家を真に理解する為には、時間が掛かるんだよ。人が若い頃には、ヴォルテールやラシーヌの素晴らしさが分からないのと同じようにね。その点、君のヴェネツィア派好き、ティッツィアーノ好きは年季が這入《はい》っているから、敬服に値するけど。」

「要するに、色彩ということではないのかい？」

「勿論《もちろん》、そうなんだけど、……」ドラクロワは、ヴィヨの紋切型のティッツィアーノの理解を傷つけてしまわぬようにと、注意しながら言った。「ただ、ティッツィアーノを大画家たらしめている本当の理由は、もっと別のところにあるような気がするんだ。外のヴェネツィア派の画家達とも違ってね。元々、僕がこれまで彼に比較的冷淡であり続けたのは、君にも想像のつく通り、彼が線というものをまったく理解していないと思っていたからだよ。この点については今でも不満はある。《ルクレティウスとタルクイニウス》にしたって、随分と不器用な線を描いているよ。しかしね、どうもそれが失敗しているようにも見えないんだよ。何かもっと、崇高な率直さ、単純さに手を伸ばしているような気がする。しかも、情に溺《おぼ》れることなく極めて理知的にね。」

「残念だけど、僕にはよく分からないな。」

「僕だってはっきりと理解している訳じゃない。だけど予感はあるよ。」

ヴィヨは、首を傾《かし》げてみせた。ドラクロワは、もう少し説明を試みようかとも思ったが、目の前に作品がない以上、議論が不毛な遣り取りに傾きそうな気がして諦《あきら》めた。ヴィヨは、

「特にあの日は、ラファエロの素晴らしいのが来てたからね。僕はどちらかというと、

あっちの印象の方が強かったな。」と言い足した。

「それは僕も同じだよ。あれ以来、僕はとにかく、あの《聖処女》が気になって仕方がないんだ。」

ここで、ジェニーがコーヒーを持って来たので、二人で啜《すす》った。ジェニーはそのまま、盆を膝《ひざ》に抱えて側《そば》の椅子《いす》に腰を卸した。何か口を挟もうとする訳ではなかった。ただ近くで話を聴いていたいのであった。外の家の使用人ならば先《ま》ず許されないこうした不作法も、この家では当たり前になっているので、ヴィヨも別段気にも掛けずに話を続けた。

「あれを観《み》ると、アングル派の連中が、四六時中、ラファエロ、ラファエロって言っているのも分かる気がするね。」

「うん。彼らはその優美さの百里も遠いところにさえ近づいてはいないけれどね。」

ヴィヨは笑った。ドラクロワは、これに続けて悪口が止処《とめど》もなく口を衝《つ》いて出て来そうなのを我慢して、ラファエロの話に戻った。

「とにかく、ラファエロに見出《みい》だされる美の最も特筆すべき部分が、彼の完璧《かんぺき》な線の平衡にこそ負うているのだということは疑い得ないね。僕はあの日以来、そのことを完璧に理解した。これは稀有《けう》な経験だよ。正直言って慄然《りつぜん》とさえした。しかもね、それは必ずしも素描《デッサン》の正確さということを意味してはいないんだ。自分の確立した様式と手癖とに、どうしても抗《あらが》えない彼の欲求が強いる不正確さと大胆さとは驚くべきだよ。これは、人が滅多に指摘しないことだけどね。勿論それが、アングルみたいなへんてこな歪曲《わいきょく》に陥っている訳じゃない。精妙であって、生命の息吹《いぶき》も感じさせる。まったく以《もっ》て巨匠の手並みだね。」

「それについては、僕も素直に同意するよ。」

「ああいったものが、パリにいながらにして観られるというのは実に有難い話だよ。君は、パンテオンにはもう行ったかい？」

「パンテオン？　ああ、カヴェ氏の企画した例の、……」

「ラファエロやミケランジェロの模写の展示だよ。フレスコ画のね。」

「いや、まだだよ。」

「何だい、折角この前教えてやったのに、まだ行ってないのかい？　あれも是非とも行くべきだよ。僕はもう二度も観に行った。もう一遍行こうとも思っている。それでも足りないから、直接カヴェに感謝の手紙を書いたくらいさ。ああいう仕事は、誰にでも出来るように見えて、案外難しいものだよ。それに、なかなか評価されないからね。ローマ賞を貰《もら》ってイタリアに行っていたような連中は、模写と聞くとすぐ莫迦《ばか》にしたがるだろう？『私はもう、イタリアにいる間に、本物を飽きるほど観て来ましたよ！』なんてね。まったく鼻持ちならない輩《やから》だよ。」

「うん。……」と微笑《ほほえ》んで、ヴィヨは曖昧《あいまい》に返事をした。「……そうだね。」

彼は、折りに触れてドラクロワの口から漏れるこうした言葉に、彼らしからぬ卑屈さの響きを聴き取って、常々気の毒に思っていた。ゲランのアトリエの儕輩《せいはい》達が、次々とローマ賞を獲得してゆく中で、独りドラクロワのみがその選抜試験を受けることだにしなかった。そして、この歳《とし》になるまで終《つい》にイタリアの地を踏まなかった。若い頃は、互いに気軽にそうした話題を語り合って、ヴィヨも何度か、どうして試験を受けなかったのかと尋ねてみたこともあった。ドラクロワは、その度に、「とにかく早く官展《サロン》に出品したかったから」だとか、「イタリアに行って贅沢三昧《ぜいたくざんまい》して来るよりも、パリにいた方がよく勉強出来そうな気がしていたから」だとか、色々な理由を挙げて説明をした。時には、「フランスを離れたくなかったからさ。」などと笑って言うこともあった。それらの返答は、どれも少しずつ真実のようであった。ヴィヨは、そうした説明に呆《あき》れながら、それでも、「君も早く、本物のミケランジェロを観ることだよ。」と冗談のように忠告をした。それは、ヴィヨばかりではなく、彼の親しい友人の誰もが思っていたことであった。

新古典派の画家や口賢《くちさか》しい批評家などは――そして時には、少しは絵が分かると自負をする一般の愛好家までもが――、「ウージェーヌ・ドラクロワも、本物のラファエロを観たことがあれば、とてもあんな乱暴な酔払って箒《ほうき》の先に絵具をつけて塗りたくったような線なんか描く筈《はず》がありませんよ。彼を改革者などといって持ち上げる世間の軽薄な風潮には辟易《へきえき》しますな。あれこそは、まったく愚かな無知の産物ですよ。壮大な、などとも言われますが、システィナ礼拝堂のミケランジェロを観たあとでは、それこそ風刺画程度の壮大さです。」と嘲笑《ちょうしょう》混りに彼を罵《ののし》っていた。それが、彼の才能を知る者にとっては何とも歯痒《はがゆ》かった。ヴィヨにしたところで、実際に、外のどの画家と会ってラファエロやミケランジェロの話をする時よりも、彼と喋《しゃべ》っている時の方が遥《はる》かに興味深く独創的な意見を聴くことが出来た。しかしそれは、他方で、戸惑いにも似た複雑な思いを伴わずにはいなかった。彼が、そうした卓越した分析を何処《どこ》から引き出しているかといえば、結局、勤勉に収集された誰が模写したのかも分からぬような片々たる複製画の束に過ぎなかったからである。

『今感心してみせたようなラファエロの線にしたって、イタリアに行っていれば、二十代の頃にとっくに気づいていた筈のことじゃないか。……』

ヴィヨは、たった今もそんなことを考えていた。彼には、ドラクロワの言いたかったラファエロの線の意外な不正確さという問題は殆《ほとん》ど理解されなかったので、同意はしたものの、その主張に新鮮さは感じなかった。

ヴィヨは、自分はもっと熱心に、この才能のある画家にイタリア行きを勧めるべきではなかったろうかと考えてみた。そのうち行く気になるだろうと思っていたドラクロワが、何時《いつ》まで経《た》っても腰を上げぬことが、彼には不思議でならなかった。しかも、外の場所には随分と身軽に出向いて行った。イギリスへ渡ってはコンスタブルやボニントン、ターナーらの価値を再発見し、フランドルに出掛けてはルーベンスを研究し、果てはモロッコにまで赴いて閉鎖的な画壇に題材と色彩との新しい領域を切り開いた。何故《なぜ》イタリアにだけは行こうとしないのであろう？　そんな疑問を抱きながら、ある時ヴィヨは、それは恐れからではあるまいかと考えるようになった。もしイタリアに行って、自分がこれまで否定してきたアングル達の主張が、まったく正当であったと気づいたならば彼はどうするだろうか？　画家を志し、僅《わず》かに数年絵を描いてきたに過ぎぬ画学生とはもう訳が違う。自分が二十年以上にも亘《わた》って信じて続けてきたことが、まったく無意味であったと悟ったとすれば、一体どうするだろう？　それを恐れているのではあるまいか？――そんなことを思って以来、ヴィヨは、彼の前でイタリア行きについて話題にすることが憚《はばか》られるようになった。そして、彼の体調が近頃ますます悪くなって、「もう僕には、長旅は難しいかもしれないな。」などと気弱なことを言うのを聴くと、それがどうにも残念に思われてならないのであった。

ヴィヨは、先ほどの返事のあとに、やや間を置いてから、

「しかし、我が国の画壇で、最も深くミケランジェロを愛し、理解した画家が、実は一度も本物を観たことがなかったなんていう話は、後の世の人が聞けばやっぱり奇異なことと思うだろうね。」と少し軽い調子で言った。

ドラクロワは、冗談のつもりだろうとは思ったが、憮然《ぶぜん》として、

「勿論僕は、複製しか観たことはないけれども、随分と熱心に研究したさ。」と言った。

ヴィヨは黙ってしまった。ドラクロワは、自分の言葉が帯びた不用意な強い調子を後悔して、すぐに語を継いだ。

「まァ、それにしても、僕は最近、いよいよ自分の趣味が分からなくなってきたよ。つい先日、弟子のグルニエが来て、僕のあの不出来な《マルクス・アウレリウスの死》を手本にパステルの習作をしていったんだけど、その時にも、モーツァルトとベートーヴェンとの比較の話になってね。彼は、ベートーヴェンの音楽は、モーツァルトの完璧さが終に知らなかったような人間憎悪《ぞうお》と絶望との熱気を、我々の精神の地平に初めて切り開いたって言うんだ。それは、新しい表現だという意味で、誉《ほ》めて言っているんだけれど。」

「世間での君の評価というのは、要するに、そういうことじゃないのかい？」

「まァ、グルニエはそう言うんだ。お世辞半分だろうけれど。ベートーヴェンとシェイクスピアとの近さを語ったあとに、あなたの芸術もまさしくそうですってね。近代芸術は、是非はともかく、一応ロマン主義という名の下に呼ばれている或《あ》る種の表現へと方向転換した訳だけど、ベートーヴェンの音楽には、そうした現代性がよくあらわれていると思うんだ。尤《もっと》も、《ドン・ジュアン》なんてのは本当にロマン主義的だけどね。」

うだね。」

「それを聴くと、君はまったくロマン主義に嫌気が差してしまったという訳でもなさそうだね。」

「うん。僕は結局、ロマン主義というよりも、ロマン主義者と呼ばれている連中が嫌いなんだよ。」

「ユーゴーだとかね。」

「ああ、最悪だね。」

二人とも、愉快に笑った。

「といって、以前ほど、バイロンなんかにも、夢中になることはなくなったんだろう？」

「そうなんだ。僕が言いたかったのは、そこさ。二十歳の頃は、それこそバイロンだとか、ベートーヴェンだとか、ミケランジェロなんかに、完全に入れ上げていたんだけれど、最近は、段々とラシーヌやモーツァルトなんかの方に魅力を感じるようになってきてね。不思議だね。」

ドラクロワは、先ほど無言で席を立ったジェニーがまた戻って来たのを見ると、コーヒーカップを渡して、二人でアトリエに行くことを告げた。

「ちょっと、向こうへ行かないかい？」

「ああ、いいよ。しかし、寒そうだね。」

「そんなに長くはいないよ。火も入れるから。」

　居間を出てアトリエへと向かう途中で、ヴィヨは思い出したかのようにドラクロワに尋ねた。

「そういえば君、会った時に尋ねたいことがあるって言っていたけど、何だい？」

「そうだ、忘れるところだった。君、オーギュスト・クレザンジェっていう彫刻家を知っているかい？」

「ああ、知っているよ。」

「どんな男だい？」

「さァ、どうかな。いい噂《うわさ》は聞かないね。少なくとも、君とは肌が合わないんじゃないかな。でも、どうしてそんなこと訊《き》くんだい？」

　アトリエに這入ってストーヴに火をつけながら、ドラクロワは答えた。

「うん、サンド夫人にこの前会った時に色々と訊かれてね。僕はよく知らなかったから、何とも答えようがなかったけど。でも、彼女は、《フォーヌ》っていう題の彫像を贈られたって、随分と喜んでいたよ。」

「《フォーヌ》？」

　ストーヴの側で、余所見《よそみ》をしながら聴いていたヴィヨが、失笑して振り返った。

「別に大したことじゃないさ。あれは、去年の官展《サロン》でも最後まで買い手がつかずに残っていたから。それであげたんだろう。しかし、どうして彼とサンド夫人とが関係あるんだい？　ひょっとして、そろそろショパンにも飽きてきたのかい？」

「まさか。」ドラクロワは、戸惑いがちに言った。「どちらかというと、娘の方に関心があるみたいだよ。最近は、官展《サロン》に出品する為《ため》の胸像のモデルにって懇願されて、毎日彼のアトリエに通わされているみたいだから。尤も、彼女には婚約者がいるけれど。」

「それは、危険だなァ。いや、さっきは、君と彼とがどういう関係なのかが分からなかったから、遠慮して言わなかったけど、とにかく、クレザンジェっていうのは評判の悪い男だよ。大酒飲みの博打《ばくち》好きらしくてね。一時イタリアに留学してたってことになっているけど、あれだって、借金で首が回らなくなって身を隠していたっていう専《もっぱ》らの噂だからね。情婦なんかも何人もいて、中には妊娠してたのもいたらしいよ。しかもね、彼女達を拳骨《げんこつ》でぶん殴ったりするっていうんだから。」

ドラクロワは、話の酷《ひど》さに思わず吹き出しそうになった。

「何だい、そりゃ？　目茶苦茶じゃないか。」

「そうだよ。君の一番嫌いそうな放蕩《ほうとう》な芸術家の典型だよ。しかし、困ったことに、これが意外と才能はあるんだよ。」

「そうだね。サンド夫人の家にあったのも、悪くはなかったよ。」

彼は呆れ気味にそう言って、彼女に報告することを考えた。そして、やれやれと頭を抱えた。

　ヴィヨは、ストーヴがなかなか温かくならないことに業《ごう》を煮やして、アトリエの中を歩き始めた。それを見てドラクロワは、彼を一枚の絵の前に呼び寄せた。

「ここのところ、ずっとこれに掛りきりだったんだ。」

「ピエタかい？」

「うん。懲《こ》りもせずね。」と彼は、サン＝ドニ＝デュ＝サン＝サクルマン教会の為に以前に描いたピエタが、散々酷評されたことを思い出しながら言った。「キリストの埋葬の場面だよ。やっと昨日、下描き《エボーシュ》を終えたところだけどね。」

「いいね。この段階で、既に傑作の予感がするよ。」

「有難う。でも、それは重要な問題なんだよ。最近僕は、そのことばかりを考えていたんだ。君のお世辞を真に受けて言う訳じゃないが、僕は多くの場合、下描き《エボーシュ》には満足する。そこから、完成した絵を想像することは、画家にだけ許された実に愉《たの》しい仕事さ。ところが、いざ制作に掛かると、必ず惨《みじ》めな失望を味わうんだ。この極めて単純な集塊《マッス》の成果であるところの全体の統一感を、細部を描き加えてゆく時にどうやって保つか。問題はそこなんだよ。制作を進めてゆく中で、下描き《エボーシュ》の段階で肉薄していた筈の真理と単純さとから、どんどんと遠ざかっていってしまうのは、本当に辛《つら》いことだよ。」

「よく分からないな。……つまり、下描き《エボーシュ》の段階で細部まで少し細かく描き込んでおいて、あとは出来るだけ触れないようにするってことかい？」

ヴィヨはそう尋ねながら、言っている言葉の意味が自分でも分からなかった。ドラクロワは、もどかしそうに言った。

「いや、違うよ。下描き《エボーシュ》の段階では、細部の単純さは無理にでも保っておくべきだよ。特に背景は、是非とも必要な色調《トン》と効果とだけを置くようにしなければならない。そうすれば、あとで人物群像を仕上げた時に、最低限必要なものだけを描けば良いからね。実際、この岩の部分の下描き《エボーシュ》は、まったく単純なままにしてある。」と、カンヴァスを指差した。

「こっちは、焦《こ》げ茶と白とが混ぜてあるんだね。こっちは、黒と、……何だい？」

「ネープルス・イエローさ。それに、全体に適当にテル・ヴェルトが混ぜてある。」ドラクロワは、話の腰を折られるのが面白くなくて、早口で答えた。そして、ヴィヨが、「ああ、テル・ヴェルトか。」と言い終りもせぬうちから話を続けた。「一般に細部から出発してそれらを一つ一つ念入りに仕上げていくやり方では、下描き《エボーシュ》の段階の単純で生々とした印象がどうしても損なわれてしまうんだ。多くの画家がそういう方法で絵を描いているし、僕も昔はそうだった。だけど、今は違う。今は、下描き《エボーシュ》が或る程度満足のゆく段階にくれれば、寧《むし》ろ全体としてはそれ以上進まないようにして、部分々々に手を着けるべきだと思っているんだ。」

「どうも、やっぱり分からないな。君の言うその部分々々に手を着けるというのと、細部を一つ一つ仕上げてゆくというのとは、どう違うんだい？」

「いいかい？　まず、下描き《エボーシュ》が一定の段階に来たあとにも、依然として同様の方法で進めていくならば――つまり出来ることといえば、少しずつ細部を加えていくことなんだが――、集塊《マッス》はその細部に押し潰《つぶ》されてしまって、最初に見《み》出《い》だされたあの単純さ、雄大さの印象を失ってしまうんだ。それればかりじゃない。これは効率の問題でもあると思う。というのはね、そうした方法でやっていくと、段々とその細部に目が慣れてきて、何時まで経っても絵が完成したように見えなくなるんだ。それで、ゴチャゴチャと余計な手を加えることになって、ますます酷くなる。それは避けたい。部分々々に手を着けるといっても、単純さを保つ努力は依然として必要だよ。例えば集塊《マッス》の中で或る人物を特に先に完成させたいと思う時でも、それがまだ下描き《エボーシュ》の段階に止《とど》まっている隣の人物と、余り酷く角を突き合わさないように注意しなければならない。一人物だけを突出して完成させてしまうと、その不調和を解消しようとして、周囲の人物までもがそれに引き摺《ず》られるかたちで不必要な細部を要求するようになる。それは、くどいようだけど、集塊《マッス》全体の単純さを損なってしまうことになるんだ。この集塊《マッス》の中の人物相互の関係について言える事柄は、さっきも少し話したけど、集塊《マッス》と背景との関係についても言えるんだ。背景の細部を密に描き過ぎると、集塊《マッス》がそれに追いつこうとして同じように不必要な細部を要求してしまうからね。——とにかく、画家に求められるのは、描き過ぎないという勇気だよ。これはいわば逆説だけどね。真理に近づこうとする時、多くの画家達は、余りにも細部を忠実に描き過ぎるんだ。その結果、却《かえ》って真理からは遠ざかってしまう。僕の絵を見て細部の不足を指摘する人がいるけれど、それは敢《あ》えてしていることだ。不足を指摘する場合には、必ず、ではそれを描き込めばどうなるかということを考えてみなくてはならない。そうして初めて、それが余計であると気がつくものさ。ヴェロネーゼやルーベンスには、こうした魅力的な細部の無視があるよ。」

「……うん。」

そう頷《うなず》いたきり、ヴィヨは、暫《しばら》く黙ってカンヴァスを見つめていた。ドラクロワは、自分の最近の思索の成果を誰かに話したくてずっとうずうずしていたが、折角その機を得たのに、肝心のヴィヨがちっともこの問題に熱心な興味を示してくれないので、がっかりした。分からないのだろうか？　そして、何となく虚《むな》しくなって、続けて話そうと思っていた芝居の書割の単純さについての議論を、別の誰かとする為に引っ込めた。ヴィヨは、急に喋《しゃべ》るのを止《や》めてしまった彼の方を徐《おもむろ》に顧た。そして、何か言い出そうとした時に、ジェニーが這入って来て、

「あの、今日は、下院の方へ行かれるご予定じゃございませんでしたでしょうか？」と声を掛けた。

彼女は、長尻《ながじり》のヴィヨの為に主人が仕事の邪魔をされて困っているのではと勘繰って、わざわざ乗り込んで来たのであった。ドラクロワは、彼女の機転に感謝した。実際に彼は、話の途中から、自説の正しさを再確認してすぐにでも仕事を始めたい気分になっていた。

「ああ、そうだよ。」と懐中時計を取り出すと、ドラクロワは、「もうこんな時間か。」と独り言《ご》ちてみせ、ジェニーにストーヴの火を消しておくように頼んだ。

彼女は、やや得意気に、

「はい、かしこまりました。」と返事をした。

ヴィヨは、ジェニーの不躾《ぶしつけ》さには幾分腹も立ったが、ドラクロワとはもう少し話がしたかったので、居間に戻ってからも椅子《いす》に座って喋り始めた。ドラクロワは、こんな仕打ちを受けながらも、彼が一向に帰ろうとする素振りを見せぬことに驚いた。が、今し方、嫌味のように時計を見る仕草をしたばかりだったので、諦《あきら》めてもう一時つき合うことにした。彼は、余り長くならないようにと考えて、昨日フォルジェ男爵《だんしやく》夫人とベッリーニの《清教徒》を聴きに行った話をした。そして、その序《つい》でに、先ほど喋るのを止めた芝居の書割についての話を口にしそうになったところへ、丁度《ルヴュ・デ・ドゥ・モンド》誌のジェフロワが訪ねて来た。ドラクロワは、近頃倒産した《エポック》誌で、何時《いつ》も好意的な記事を書いてくれていた画家兼評論家のアルヌーが、職を失って困っているというので、友人のフランソワ・ビュローズに紹介状を書いてやり、彼の官展評《サロン》の掲載を頼んでおいたのであった。

ドラクロワは、うっかり長話を切り出しそうになったのを既に踏み止《すんで》まって、これを好《よ》いきっかけだと思ってジェニーに彼を通すように言った。居間に這入って来たジェフロワは、

「例のアルヌーさんの件で、ビュローズの代理として伺ったんですが、……」と言って、ちらとヴィヨの方を見た。

そして、話を続けて良いものかどうかと思い迷いながら、それを確かめるようにドラクロワの様子を窺《うかが》った。彼も、それを受けて黙ってヴィヨの方を見た。ヴィヨは、

「どうぞ、僕は気になりませんから。」と椅子に座ったまま、平然とジェフロワに言った。

ドラクロワは、彼が当然席を立つものとばかり思っていたので、今度もまた驚いた。そして、その厚かましさに苦笑混りに感服した。――

ヴィヨは結局、ジェフロワの帰ったあとにドラクロワと一緒に家を出た。思い掛けず彼の同席していた為に、ジェフロワは少し言い難《にく》そうにビュローズの断りの返事を伝えた。ドラクロワは、歩きながら明日訪ねて来る予定のアルヌーに何と言おうかと頭を悩ませていた。

「仕方ないじゃないか。君が気にする必要はないよ。」

ヴィヨはそう言って彼を慰めると途中で別れた。ドラクロワは、自分の為に彼を追い出そうとあの手この手を使うジェニーと、それにまったく動じない彼との遣《や》り取りを思い返して、愉快な気分になった。そして、その愉快さの引くのが怖かった。

創作の時間が奪われることへの苛立《いらだ》ちは、今日は幾らかましな気がした。けれども、仕事場へと近づくほどに、段々と何時もの不安が昂《たか》まって来て、午前中をそっくり無駄に過ごしたことに後悔を感じた。

感情のこうした急変は、何時でも彼を悩ませた。人と会うと、それがどれほど愉しい時間であっても、あとで必ず理由の分からぬ胸騒ぎを感じた。率直に自分の思いを語り過ぎたことが心配されるのかもしれない。その語り過ぎた事柄が、結局殆《ほとん》ど理解されなかったことに、孤独を感じているのかもしれない。或《あるい》いは、失われた時間が惜しいのかもしれない。その時間に筆を執っていれば、どれほど仕事が進んだことであろうかと。

──彼は、それは皆ヴィヨのせいだと思った。そして、そう考える自分に言いしれぬ違和感を感じた。確かに、帰らなかったのはヴィヨであった。しかし、自分もまた、恐らくは意識の届かぬところで彼を引き止めたいと思っていた。昨日今日のつき合いではない。一言、仕事に出掛けるからと言えば済むことの筈《はず》であった。遠慮したのだろうか？それもないとは言えまい。しかし、それだけだとは思えなかった。

ヴィヨの前で、「さァ、どうぞ。」とわざとのようにジェニーの渡してくれた馬車代の三十サンチームを、その時からずっと手の中に握り締めたまま、ドラクロワは、乗合馬車《オムニビュス》の停留所を素通りして、下院まで歩いていた。マドレーヌ寺院の辺りに差し掛かって、遠くからコリント式の柱頭が目に這入《はい》ると、その時代錯誤の様式を今更のように嘆かわしく思った。

『……それはやはり、単なる怠惰に過ぎぬのであろうか？……』

先ほどの思索に続けて、彼はこう自問してみた。仕事に掛かろうとする自分を何時も引き止めるこの不快。そうした時には、壁画の制作現場のみならず、自宅のアトリエでさえもが無限に遠く感ぜられた。創作に向かうことを妨げるこの何ものかが、生まれついての怠惰に過ぎぬのだとするならば、自分という人間は、たったそれほどのこと一つを何十年にも亘《わた》って克服出来ずにいる呆《あき》れた莫迦者《ばかもの》だということになる。そうかもしれない。仕事をせずにのんきな会話を愉しんでいたい。暖炉の側《そば》で、一日が暮れるまで《モンテ・クリスト伯爵》を読んでいたい。それを中断されることが嫌で不快なのかもしれない。しかし、本当にそうであろうか？――仕事に対する畏《おそ》れにも似たこの不快は、単に厭《いと》うべき何ものかと向き合う時に起こるあの怠惰の衝動とも違うような気がした。創作の苦悩は勿論《もちろん》ある。しかし、その喜びを誰よりも深く知っているのは自分自身である。仕事をしたい。したくて仕方がない。それを妨げるものがあるとするならば、一体何だろうか？　彼は今し方、会話やデュマを中断されることが嫌なのだと考えた。案外、それが真実に迫っているように感じた。こうは考えられぬものであろうか？　創作を厭う訳ではない、ただ娯楽の誘惑に耐え得ぬのだと。いや、——と径《ただ》ちに打消した、——違う、それならば、自分は創作よりも日常のつまらぬ娯楽の方を喜ぶのだということになる。そうではないのか？　もっと正直になれ。そうではないのか？……分からなかった。しかし、違う気はした。自分がともすれば、無闇《むやみ》に世間に対して猜疑心《さいぎしん》を持ち、独善的で誇大な妄想で分別を失っただけの何処《どこ》にでもいるようなくだらない人間に過ぎぬのかもしれないという、あのしばしば沸き起こっては彼を嘖《さいな》む恐ろしい疑念から、唯一《ゆいいつ》救い出してくれるものがあるとするならば、それこそは外でもなく創作の喜びであった。日常の娯楽とは、彼にますますそうした不安を募らせるばかりであった。その娯楽を、どうして創作に先んじて選ばねばならないであろうか？……もう一度考えようと、彼はまた自問した。不快は、中断されることに由来しているのだ。何をだろう？　一つ一つの娯楽は恐らく問題ではない。アトリエが遠くに感ぜられるという感覚。居間を離れ難いというあの感覚。場所の問題であろうか？　違う。それは正確ではない。日常の生活から、引き剝《は》がされるような苦痛。その時間を中断されたくないという思い。そして、創作の時間に這入ることへのあの躊躇《ためら》い。——創作の時間に這入ること。それは、何を意味しているのだろうか？　それこそは、自分を真に喜びへと導いてくれる筈ではないのか？……

下院に着いてから思索が混濁してくると、彼の胸の裡《うち》にはまた別の不快が生じて来た。その正体は分かっていた。久しく遠ざかっていた作品と、取り分け長い年月を掛けて制作された作品と、改めて向き合う際に感ずる不安、その不出来に幻滅するかもしれぬという不安であった。

中央の入口から図書室に足を踏み入れると、彼は躊躇いがちに天井を見上げた。そして、今し方の不安が、感激にも似た充実した満足感によって徐々に払われてゆくのを独り静かに感じた。

「……悪くないな。」——そう敢えて声に出して言った。弟子達には連絡していなかった為《ため》に、図書室には誰もいなかった。机を避《よ》けながら、上を向いたまま縦長の図書室を一周して、パンダンティフの絵を一つ一つ確認していった。そして最後に、制作途中の《ギリシアに文明を齎《もたら》すオルフェウス》の描かれた南側の半円蓋《はんえんがい》の前に足を止めた。

足場が邪魔して、全体が見辛《みづら》かったので、近づいたあとにまた少し後ろに下がった。左前方の大地に横たわる赤ん坊を見て、最後にここを訪れて、それに手を着けた二月十日のことを思い出した。記憶が、前日サンド夫人と会って雑談をしたこと、その数日前には訪ねて来た知人の子供達がアトリエを荒らし回って手を焼いたことなどに、無秩序に流れて行きそうになった。それを押し止めながら、どうにか意識を画面の上に保つと、

彼はもう一度、

「悪くないな。」と独り言《ご》ちた。

そして、外套《がいとう》を脱ぎ、道具箱を担《かつ》ぐと、早速足場に昇って制作を始めた。

その日は、日暮れまで殆ど休憩を取らずに仕事に没頭した。別《わ》けても熱心に、最初に確認した《ギリシアに文明を齎すオルフェウス》に取り組んだ。

絵筆を執って暫くの間は、時々息を吐き掛けて、悴《かじか》む指先をほぐさねばならなかった。しかし、じきにそれも忘れてしまって、腕を動かしていること自体を意識しなくなっていた。集中すると何時もそうであるように、手は目と直結し、からだの一部分であることを止めていた。器官と器官とを隔てる距離がなくなって、各々《おのおの》が肉に繋《つな》がれる必要なく連続して一つになっていた。身体のそれぞれの場所が、一つの器官でありながら同時に全身であった。全身でありながら、猶《なお》生々とした個々の器官であった。掌中の絵筆は、道具としての違和感を喪失していた。何かを持っているということが意識に上らなかった。それはいわば、一つの鍵《かぎ》であった。彼に対して差し込まれ、外界に対しても差し込まれた双頭の鍵であった。二つの扉が同時に開かれた。筆先は、建物そのものを彼に無限に近づけた。近づけつつ彼と対峙《たいじ》させた。その大きさが、彼を高揚させた。手を伸ばし、向かい合うことによって、彼自身もそれに見合う大きさへと広がってゆくようであった。壁面を走る筆の硬質な感触は、物質としての具体的な摩擦の圧力と溶け合った或《あ》る抽象的な抵抗を感じさせた。岸から手繰り寄せる纜《ともづな》が、迫り来る船の重みを伝えながら、更に重く広大な海の存在を響かせるように、手応《てごた》えは常に実感され、確かめられる成果の裡に、茫漠《ぼうばく》たる不確かな達成の予感を忍ばせていた。パレットの上の几帳面《きちょうめん》な整頓《せいとん》から、色価《ヴァルール》についての殆ど科学的なまでに厳格な配慮に至るまで、最も即物的な技法上の問題が、最も非即物的な技法上の問題と結び合っていた。想像された世界を、画面の上に定着させる為のあらゆる種類の困難が、崇高な存在の自ら滅ぶべき物質の上に顕現する為の途方もない苦悩であるかのようであった。

天井の硝子《ガラス》窓からは日の光が差し込み、それが雲に遮られて滞る度に、壁面を覆《おお》う蒼空《あおぞら》までもが暗く翳《かげ》って、恰《あたか》も同じ一つの太陽を共有しているかのようであった。自然の空は、密《ひそ》やかに手を伸ばして、半円蓋の空をも呑《の》み込みたがった。しかし、まだ下描き《エボーシュ》でしかない描かれた空の鮮やかな色彩は、既にしてそれを峻拒《しゅんきょ》していた。絵の中には、永遠に曇らぬもう一つの太陽があった。昇らず、沈まず、ただ燦々《さんさん》と静かに輝き続ける太陽があった。絵筆はその絶え間ない光にたっぷりと浸されながら、画中の人物を明るくなぞっていった。

大地に横たわる赤ん坊に立ち返ると、彼は、先日ヴィヨと見た《聖処女》の細密画《ミニアテュール》のように繊細な筆触《トウッシュ》のことを思い出した。そして、実際に制作に当たりながら、改めてそれに感心して、自ら意識してその筆遣いに倣《なら》った。

『あれだって、ルーペで見て初めて分かるほどの細かな筆触《トウッシュ》だったからな。こんな天井画などでやってみたところで、誰も気がつきさえしないだろう。』

そう考えると、残念に思うよりも、人の意表を突いて、最も目につきそうな場所に誰にも知られず財宝を隠している大富豪のような密やかな満足を覚えた。そして、そうして試みた筆触《トウッシュ》の存外うまくいっていることに嬉《うれ》しくなった。

『ヴァンロー風の無遠慮で尊大な筆遣いでは、なかなかこうはいくまい。こうした様式の貴ばれるべき絵にあっては、あれはまったく不都合だ。……そういえば、ルーヴルにあったコレッジオのグワッシュの大作も、こんな筆触《トウッシュ》を用いていたな。あれも、確認しておかないと。……』

数時間仕事を続けた後、日の落ちて辺りが暗くなり始めた頃に、彼は切りをつけて足場を降りた。来た時と同じように、少し下がって全体を見渡した。ヴィヨに話しても、まるっきり理解されなかった色調《トン》と集塊《マッス》とのみからなる下描き《エボーシュ》の期待通りの出来栄《できば》えに震えるような昂奮《こうふん》を味わった。

『この下描き《エボーシュ》に表れた偉大さと単純さとの趣はどうだ！　特に、頭部のように肉づけのあるかなしかの部分には実に有効だ。色調《トン》さえ正しければ、線など自《おの》ずと引けるものだ。……うん、悪くない。……悪くないな。……弟子には、もう触れさせぬことにしよう。ラサル＝ボルドはよくやってくれたが、あとは独りで十分だ。……』

図書室をあとにして、係りの者に今日の仕事を終えたことを告げると、外套の前をしっかりと合わせて外に出た。疲れていたので、乗合馬車《オムニビュス》で帰ろうと思った。そして、ふと思い出して隠しに手を突っ込むと、昼間ジェニーから渡された三十サンチームが裸のまま冷たくなって残っていた。

家に着くと、その彼女が、彼の外出したあとにルブロンとナルシス・ヴィエイヤールとが交互に訪ねて来たことを伝えた。ジェニーは、

「まったく、ヴィヨさんの長尻《ながじり》にも困ったものでございます。あのままずっといらしたら、今日は午後も、全然お仕事にならなかったと思います。」と彼の帰って来るのを待ち構えていたかのように言った。

「まァ、彼も悪気があってのことじゃないから。ところで、ルブロンはずっと寝込んでいた筈だけど、どんな様子だったかい？」

「ええ、お見舞いのお礼にと言われて、わざわざいらっしゃいましたようですけど、まだ何だかフラフラしておいでででしたよ。それから、ヴィエイヤールさんもお元気のないご様子で。」

「彼は何時《いつ》もさ。体調が良くても悪くてもね。何だか打沈んだような深刻な調子で、『人間は不安の痙攣《けいれん》の中か、さもなければ、倦怠《けんたい》の深い眠りの中に生きて、日を過ごすように生まれて来たんだ』なんて、《カンディード》の中のマルティンの言葉を唱えて

いるよ。——しかし、二人には悪いことをしたな。これからちょっと行ってみよう。」

「これからですか？」

「うん。」

「いけませんわ、お疲れなのに。おからだに障《さわ》りますよ。」

そう言われると、彼も躊躇った。病み上がりに訪ねて来てくれたルブロンには一目会っておきたかった。疲労は我慢出来そうだった。しかし、ジェニーの寂しそうな様子は気になった。

「うん、……それなら、ヴィエイヤールのところには、また今度訪ねて行くことにしよう。ルブロンのところにだけ行ってくるよ。大丈夫だよ、すぐに帰って来るから。食事も準備しておいてくれるかい？　僕も今日は、いい加減にボルドーのロシェ氏に、兄のお墓のことでお礼の手紙を書かなければならないし、画商のアロ夫人にも、ロシェ夫婦にプレゼントする絵を送ってもらうようにお願いする手紙を書かなければならないから。」

「それなら、余り遅くなりませんように。沢山着てらっしゃらないと駄目ですわ。またお風邪を引かれると困りますから。」

「うん、分かっているよ。」

ドラクロワは、親が子供を諭すような、それでいて子供が親に向かって言うような口調で、そう返事をして出掛けて行った。

八

二月の末に、フェルナン・ド・プレオーから相談を受けて以来、ショパンは日々頭を悩ませ続けていた。サンド夫人の家族は、帰郷したこの哀れな婚約者のことについて頓《ひたす》ら口を緘《かん》していた。彼も自ら進んではその話題に触れなかった。互いの思惑は、嗅《か》ぎ分けられぬ臭気のように、微《かす》かに漂って相手を刺激した。ショパンは、数えきれぬほどの仮定を準備して彼女らの心中を推し量った。家族の中の誰がこのことを知っているのだろう？　オーギュスティーヌは知っている。ということは、モーリスもだ。オーロールは知っているのだろうか？　知らないとすれば、何と言うべきであろう？　知っているならば、どう考えているのだろう？　そもそも、どの程度？　誰から聞いて？――それは重要であった。モーリスからか？　オーギュスティーヌからか？　ソランジュ自身からか？　僕が知っていることに、気づいているのだろうか？　気づいているとして、何処まで知っていると思っているのだろう？　僕が、どう考えていると思っているのだろうか？　気づいていないとするならば？　僕に何時どんな風に言うつもりなのだろう？　何時かは教えてくれるつもりなのだろうか？　クレザンジェとかいう彫刻家のことは、どう思っているのだろう？　あの気の毒なフェルナンのことは？　二人の結婚は可能なのだろうか？　ソランジュにはまだその意思があるのだろうか？……考え始めると、頭が割れそうであった。彼には、プレオーの為にいかに事態を好転させるかと案を講ずる余裕がなかった。この問題に対して、自分はどう振る舞うべきか。何よりもその態度を決め兼ねていた。決まらぬ限りは、先へ進めなかった。話し合おうにも、最初の一声が出なかった。

パリでの生活は一応の平穏を保っていた。それがショパンには何にも替え難いことのように感ぜられていた。啀《いが》み合いに巻き込まれることは、もう沢山であった。少しぎくしゃくはしていても、怒鳴り合うよりはましであった。問題がすべて解決したなどとは思っていない。ノアンの館《やかた》という狭い箱に閉じ込められていた様々な憤懣《ふんまん》が、パリの悪臭に紛れて分からなくなっただけだという気もした。ノアンという場所は、都市で暮らす者が立ち帰って生活するには、美し過ぎるのかもしれない。美し過ぎて、人の些細《ささい》な醜さが際立《きわだ》ってしまうのかもしれない。実際、何が解決したというのだろう？――それでも構わなかった。なるほど、何一つ解決してはいないかもしれない。しかし、これから解決を見ぬとも限らなかった。解決の見込みがあるのならば、その過程は、是非とも静けさの下にこそ置かれるべきであった。

プレオーに対する同情に変わりはなかった。ショパンは、友人のエマニュエル・アラゴを呼んで、内密にクレザンジェの評判を尋ねていたが、答えは予想通り芳《かんば》しいものではなかった。アラゴは、弁護士らしい几帳面さと注意深さとで、日を改めて、彫刻家の出身から最近の噂話《うわさばなし》に至るまでを逐一報告した。出生地はブザンソンであること、彼の父親も同じく彫刻家であったこと、一頃胸甲騎兵隊に入隊していたこと、前年の官展《サロン》で好評を博したこと、借金のあること、女癖の悪いこと、大酒飲みであること、博打《ばくち》をすること、傲慢《ごうまん》なこと、言葉遣いの粗野なこと、……そして、これらはすべて、既にサンド夫人に依頼されて調査の済んでいたことであった。

ショパンは、アラゴの語ったところをサンド夫人に伝えようかと考えた。そして、プレオーの心配が、強《あなが》ち猜疑心《さいぎしん》にのみ由来するものではないことを彼女に理解させようと思った。しかし、問題に立ち入ることが、彼女の抵抗を招くことは目に見えていた。母親のみではない。モーリスも、オーギュスティーヌも、ソランジュでさえも、彼の容喙《ようかい》を冷淡に拒絶するかもしれない。それだけは避けたかった。一度は彼も、己の恋愛生活をのみ優先させて、プレオーの期待を裏切ることに罪悪感を覚えた。しかし、自分が味方につくことが、果たして彼の利となるだろうかと考え直した。家庭内の問題について、サンド夫人が愛人の考えにまるで信用を置いていないことは、変わらぬ事実であった。口を出せば、却《かえ》って彼の立場を悪くするかもしれない。それならば、黙っておくべきではあるまいか？　妙な義務感から要らぬことを言うのは、自分の良心を宥めることのみを欲する者の勝手な満足に過ぎないであろう。それでは、何にもならない。親切とは、結果がすべてだ。こっちの思惑など、相手にとっては何の意味もないのだから。いずれは、話合いの時も来るだろう。それまでは、もう少し待つべきではあるまいか？

ソランジュは、パリでショパンを初めとする様々な芸術家や社交界の常連達と再会して、早過ぎた決断をますます後悔するようになっていた。ノアンにいた頃には、さほど気にならなかった婚約者の田舎者めいた言動の一つ一つが、許し難い欠点であるかのように感ぜられた。自分は、この垢抜《あかぬ》けのしない真面目《まじめ》さだけが取柄のつまらぬ男と、一生ともに過ごすのだろうかと考えてみた。そして、絶望に駆られて気絶しそうになった。何もかもが気に入らなくなった。不満を漏らされると、猛烈に悪態をついてやり返した。謝まって来られれば、その意気地のないことを冷笑した。周囲の者の祝福が、悉《ことごと》く皮肉のように聞こえて癪《しゃく》に障った。自分は、粗悪な玩具《がんぐ》を買い与えられた貧しい家の子供のように、惨《みじ》めな憐《あわれ》みを受けている。来訪した誰もが、帰りの馬車の中で「お気の毒に。」とせせら笑っている。そうに違いない。どうしてそんな莫迦《ばか》げた屈辱を受けなければならないであろう。それはみんな——そう、みんなお母様のせい。急にそう思った。すると、これまで自分の選んだ花婿《はなむこ》に対する母親の賛同を、一つの勝利のように感じていたのが、途端に陰険極まりない侮辱であったように感ぜられてきた。お母様は、最初からこの人の無能を知っていた。知っていて、自分に相応《ふさわ》しいと思っていたのだ。そう考えると、母親が気に入っているというその事実だけでも、花婿を嫌悪《けんお》するには十分過ぎる理由であるように思われた。

焦燥は、骨の髄から染《し》み出しているかのように全身を満たした。そうした時に、彼女の視界に飛び込んで来たのが、オーギュスト・クレザンジェであった。ソランジュは、忽《たちま》ちにして彼に夢中になった。何よりも、頭のてっぺんから足の先まで、何処《どこ》を取ってみてもフェルナン・ド・プレオーと正反対であることが彼女を魅了した。自分の冴《さ》えない婚約者は、田舎者で、凡人で、何時も小心翼々としていて、洒落気《しゃれけ》もなく大仰で、几帳面で、莫迦丁寧で、気の利《き》いた冗談の一つも言えず、色白で、痩《や》せぎすで、凡《およ》そ自分をうんざりさせる材料は、これ以上ないほどに揃《そろ》っている。他方で彫刻家の方は、パリの社交界にも颯爽《さっそう》と出入りしながら、その都市の最もいかがわしい部分までをも知悉《ちしつ》した才気溢《あふ》れる新進の芸術家であり、自信に満ち、少々荒っぽいが削り出されたばかりの未完の彫像のように輝く言葉を発し、魅力的な投げ遣《や》りさと無礼さとを備え、思わず顔を赭《あか》らめるようないい不道徳な冗談をさりげなく耳許《みみもと》で囁《ささや》くことが出来、色黒で、体格もがっちりとしていて、要するに、自分の理想とするものをすべて身に纏《まと》って現れたかのようであった。クレザンジェの雄々しく蓄えられた髭《ひげ》を見たあとでは、プレオーのそれが花壇の隅に生えた雑草のようにいかにもお粗末に見えた。クレザンジェに、彫刻刀の傷あとも生々しいその手で腕を摑《つか》まれると、猪《いのしし》を撃つ為《ため》に猟銃の引金を引くことしか出来ないプレオーの枯枝のような手が、無能の象徴のように感ぜられた。クレザンジェが、自分をモデルにして描いた素描《デッサン》を目にすると、「この人の眸《ひとみ》には、わたしはこれほどまでに美しく映っている。どうして、あの人の眸にそんな奇跡が起こるかしら？」と思った。彫刻家のふしだらな噂は、いかにも芸術家然としていて、却って興味をそそった。自分が彼と結婚をすれば、どれほどの女が嫉妬《しっと》に狂って臍《ほぞ》を噛《か》むだろうかと夢想して、自尊心の昂《たか》ぶりを覚えた。さぞかしみんな悔しがるだろう。いい気味だ。フェルナンと結婚したところで、誰が焼き餅《もち》など焼くだろうか？　そして、その自尊心は、外ならぬ自分の母親や兄でさえも彼には一目置いているという事実によって、一層の満足を得るのであった。

サンド夫人は、ソランジュがプレオーに対して最早《もはや》いかなる愛情をも抱いていないことを知っていた。事実ソランジュは、プレオーがショパンの許に不安を打明けに行った数日後、そんなことも知らぬままに、彼に自分の本心を突きつけていた。哀れな青年は大いに落胆して、二日間誰とも会わずにパリの街をぶらぶらと歩き回った。この先仕事であろうと旅行であろうと、その気にさえなれば何時でも来ることが出来るのに、街の風景の一つ一つが、まるで今生の別れででもあるかのように名残惜しく眺められた。セーヌ河岸を歩きながら、城壁を抜けたあと、悪臭の酷《ひど》さに鼻が千切れそうだとソランジュに訴えたことを思い出した。そして、その時の彼女の冷やかな態度を思い出して、人目も憚《はばか》らずに街中《まちなか》で泣いた。三日目になるといよいよ途方に暮れて、ベリーの田舎に独りで馬車に乗って帰った。

車中の退屈さが、彼に様々なことを考えさせた。肩を叩《たた》いて慰めてくれたショパンのことが頭に浮かんだ。結局は、何もしてくれなかった。そう思うと、急に腹が立った。『ひょっとすると、やっぱり最初から、何もかも知っていたのかもしれない。ありそうなことだ。あの取り澄ました態度の裏では、どんな肚《はら》黒い考えが渦巻いていたことだろう。一度だけ、サンド夫人がモーリスさんに言うのを立ち聞きしたことがある。普段は天使のような人なのに、どうしてあんな風に、突然気狂《きちが》いみたいになってしまうのかしらって。』

ソランジュは、フェルナンが、パリのお喋《しゃべ》り好きな連中の言うお世辞や冗談を何でも真に受けて一喜一憂している様に呆《あき》れ返って、「口と肚とが同じだと思っているの？」と《ドン・ジュアン》の台詞《せりふ》を引いて皮肉を言ったことがあった。彼はふとそのことを思い出して、彼女の言いたかったのはこういうことなのだと独りでつくづく納得した。『あれは、何の台詞だったかなァ？　覚えていれば、僕も今度、パリなんか行ったこともない田舎の連中に言ってやるのに。それにしても、彼女は何て聡明《そうめい》なんだろう。僕が何も知らないからって怒るのも当然だな。』

こう自分で認めてしまうと、これまで自分と彼女とを隔てていた何ものかが急に取り払われて、尊敬の念はますます強くなる一方で、以前よりも彼女のことが身近に感ぜられるような気がした。

『そうだ、口と肚とは同じじゃないいんだ。彼女だって、本気であんなことを言ったんじゃないのかもしれない。ああ、僕は、何て慌《あわ》て者なんだろう！』

次第に元気も出てきて、鼻歌の一つでも歌いたくなった。田舎に着いてからも、彼は復縁に希望を持った。サンド夫人は、流石《さすが》に彼を不憫《ふびん》に思って、慰めの手紙に自分達がノアンに帰るまでとにかく待っていて欲しいと書いた。プレオーは、その母親らしい口調に感激した。そして、友人からサンド夫人が少し体調を崩しているようだと聞くと、見舞いを口実にパリの様子を知ろうと手紙を書いた。サンド夫人は、その無邪気な内容に半ばは呆れ、半ばは胸が痛んだ。彼は、子供の頃に綴字《つづりじ》の練習をした帳面を見つけたことを、彼女が「わざとかしら？」と疑いたくなるほど、誤った綴字だらけで報告した。そして、彼女の本も当然所有しているとおべっかの一つも言う気も利かずに、本はその外にはラ・ブリュイエールの《カラクテール》が一冊あるだけですと愉快そうにつけ加えた。ずっと田舎にいると、ソランジュはもう怒ってなんかいない気がしてきた。今頃は自分のことを恋しがってさえいるかもしれない。勿論《もちろん》、自分もそうだ！——そして、直接彼女に送る勇気はないので、またサンド夫人に宛《あ》てて手紙を書く計画を立てた。

『あの人は、僕のことをよく分かってくれている。本当に聖母のような人だ。』

他方で、ショパンにはただの一通も手紙を書かなかった。

『書くもんか！　僕がわざわざ報告しなくても、きっと何でも知っているだろうから。……』

しかし、すべては家庭内の問題であった。サンド夫人は決して事の真相をショパンに明かさなかった。当面話すつもりもなかった。結婚は、適当な言い訳をつけて延期したとだけ説明された。ショパンもそれ以上は尋ねなかった。けれども、その彼女にせよ、ソランジュのクレザンジェに対する思いについては、まだはっきりと理解している訳ではなかった。娘が、兄にも母親にもつき添われずに、こっそりと彫刻家のアトリエを訪れているということもである。

三月に這入《はい》って第二週目の金曜日には、サンド夫人の家で、彼女の家族とショパン、ドラクロワ、退役陸軍大尉《たいい》のスタニスラス・ダルパンティニ、そして、彼女の招きでダルパンティニに連れ添われて来たオーギュスト・クレザンジェとが顔を揃えた。

ドラクロワは、四日の仕事ぶりに気を好《よ》くし、翌日も下院で仕事をしたが、その晩から危惧《きぐ》した通りに疲労の激しい反撃にあって、以後はまたしても自宅のアトリエに閉じ籠《こも》る生活を送っていた。

昨日は、彫刻家で動物画家のアントワーヌ・バリーの娘の葬儀に参列した。暫《しばら》く和らいでいた寒さがこの日に限って急にぶり返し、解けさした雪が固まって、教会まで道が凸凹に連なっていた。訃報《ふほう》には前日に接した。娘とはそれほど親しい訳でもなかったが、その献身ぶりについては父親の口から何時《いつ》も聞かされていた。

『まだ若い筈《はず》だったが。……たった一人の身寄りもなくなって、あのかわいそうな男はこれからどうするのだろう？』

彼は一昨年長兄のシャルル＝アンリ・ドラクロワが歿《ぼっ》した時のことを思い出した。十九歳も年が離れていた為に、早くに両親を亡《な》くした彼にとって、兄は丁度姉のアンリエットが同様の意味に於《おい》て母親の代わりを務めていたように、何処《どこ》か父親のような存在であった。たまたまその年の夏は、静養に行ったオーボンヌからの帰りにボルドーに立ち寄って再会を果たして来たところであった。それが生前の最後の面会になるとは思いも寄らなかった。十二月に重態の知らせを受けて駆けつけた時には、もう息を引き取ったあとだった。そうした偶然のせいもあって、兄の死は彼に激しい動揺を齎《もたら》した。彼は、故人を悼《いた》み悲しむのと同時に、自分自身の境遇の不幸をこそ思って慨嘆した。七歳で父を失い、九歳で次兄を失い、十六歳で母を失い、二十九歳で姉を失い、そして四十七歳で最後に残った長兄をも失って、到頭独りになった。――たった独り。……そんな思いが、彼を強く捕えた。無論、親類の中には、リーズネールやゴールトロン、それにボルノーのように、今でも元気で顔を合わせる者達もいる。しかし、そのいるという事実は、畢竟《ひっきょう》理屈の上でしか彼を慰めてはくれなかった。彼らのことを愛しているか否《いな》か、それは重要ではなかった。縦《たと》え彼らが、善良で、親切で、自分に対して常に最上の敬意を払ってくれる存在であったとしても、それが、失われた家族と同等の意味を持つかといえば、そうではなかった。家族の役割を埋め合わせることは出来る筈であった。しかし、家族がいるという事実を埋め合わせることは出来なかった。親も兄弟もない。子供もいない。唯一《ゆいいつ》の甥《おい》であったシャルルも死んでしまった。あとにも前《さき》にも、ただ独りだけ。

……孤独は、彼よりも早く彼の血によって感じ取られた。それは何か、哀《かな》しい生き物のように身中をうねった。熱く滾《たぎ》ることはなかった。激することもなかった。ただ冷やかに、取り澄ましたような様子で、普段の脈を打っていた。それが、堪え難く寂しかった。

『これから、彼もたった独りで、……』

日記を開きながら、彼は最初の頁《ページ》の自然史博物館の記述に目を留めて、若い頃バリーと一緒によく動物園へ素描《デッサン》をしに出掛けたことを思い出した。二人して並んでライオンの屍《し》体《たい》の解剖を観《み》たこともあった。それを思い返すと、突然、真夏の熱気に吐気を催すような腐臭を放っていた屍肉の黒ずんだ赤の記憶が蘇《よみがえ》って、それが、死という言葉を間に挟みながら冷たい棺の中に横たわるバリーの娘の屍体と寄り添い合ってゆくのを感じた。そして、その光景の酷薄なことを思った。

『……何時もこうだ。どうして想像力は、自分の意図を裏切って、こんな思いもよらぬ恐ろしい場面を目の前にちらつかせるのだろう？ それこそが、まるで自分の真の心の動き、真の姿であると言わんばかりに！ 憐憫《れんびん》の思いは、これほど真摯《しんし》であるというのに。同情は、これほど深く、強いというのに。どうしてだろう？ 選りにも選って、あんな醜い屍体を哀れな娘の傍らに並べようとするなんて。……』

意識し抵抗することが、余計に彼を記憶へと近づけた。葬儀へと向かう途上にあっても、彼の脳裡《のうり》には、頻々とライオンの屍体の赤が往来した。無理にも振り払おうとすると、簇《むら》がった蠅《はえ》とともに、腐肉の影は一瞬飛び去り、すぐにまた戻って来た。脳そのものが、腐肉と化してしまったかのようであった。蠅が集《たか》って頭蓋骨《ずがいこつ》の壁を内側から何度も叩いていた。

この数日というもの、彼は、休養を取っても一向に改善されぬ体調に苛立《いらだ》って、殆《ほとん》ど突発的に立ち帰った造物主という観念に向けて、あらん限りの不満をぶちまけていた。どうして自分は、これほどまでに厄介な体質に、気質に生まれついたのであろうか？ 誰か外の人間の肉体と外の人間の精神とを与えられてこの世に生まれてきたのであれば、人生はどれほどに素晴らしいものであったろうか。この我慢ならぬ不如意《ふにょい》！ 絶望に駆られる時、彼は遺伝説に気触《かぶ》れた同時代の多くの者達とは違って、自分の由来を直接両親へ訪ねることはしなかった。普段考えている自分の血の構成についての分析——美に対する趣味は、王室仕えの家具師を父に持つ母親の血、仕事への情熱は一代で一介の田舎教師から対外関係大臣にまで成り上がった父親の血という分析も、途端に意味を失ってしまった。自分という人間を創造した者。それは決まって、人よりも巨大な藐然《ばくぜん》とした存在として立ち現れた。彼はまるでアダムのように神を想《おも》い、自分を構成するあらゆる細部に神の仕業を感じた。しかも、一度として真に神を信じたこともなく！　歓喜の瞬間には、終《つい》に神はその姿を現さず、ただ絶望の瞬間に於てのみ忽然《こつぜん》と出現して、彼の尽きせぬ呪詛《じゅそ》の言葉を聴いた。憎悪《ぞうお》は止処《とめど》もなく立ち昇った。そんな時、神は絶対に寛大であった。絶対に寛大であり得るほどに冷淡であった。イエスに於てあれほどまでに雄弁であった神は、彼に対してもその後の気の遠くなるような沈黙を破ろうとはしなかった。虚《むな》しくなって彼が口を閉ざすまでじっと待った。諦《あきら》めて何も言わなくなっても、変わらず沈黙し続けた。そういう時には、不思議に世界がしんとした。彼の外には誰一人として存在する気配がなく、しかも、彼自身の気配ですら失われてしまったかのようであった。彼は今そのしんとする前の世界のただ中にあった。自分は不出来な創作物だと悲嘆した。創造主にはあるまじき失敗作だと思った。歩く度に腐肉がちらついた。蠅が舞った。自分という人間の不吉さが怖かった。

教会に着くと、気分も幾らか落ち着いた。参列者は思った以上に少なかった。父親は久しく官展《サロン》からも締め出されていて交遊の範囲も狭いことは知っていたが、それにしても、日頃友人としてその周りに集まっていた者達が殆ど誰一人として姿を見せていないことには、憤《いきどお》りともつかぬ寂しさを覚えた。画家のツィンメルマンとその娘婿《むすめむこ》で同じく画家のデュビュフとが来ていることには自分で気がついた。それから、人に教えられて、去年アカデミーの会員になった動物画家のブラスカサの来ていることも知った。しかし、確認出来た画壇の関係者はこれだけであった。

『大体、あのバルビゾンに屯《たむろ》している連中はどうしたというのだ？　ガンヌの宿屋の連中は？　パリにいる者もあるだろうに。薄情な。……』

人の疎《まば》らさが、殊更《ことさら》惨《みじ》めに映った。葬儀とは、偉人の為《ため》のものであろうと、名もない人の為のものであろうと、いずれにせよ大仰でなければならないのだと彼は思った。恐らくは、故人の遺志とさえ関係なく。もっと多くの人間がこの場に足を運ぶべきだった。そう考えながら、彼はまたしても感情を一変させて、その思いを滞らせた。そうして憤慨してみせることも、何となく偽善的であるように感ぜられた。自分は、先ほど思い描いた残酷な光景を拭《ぬぐ》い去りたいが為に、敢《あ》えて彼らを悪者に仕立て上げ、非難しようとしているのかもしれない。自分こそは、寒さをも厭《いと》わずに友人の為に駆けつけた慈愛に満ちた人間であると自らに納得させようとして。そんな狡猾《こうかつ》な算段は、固《もと》より与《あずか》り知らぬことであった。しかし、一旦萌《いったんきざ》した疑いはどうすることも出来なかった。いずれにせよ、怒りという感情は場違いなものだと思い直した。面《おもて》を上げると、バリーの円い顔が目に這入った。常より皺《しわ》の寄っている眉間《みけん》に、今日は殊に深く影が刻まれ、眸《ひとみ》はまるで銀板写真《ダゲレオタイプ》を撮られている者のように虚《うつ》ろであった。馴染《なじ》みの浅かった死んだバリーの娘よりも、バリー本人をこそ気の毒に思った。そして、その思いに衝《つ》き動かされて——それが、偽善であったとしても構わなかった——、式の始まる前に彼に近づくと、熱心に励ましの言葉を掛けてやった。……

ドラクロワが、雪の激しく降る中を何とかサン＝ラザール街にまで辿《たど》り着くと、丁度ダルパンティニとクレザンジェとの二人が一足先に到着したところであった。客は彼で最後であった。

サンド夫人は、ドラクロワにオーギュスト・クレザンジェを紹介した。喋りながら、彼女は目で、色々尋ねたことは内緒にしておいてちょうだいと合図をしていた。最初から、そんなことを言うつもりはなかった。ただ出来れば予《あらかじ》め彼女に自分の聞き知ったところを伝えておきたかった。彼はまだヴィヨに教えてもらったことを彼女に話してはいなかった。言っておくべきであった。その機会はあった。彼は実は、先の日曜日にも彼女と会っていた。コンセルヴァトワールの音楽会で落ち合い、帰りに彼女の家に寄って食事をともにしていたのである。自宅を出る時から、ドラクロワは、クレザンジェについての噂《うわさ》は残さずすべてを報告するつもりでいた。しかし、音楽会が終わると、感想程度のつもりで口にしたベートーヴェンとモーツァルトとの比較という、ヴィヨとも話したその同じ話題に、彼女が興味津々《しんしん》に耳を傾けるので、つい夢中になって、クレザンジェのことなど忘れてしまっていたのであった。

紹介を受けるとドラクロワは、喋ったことこそなかったが、以前から見知った顔であったので、『ああ、この男がクレザンジェというのか。』と思った。

「はじめまして。今晩この場であなたにお目に掛かることが出来るとは、夢にも思っていませんでした。ああ、何たる幸運！　アカデミーの旧弊に反旗を翻《ひるがえ》す孤高の天才画家、我々若き芸術家達の英雄、ウージェーヌ・ドラクロワ氏とお近づきになれるとは！」

クレザンジェは、そう言って同意を求めるように周囲を見渡し、最後にサンド夫人の方を見て笑った。ドラクロワは、この誇張に満ち、幾分皮肉さえ感ぜられる口調に瞬時に警戒心を抱いた。

「はじめまして。あなたのお噂は色々と伺っていますよ。」

「本当ですか？　それは実に光栄だ。誰でも憧《あこが》れの人には、自分の存在を知っておいてもらいたいと願うものですからね。実際、ルソーやデュプレがあなたとおつき合いがあるというのを、私が何時もどれほど羨《うらや》ましく思っていたことか！　ああ、そういえばその彼らも、先月あなたのお宅を訪ねた時には、けんもほろろに追い返されたと言って残念そうにしていましたが。」

「まァ、そんなことがあったの？」サンド夫人が、面白がって尋ねた。

「ええ、何でも、……」

「大したことではありません。」ドラクロワは、彼が答えようとするのを素早く遮って語を継いだ。「それに、けんもほろろにというのは大袈裟《おおげさ》です。そんな言い方を僕は決してしません。」

「これは、不快にお感じになられたのでしたら、どうかお赦《ゆる》し下さい。飽くまで彼らの言葉をそのまま伝えただけなのです。」

ドラクロワは、宥《なだ》めるかのように口を挟んだクレザンジェの言葉を、聞こえなかったように無視して、サンド夫人に簡単に事情を説明した。

「随分と前に、テオドール・ルソーとジュール・デュプレとが僕を訪ねて来たんです。確か、……二月の初め頃です。あなたには話しませんでしたか？　彼らが作ろうとしている新しい協会の件なんですが。」

「さァ、知らないわ。」

「そうですか？　官展《サロン》の専制に抗議するという勇ましい謳《うた》い文句で、官展《サロン》とは別に毎年独自に展覧会を開く為の協会なのですが、その協会の設立者として僕も名前を連ねて欲しいと頼まれたことがあったんですよ。これは更に以前のことですがね。それで、僕はその時にはっきりと断ったんです。そしたら先月になって、さっき言った二人が訪ねて来て、またうだうだと議論を蒸返し始めたんで、仕方がないから、僕は自分の本心を――つまり、この計画に対する完全な嫌悪《けんお》を言ってやったんですよ。」

「あら、そうだったの。お気の毒に。若い人達が、あなたを担《かつ》ぎ出そうとして失敗した訳ね。アカデミーに反旗を翻す孤高の天才画家さんを。」

サンド夫人は、茶化すようにしてクレザンジェの言葉を繰り返した。彼女は、こういう時に彼の機嫌を直す術《すべ》をよく心得ていた。その思惑通りに、ドラクロワは少し饒舌《じょうぜつ》になってつけ加えた。

「それは僕だって、ルソーが毎年官展《サロン》で落選の憂《う》き目に遭っていることくらいは知っていますし、残念だとも思っていますよ。彼は才能のある画家ですからね。しかしだからといって、官展《サロン》の外なんかで喚《わめ》いてみたところでどうにもならない。何と言ってみても、結局世間が一番注目しているのは官展《サロン》ですよ。官展《サロン》に出品し、官展《サロン》に認めさせ、官展《サロン》を変えなければ意味がない。それが僕のこれまで信念を以《もっ》てやってきたことです。勝手に官展《サロン》の外で展覧会を開くなんていうのは、自分のやろうとしていることを、進んで画壇の傍流に位置づけることになる。僕はご免ですよそんなこと。」彼はここまで喋《しゃべ》って一息つき、返答を待つ間に、件《くだん》の芸術家の死後の名声という問題を思い出して語を継いだ。

「第一画家なんて本当に微力な存在ですよ。先《ま》ずそのことを知らなくては。仮にもし、そうした展覧会の試みが成功したとしましょう。まったくあり得ないことではない。しかし、その成功というものは、一体どの程度確かなものでしょうか？　僕はやっぱり、懐疑的にならざるを得ないんです。そういう成功に甘んずる画家を待ち受けているのは、数多《あまた》の悲劇ですよ。先ず一つに、作品の散逸の問題がある。そんな展覧会が成功したとなれば、それに続いて、恐らくは数えきれないほどの展覧会が企画されることになるでしょう。そうすると、最初の展覧会の権威はもうない。当然、そこに展示してあった絵も同様です。政府は固より、家柄の確かな絵画収集家でさえも、そんな絵は見向きもしないでしょう。言うまでもありませんが、その絵が優れているかどうかということなど問題にはなりませんよ。誰も買い手のつかない絵が、アトリエに溢《あふ》れ返っていたとして、それが百年先にも良好な状態でこの世に存在し続けることなどあり得るでしょうか？僕は断言しても構いませんが、先ず以てそんなことはないでしょう。ボロボロに傷《いた》んで捨てられるか、火事で丸焼けになるか、まァ、そんなところでしょう。作品というものは、作者が残そうという努力をしなければ残らないものだというのが僕の持論です。世間の評判など、まったく当てにならないものです。それが死後の自分の名誉を守り、作品を守ってくれるだなんて期待したら、大間違いですよ。だから、自分の作品こそは、時代を越えて人々の鑑賞に耐え得るものだと多少なりとも信ずる画家は、それを残す為の努力をしなければならない。どうするか？　政府に買い取ってもらい、宮殿や美術館に飾ってもらう。或《あ》るいは、公《おおやけ》の施設に装飾画を描く。それだって、まったく安心だという訳ではありませんが、作品の残る可能性はかなり高い筈《はず》です。保存にも気を配ってもらえますし、修復だって——色々と問題もありますが——してもらえる。そして、そのどちらも官展《サロン》での勝利なくしては不可能なことですよ！……と、まァ、僕のような世智《せち》に長《た》けた年寄りは、そんなことを考える訳です。しかし、若い人達もいずれはそういうことを学ばねばならないでしょう。」

彼は、先ほどのサンド夫人の言葉に一旦微笑《ほほえ》みはしたものの、折角仕事をする気になっていたのに、お喋りな二人のつまらぬ用件に邪魔されて、夕方まで何もせずに過ごしてしまった当日のことを思い出して、今更ながら腹が立ってきた。そして、腹立ち序《つい》でに、昨日の葬儀について、「あの二人は、そもそもどうして顔を出さなかったのだ？」と一言言ってやろうかと思った。しかし、口に出すことはしなかった。こんな時の常で、内省が素早く彼の心中を支配してしまった。それは何処《どこ》か蛇にも似ていた。生まれ立ての雛《ひな》に襲い掛かっては忽《たちま》ちにして丸呑《まるの》みにしてしまう蛇のように、そうしてそれは、言葉の生ずるまさにその瞬間に喰らいつき、終に羽搏《はばた》きの機会を奪ってしまうのであった。

クレザンジェは、ドラクロワの顔色を窺《うかが》って、

「まったく以て、その通りです！　ええ、私自身は、あなたのご意見に全面的に賛成です。ご存じの通り、昨年官展《サロン》に出品した私の作品は、非常に称讃《しょうさん》を浴びました。あれも、出品しなければ得られなかった筈の評価です。そして、今年の作品は昨年のものにも増して自信があります。実際のところ、私はあなたがそれを気に入って下さると信じて疑いません。」と、お追従《ついしょう》を言うつもりだったのが、途中からつい得意になってそう言っ

た。

ドラクロワは敢えて、「どうしてですか？」と尋ねてみた。

クレザンジェは、臆《おく》する気色もなく、

「実は、今年の作品には色を塗ったのです。彫刻にですよ！　これまで誰もしなかったことです。でも、あなたなら理解して下さるでしょう。色彩画家のあなたなら！」と言った。

ドラクロワは、その返答に暫《しばら》く言葉が出なかった。

『……色彩画家のあなたなら、……か。ウージェーヌ・ドラクロワは、色彩には目のない男で、それを彫刻の中に発見したならば、必ずや感激するに違いない、という訳か。或いは少なくとも、その試みを理解するくらいのことはして当然だとでも言うのだろうか？　作品の出来とも関係なく？　莫迦《ばか》らしい！……しかし、世間で自分が色彩画家などと呼ばれているのは、きっとこの程度の意味に解されてのことなのだろうな。……』

そして、さすがに愛想笑いもぎこちなく、「それは楽しみですね。」と返事をし、それでも一言、「ただし《色着きヴィーナス》などとからかわれないような立派な作品に仕上げなくてはなりませんね。」とつけ加えて、既にジョン・ギブソンが同様の試みによるヴィーナス像を制作して人々の嘲笑《ちょうしょう》を買っていることを仄《ほの》めかした。クレザンジェは、《色着きヴィーナス》などという言葉は知らなかったが、どうやら皮肉を言われたらしいということだけは分かって、笑って誤魔化しながらも、むっとした表情を見せた。

『こっちが下手《したて》に出てやっていれば、いい気になりやがって！　噂通りの偏屈男だな、ドラクロワってのは！』

ショパンとダルパンティニとは、三人の子供達と会話をしながら、この遣《や》り取りを見守っていた。

ショパンは、プレオーへの同情の念とアラゴの教えてくれた噂話とから、会いもしないうちからクレザンジェのことを敵《かたき》のように考えている自分の不公平を責めて、出来るだけ丁重に彼を迎えるつもりでいたが、会うなり始まった彼の見え透いた世辞の数々と、サンド夫人への馴々《なれなれ》しい口の利《き》き方、それに、時折人目を盗んでソランジュに投げ掛ける淫靡《いんび》な合図の山とに、早くも不快の萌すのを禁じ得なかった。

一方、別の意味でダルパンティニも不快であった。実は半年ほど前に、初めてクレザンジェをこの家に連れて来たのは彼であった。ダルパンティニは、人としてこの男を高く買ってはいなかったが、芸術家としてはなかなか見どころがあると思っていた。それで、しつこく乞《こ》われるがままに、一度くらいならとサンド夫人に彼を引き合わせたのであった。その後、彼らの間にどういったつき合いがなされているかについては、何も知らなかった。多分それ切りだったのだろうと想像していた。それで、彼は今日も殆《ほとん》ど初めての客であるかのように彫刻家を皆に紹介した。ところが、以前に連れて来た時とは打って変わって、クレザンジェが無礼なまでに寛《くつろ》いだ尊大な態度で振る舞い始めたので、彼は紹介者としての面目を潰《つぶ》されたように感じて、先ほどからどうにも落ち着かぬのであった。

サンド夫人は、クレザンジェの態度を自信に満ちていて頼もしいと思っていたが、少し率直過ぎてドラクロワには歓迎されないだろうと気遣い、今は優しく彼にだけ最近の仕事の具合などを尋ねていた。ドラクロワも、こんなことで臍《へそ》を曲げているのはみっともないと思っていたので、進んで彼女の問い掛けに応じた。そして、ショパンとダルパンティニともそれに加えて、四人で談笑した。

「……僕は相変わらず、体調が良くないので、家で《モンテ・クリスト伯爵《はくしゃく》》ばかり読んでいますよ。」とドラクロワが言った。

「あなた、本当に好きねェ。そんなに熱心に読んでるなんてデュマに話したら喜ぶわよ。最近、本人には会ったの？」とサンド夫人が尋ねた。

「いえ、さすがに彼も忙しいでしょう。あれだけ書いているんですから。」

「彼じゃなくて、彼ら皆が忙しい筈ですよ。」ダルパンティニは、有名な「デュマ小説工房」の噂を皮肉った。

「でも、読むと面白いからね、実際。」とドラクロワに向かってショパンが言った。

「うん、そうだね。面白い。そして、それだけだよ。相も変わらずのメロドラマだからね。奇想天外、波瀾万丈《はらんばんじょう》の物語さ。それに、どうだっていいような会話が延々と続いて、読み終わって本を閉じても何が書いてあったかさっぱり頭に残らないんだ。でも、そこがきっといいんだよ。疲れなくて済むしね。このところ、ずっと手放せないでいるよ。」

ドラクロワは、笑って言った。そして、ふと思い出して、

「そういえば、ポーランド人作家のホフマンが書いたものを、君は何か読んだことがあるかい？」とショパンに尋ねた。

「うん、……最近のものは知らないけれど。」

「実は、彼が初めて書いたウォルター・スコットについての記事を、ビュローズに推薦してくれって人から頼まれているんだけど、……」とここまではショパンの方を向いて喋り、ここからはサンド夫人に向かって、「僕は、例の《エポック》誌にいたアルヌーの件でも、色好《いろよ》い返事を貰《もら》えませんでしたから、ちょっと難しいと思うんですよ。それで、……」

「あら、わたしに言っても駄目よ。彼とはあれっきりなんだから。」

サンド夫人は、ピエール・ルルーの思想に傾倒し始めた頃からビュローズとは対立するようになり、六年前にルルーやルイ・ヴィアルドとともに《ルヴュ・アンデパンダント》誌を創刊するに際して、小説《オラス》の原稿を契約に背いて自らの雑誌に掲載してしまったことから、彼と彼の主監する《ルヴュ・デ・ドゥ・モンド》誌とは訟訴を起

こされた挙句に喧嘩《けんか》別れをしていた。

「そうですよね。……誰かいませんか？」

「そうねェ。でも、あなたが言っても駄目だってことは、きっと誰が言っても駄目なのよ。」

「いや、そうでもないですよ。」

「褒めてあるの？　その記事は？」

「え？　ああ、ホフマンの分はそうらしいですよ。アルヌーの方も、僕としては義理もあるから何とかしてやりたいんですが、……どうも、僕が言っても権威が足りないようで。……」

ドラクロワは、お手上げだという素振りをしてみせた。皆笑った。サンド夫人は、「一応、考えておくわ。」と返事をしたあと、ショパンの機嫌の良いのを見て、「それにしても、この前コンセルヴァトワールで会った時には、モーツァルトとベートーヴェンとの違いなんていう大問題について熱心に語っていたけれど、あなたも、崇高なる芸術上の問題から友達の職探しの問題まで、頭の休まる暇がないわね。」と言った。

ショパンは、サンド夫人の意図を理解して、「それなら、僕もその崇高なる芸術上の問題の議論に、音楽的見地から参加させてもらうことにしましょう。」と言って、ピアノに着いた。そして、ソナタを弾こうとしたが、それも長過ぎる気がして、モーツァルト風、ベートーヴェン風と称して即興で短いものを一曲ずつ弾いた。

モーリスは、ただ何となく耳を傾けていた。ソランジュは、その居住まいの優美なとに魅了された。オーギュスティーヌは、こうした時の常で悪意のない退屈を感じた。ダルパンティニは、実直で善良な感動に満たされた。サンド夫人は、子供を自慢する母親のような、それでいて、豪華な出しもので客人をあっと言わせたサロンの女主人のような誇らしい気分になった。クレザンジェは、演奏の終わったあと何と言って称讃すべきか、その言葉を考えることに必死であった。ドラクロワは、芸術上の最も得難い高貴さを持ち合わせながら、こうした寛いだ場にも違和感なく馴染《なじ》み得るその演奏の妙に、頓《ひたすら》感心しきっていた。

『ああ、まったく、何と魅力的な天才なのだろう！』

演奏が終わると、早速クレザンジェが、何か神聖な啓示に打たれたようだといって、自分の受けた感動を大袈裟《おおげさ》に語り始めた。ドラクロワは、演奏の余韻を台なしにされて辟易《へきえき》した。ショパン本人も喜ばなかった。ダルパンティニは、場のしらけたのに責任を感じて、話題を変え、自分がこれまでに観《み》てきた有名人の手相に纏《まつ》わる話を、洒落《しゃれ》を混えて面白おかしく語った。彼は、四年前に手相に関する本を出版して、ラマルティーヌの激賞を受けていた。

「どれ、一つ君の手相も観て進ぜよう。」

ダルパンティニは、そう言ってクレザンジェの方へ手を伸ばした。誰の手相でも良かった。しかし、時々意地の悪い指摘をして場を沸かせるのが彼の流儀であったので、さして親しい訳でもないこの家の人の手を取るのは少し遠慮された。それは是非とも笑われてしかるべき人間でなければならなかった。となると、この場には一人しかいなかった。

しかし、クレザンジェはこれを拒否した。

「いえ、それには及びません。私は、手相術も、観相術も、骨相術も、……それからなんですか？　占星術に錬金術か、」ここで大声で笑った。「そんなものは、一切信じてはいませんから。信じているのは、ただ才能だけです！」

皆――サンド夫人ですら――呆気《あっけ》に取られた。冗談のつもりだろうとは誰もが思った。しかし、少なくともそれに相応《ふさわ》しい口調ではなかった。何処か相手を小馬鹿《こばか》にしている様子であった。そのことに、ドラクロワは殊《こと》に腹立たしさを感じた。

『同じ年頃の芸術家仲間に対しては、それでもいいさ。しかし、ここでは場違いじゃないか。何でそんな簡単なことが分からないのだろう？』

そして、差し出したまま、部屋の真ん中に取り残されてしまったダルパンティニの右手を、気の毒そうに眺めた。

クレザンジュが、一足先に暇乞《いとまご》いをしたあと、ダルパンティニは、侮辱されたような思いと紹介者としての義務感とから、若い彫刻家の不作法を口を極めて非難した。そして、憤懣《ふんまん》遣る方なしといった風に、サロンに飾ってあった彼の《フォーヌ》と題された作品までをも酷評した。

「気品というものが、まるで感ぜられませんな!」

ドラクロワは、自分も同意見だと思ったが、これ以上彼を昂奮《こうふん》させぬ為《ため》に、相槌《あいづち》だけを打って口を開かなかった。ショパンは会話に参加することさえしなかった。

これに、モーリスが反発した。

「でも、彼は愛すべき人ですよ。ただ不器用なだけです。」

次いで珍しく、ソランジュが兄に同意して言った。

「今日は初めて会う人が多くて勝手が違ったんだと思いますわ。」

サンド夫人も、

「きっとそうね。」とクレザンジュの肩を持った。

オーギュスティーヌは、皆がそう言うのを聞いて、自分も何か言わねばと、

「本当に素敵な方。」と言った。

しかし、それが何処《どこ》か調子外れであったので、一同が思わず振り返った。ソランジュは、そういう彼女を軽蔑《けいべつ》しつつも、その言葉は自分の為にこそ取っておかれるべきであ

ったと感じて頭に来た。

『何よ、この女！ 馴々しいったらないわ。わたしを差し置いて、そんなこと！』

ダルパンティニは、子供達の言葉は、子供の言うことだからと相手にしなかったが、サンド夫人の言葉は、自分に対する気遣いと解して、それ以上不平の語を継ぐことはしなかった。そして、先ほど途中になった手相の話を再開すると、ソランジュが我慢出来ずに欠伸《あくび》をするまで独り得々と喋《しゃべ》り続けた。

九

この年の官展《サロン》の開催は、三月十六日からであった。

その日、朝から体調が優れず、今日の仕事を下院でするか自宅のアトリエでするかを決め兼ねていたドラクロワの許《もと》にフォルジュ男爵夫人が訪ねて来た。

「丁度今、あなたの絵を観て来たところですのよ。」

彼女は、自分にだけ何時《いつ》も特別に愛想の悪いジェニーを一睨《ひとにら》みすると、そう口を開いた。

「そうですか。早速あなたに観てもらえるなんて光栄です。」

ドラクロワは今回、《モロッコ人の軍事教練》、《メキネスの衛兵屯所》、《モガドルのユダヤ人楽手達》、《オダリスク》、《十字架上のキリスト》、《小舟に乗る難船員達》の六作を出品しており、そのすべてが、公開初日に遅れることなく、揃《そろ》って会場の壁に掲げられていた。

「わたくし、感心しましたのよ。何時も下院の方のお仕事で忙しくしていて、たまにゆっくりしてると思ったら病気で臥《ふ》せているようなあなたが、よくあんなに沢山の絵を描いていてらしたこと。何時お描きになったの？」

「実は、今年の出品作はどれも以前に描いていたものばかりなのですよ。装飾画の方で手いっぱいで。だからこそ、僕にしては珍しく初日に全作品を展示することが出来たんですよ。」

「そうでしたの。でも、以前に描いたものであろうと、直前に描いたものであろうと、いずれにせよ、ちゃんと描いていることには変わりないんですもの、立派ですわ。それに、どれもとっても素晴らしい出来でしたわ。この前お会いした時に、あなた、審査員の評判も良さそうだって言ってらしたけど、館内でも、みんなあなたの絵の前に立ち止まって切《しき》りに感心してましたわよ。中には、絵を観たあとでわたくしに気がついて、こそこそと内緒話をしている人達もいましたの。わたくし、何だかとっても鼻の高い思いがしましたわ。」

ドラクロワが、彼女と最後に会ったのは、先日のバリーの娘の葬儀の日であった。そして、その際に、ヴィヨから聴いていた開催前の審査員達の評判を少し話していたのであった。

　ドラクロワは、彼女の言葉の取り分け最後の部分を愛らしく思った。そして、少し無邪気に、

「あなたにそう言ってもらえることが、僕にとっては何よりの喜びですよ。これだけ多くの人間の住むパリの中でも、僕が、トレからよりもゴーティエからよりもあの残酷なプランシュからよりも、あなたからの称讃《しょうさん》をこそ最も熱烈に望んでいるのだということを正しくも理解している人は殆《ほとん》どいないでしょうけどね。」と言った。そして、急に照れ臭くなって、「どの絵が一番気に入りましたか？」と間を置かずに続けた。

「そうですわねェ、ユダヤ人の絵を褒める人が多いようでしたけれど、わたくしはやっぱり、キリストの絵が良いと思いましたわ。とても真に迫っていて、崇高な感じがしましたし。アトリエで以前に観せてもらった時よりも見栄《みば》えがしましたわ。」

「そうですか。それは好かった。」

「あなたが参考にしたって言ってらしたルーベンスよりも良いようでしたわ。でも、わたくし本当に不思議ですの。だって、そうでしょう？　誰かの絵を観に行くっていう時くらいしか教会に足を運ばないような不信心なあなたが、よくあんな立派なキリストの

絵を描けますこと。あなたってやっぱり、なかなか才能のある画家のようですわ。」

ジョゼフィーヌは、批評家が、自分以外の批評家がどう評価するかがまだ分からない新進の芸術家について不意に意見を求められた時にする、あの威厳に満ちた曖昧な口調を悪戯《いたずら》っぽく真似《まね》てみせた。ドラクロワは、彼女のこういう機知を愛していた。そして、面白がって、

「わたくしは、フォルジェ男爵《だんしゃく》夫人の言葉を、その聡明《そうめい》さに於《お》てのみ評価しますよ。縦え、真実からは、些か遠ざかっているとしてもね。」と、留保をつけながら、少し褒め、少し貶《けな》すという、やはり批評家の流儀に倣《なら》って答えた。そして、

「僕は、十分信心深いですよ。」と笑った。

フォルジェ夫人は、

「批評家って、おかしな人達ですわね。あなたよりも上手に絵を描ける人なんて一人もいないのに、あなたの絵を観て、自分はこの点を評価する、なんて立派な顔をして言うんですもの。」と微笑《ほほえ》んだ。ドラクロワは、彼女のそうした言葉が明らかに自分の普段の愚痴を模したものであったので、今度は逆にそれに喜んで同意してみせることが何となく軽薄であるように感ぜられた。パリにごまんといる、才能もなく、世に容《い》れられぬことを僻《ひが》んでばかりいる芸術家達が、それを憐《あわれ》んで優しく慰めてくれる恋人の言葉だけを頼りに希望を捨てずにいる様を想像して、自分がそんな連中とほんの僅《わず》かな接点でも

共有することに身の毛も弥立《よだ》つほどの嫌悪感《けんおかん》を覚えた。そして、極控え目に、

「まァ、ああいう人達も必要なんですよ。」とだけ答えた。

フォルジェ夫人は、何時もは自分から批評家の悪口を言っている癖に、こんな時に限って素っ気ない返事をする彼を、相変わらずの臍《へそ》曲りだわと思った。そして、取り澄ました顔でコーヒーを運んで来たジェニーが、肚《はら》の底ではどんなにこの遣《や》り取りを面白がっていることかしらと想像して、ますます憮然《ぶぜん》として、「そうかしら？」とつまらなそうに言った。

コーヒーを啜《すす》って一息吐《つ》くと、ドラクロワは、たったこれだけの会話の間にどれほど自分が疲労してしまったかを知って、その異常さを思った。このところ、身振りを交えて会話をしたり、少し熱心に相手の話に耳を傾けたりするだけで、まるでオデオン座から歩いて帰って来たかのような疲労を感ずるようになっていた。

「……そういえば、マルス嬢のことはご存じですか？」

彼は、自分の健康のことを考えながら、徐《おもむろ》に口を開いた。

「ええ。モルネ伯爵から伺いましたわ。あの方、お悪いんでしょう？」

「それもかなりです。僕は先月友人のピロンに話を聞いてから何度もお見舞いに行って——実は、昨日も会って来たのですが——、もうベッドからも起きられない状態なのですよ。お気の毒に。今日も行ってあげたいのですが、生憎《あいにく》と僕の方も余り良くはないの

で。……」

「旧《ふる》いおつきあいですものね。」

「ええ、もう随分と。僕は若い時分に、マンジョーなんかとつきあいがあって、彼はタルマやマルス嬢と共演したりしてましたから、その頃からだと思いますけど。でも、親しくなったのは、トゥール＝デ＝ダム街の彼女のサロンに招かれるようになってからですね。あの頃の彼女の家の舞踏会は本当に豪華だったな。……それを思うと今の姿が余計に哀れに感ぜられますけど。……まァ、色々な思い出はありますし、悲劇女優としても尊敬していますけど、僕は何といっても、モロッコ行きの件での恩義がありますからね。モルネ伯爵達と一緒にモロッコに行っていなければ、今の僕はないですよ。」

「今年の官展《サロン》の作品だけを取ってみても、本当にそうですわね。」

「ええ。モルネ伯爵には、あの当時オペラ座の支配人だったデュポンシェルだとか、《ジュルナル・デ・デバ》紙のアルマン・ベルタンだとか、色々な人が口を利《き》いてくれましたけど、やっぱり愛人の一声に勝るものはないですからね。僕を連れて行けば、いい退屈凌《しの》ぎになるって推薦してくれたんですよ。……彼も心配だろうな。……あんなに色んな浮名を流した人が、彼女だけは絶対に手放しませんでしたからね。……」

「あなた、わたくしが何か忠告してさしあげたら、モルネ伯爵みたいに素直に耳を貸すかしら？」

「勿論《もちろん》。……今までだって、ずっとそうだったじゃないですか。」

疲労感がまた少し募ってきて、彼は気弱にそう答えた。先ほどの「僕の方も余り良くはないので」という言葉を何となく聞き流したフォルジェ夫人も、流石《さすが》にそのことに気がついて、

「あなた、今もお悪いんですの？」

「ええ、朝からどうも。……でも、大したことはないですよ。所謂《いわゆる》ヒポコンデリアという奴《やつ》ですよ、僕の場合。」

ドラクロワは、冗談のようにそう返事をした。からだの不調に深刻な不安を覚えるような時には、彼はしばしば、そうしてモリエールの芝居を思い出して、自嘲《じちょう》を頼みに空元気を振り絞るのであった。

「でも、あなたの場合、もっと頻繁に医者に診てもらわなくては駄目ですわ。」

「ええ、そのうちに。」

ドラクロワは、短く返事をした。先ほどの言葉を、そのまま冗談と受け取られていれば、腹を立てていたに違いなかった。しかし、そうして真面目《まじめ》な口調で心配されると、せっかく冗談で紛らせた不安が再び昂《こう》じてきそうで素直に感謝する気になれなかった。

『分かっているさ、そんなこと。……』

そして、彼女の善良さに対するそうした身勝手な自分の感情に嫌気が差した。

フォルジュ夫人は、今し方交わしたばかりの会話のことを思い出しながら、やっぱりわたくしの言うことなんてちっとも聴こうとしないじゃないと不満に思った。

ややあって、玄関に来客があった。ジェニーが出迎えて、政治家のナルシス・ヴィエイヤールと、画家のシャルル・ルフェーブルとが訪ねて来たことを告げた。

「わたくし、そろそろ帰りますわ。このところお目に掛かってないから、ヴィエイヤールさんにはちょっとご挨拶《あいさつ》しておきましょうかしら。」

「彼も、ずっと寝込んでいたのですよ。何処も彼処《かしこ》も病人だらけです。……今日は少し疲れていましたから、また明日にでも、……いや、明日は駄目だ、……ええっと、……」

「気になさらなくても結構ですわ。その代わり、しっかりとお休みになって。」

「いえ、僕が会いたいのです。そうだ、明後日《あさって》、いや、そうじゃない、……今日が火曜日だから、……金曜日だ、金曜日に伺います。」

「お生憎様。金曜日は、叔母様とお出掛けするお約束がありますの。」

「ケレル伯爵夫人と？」

「ええ。」

「何時頃からですか？」

「さァ、三時くらいかしら。」

「それじゃァ、その前に伺います。」

「そんなに無理なさらなくて結構ですわ。」

見送りに立とうとする彼を制して彼女が居間を出て行くと、入れ替わりにヴィエイヤールとルフェーブルとの二人が這入《はい》って来た。

「久しぶりにお目にかかると、本当にお美しいですね、あの方は。」会うなり、ルフェーブルが言った。

「彼女は元気そうですね。」ヴィエイヤールが言った。

ヴィエイヤールは、嘗《かつ》てオランダ王ルイ・ボナパルトとオルタンス・ド・ボーアルネとの間の最初の子供の家庭教師をしていたことがあり、彼が夭死《ようし》した後は弟のルイ・ナポレオンの教育にも当たっていたので、そのふたいとこであるフォルジェ男爵夫人とは、旧くからの知り合いであった。

ドラクロワは、椅子《いす》を勧めて自らは座ったままで、

「ええ、官展《サロン》の帰りに寄ってくれたんですよ。」と短く返事をした。

「そうだったのですか。実は我々も、丁度今サン＝ラザールの方の展覧会で、あなたの絵を観《み》て来たところなのですよ。特に例のオルレアン公爵夫人が買い取った、……」

「《ドメニコ僧脱衣す》ですか？」

「ドメニコ僧？　いえ、クレオパトラが描かれた、」

「では、《クレオパトラと農夫》の方ですね。あっちは、モルネ伯爵が買い取ってくれたんですよ。」

ドラクロワは、そう答えながら、もう十年近くも前に売ったその絵の代金を、モルネ伯爵が未《いま》だに支払ってくれないことを思い出した。今回の展示の交渉の際には、是非ともそのことを切り出すつもりであった。しかし、貸出の依頼を快諾されて暫《しばら》く談笑しているうちに、結局また言いそびれてしまって、今はもう諦《あきら》めに近い思いを抱いていた。

『一言言えばいいのだ、一言。きっと向こうは忘れているんだろうから。まさか悪意からでもあるまい。……しかし、すっかり忘れてしまっているのなら、こっちの言うことを信用しないかもしれない。変ですねェ、もう随分と以前にお支払いした筈《はず》ですが、……とか何とか言われれば、どうする？　面倒なことだ。十年間も引き伸ばしてきただらしなさのツケだな。……』

考えている途中で、ヴィエイヤールの声が耳に這入った。

「ああ、そうでしたか。いや、とにかく、あのクレオパトラの絵は実に素晴らしい。」

「まったくです。」ルフェーブルが、口を挟んだ。「特にあのクレオパトラの頭部は、ちょっと比類ないほどの成功を収めているように感じました。今日の展覧会の中でも、あれほど強い印象を与える絵は、先《ま》ず外にはありませんでしたよ。あなたのお描きになったクレオパトラは、シェイクスピア以上に雄弁に死を前にした彼女の心情を語りました！　それも、ラシーヌのような端正な調子で！」
「そうですか。有難うございます。」
ドラクロワは、素っ気なさを儀礼上の丁重さでうまく隠しながら、特に嬉《うれ》しいとも思
わずに礼を言った。
『大した褒めようだな。……まさしく絶讃《ぜっさん》だ。――しかし、その同じ彼らが、八年前に
この絵を官展《サロン》に出品した時にはまったく感心しなかったというのは、一体どういう事情
によることなのだ？　二人とも、あの時既に観ている筈じゃないか。……何のことはな
い、結局は流行の問題なのだ。八年経《た》って世間の風潮が変われば、駄作も突如として傑
作に変わる。しかも、作品そのものには、ただの一筆も加えることなく！　この絵が当
時被《こうむ》った非難といったら！　完成してないだ何だと難癖をつけていた連中が、急に掌《てのひら》を
返したように称讃し始める。貶しはしなかった者達も、だからといって庇《かば》ってくれる訳
ではなかった。精々こっそりと慰めの言葉を掛けてくれる程度のことだった。外の誰か
に聞かれぬように、辺りをきょろきょろしながら。――批評家って、おかしな人達です
わね、か。まったくだ。批評家だけじゃない。世間のみんながだ。折角ああ言ってくれ
たんだから、彼女にはもっと感謝しても良かったな。何であんな風に言ってしまったん
だろう？　少し不機嫌そうだったが。怒っているのかな？　悪いことをしたな。……』
ドラクロワは、憤慨するというよりも何処《どこ》か虚《むな》しい諦念《ていねん》にも似た思いで、こんなこと

を考えた。そして、会話を愉《たの》しむ気にもならずに、先ほどフォルジェ男爵夫人と話した通りに、またマルス嬢の病気の話題を持ち出した。

「……何処も彼処も、病人だらけです。」

今度は同じ言葉を、先週死んだバリーの娘のことを考えながら言った。葬儀に出席したあと、彼はヴィエイヤールの家に見舞いに立ち寄って、式場の殺風景についてを報告していたのであった。ヴィエイヤールも、すぐ様そのことを思い出した。

「バリー氏の娘さんにしても、気の毒なことでした。あなたは葬儀には？」

「いえ、僕は式のあとに知りましたから。」

ルフェーブルは、ドラクロワの感じた憤《いきどお》りなど知る由《よし》もなかったので、平気そうにそう答えた。ヴィエイヤールは、その答えの間《ま》の悪さに困惑して、

「私は、葬儀のあとに訪ねて来てくれた彼と、進歩という永遠の問題について――あなたは、そうおっしゃいましたね？――議論しましたよ。」と話頭を転じた。「我々二人は、世間一般の考えに反して、それがいかに信用の出来ないものかということを大いに語り合いました。我々のようなヴォルテール主義者がですよ！　しかし、ヴォルテール主義者であることと、悲観主義者であることとは、必ずしも矛盾しません。我々は、永遠にパングロス先生のようにはなれないのですから。」

ドラクロワは、「ええ。」と短く返事をしたものの、今は疲れていて、その議論を蒸し

返してルフェーブルに説明したくはなかった。そこで、それを制する為《ため》に、彼との議論の最後には必ず共感を込めて確認し合うマルティンの言葉を、もう十分に分かっているといった口調で発した。

「理屈抜きで働きましょう。人生を耐えられるものにする途《みち》は、ただこれ一つです。」

「そう！ 仰《おっ》しゃる通りです。何はともあれ、私達の畑を耕さねばなりません。」

ヴィエイヤールは、《カンディード》の中では、パングロスの言葉に対して発せられたこの主人公の言葉を、何時《いつ》の頃からか今言ったマルティンの言葉に対して発せられた言葉と勘違いしていたので、今もそのつもりで満足そうに返事をした。ドラクロワは、そうした誤解には気づかずに、また「ええ。」と小さく返事をした。そして、助けを求めるようにして、さりげなく部屋の隅に控えているジェニーの方を見遣《みや》った。一瞬目が合ったあとの彼女の理解の早さは、当の彼自身が感心するほどであった。

「あの、お話し中申し訳ございませんが、……そろそろ横になられた方が、よろしいいんじゃございませんでしょうか？」

ヴィエイヤールが、驚いたように、

「何処かお悪いんですか？」と尋ねた。

「ええ、朝からずっとでございます。本当は、起きてられないほどなんでございます。先ほどは、フォルジェ男爵《だんしゃく》夫人様がお出《い》でしたから、無理に起き上がってらしたのです。」

　ドラクロワは、ジェニーがそうして幾分大袈裟《おおげさ》に自分の体調の悪さを強調してくれたことに救いを感じた。けれども、彼女が咄嗟《とっさ》にフォルジェ夫人の名前を出し、無理にと力を込めて言うのを聴いて素直には喜べない気分になった。

「何時ものことです。ただ、今朝はちょっと悪かったものですから。」

「それは、いけませんね。我々はただ展覧会の感想を述べに立ち寄っただけですから、そろそろ、……」

　ヴィエイヤールは、こう言って促《うなが》すようにルフェーブルの方を振り返った。ルフェーブルも、

「ええ、残念ですが、いずれまたお元気な時にお邪魔することとしましょう。」と立ち上がった。

「今度は、是非ゆっくりとお話ししましょう。今日は折角来て戴《いただ》いたのにすみませんでした。」

　立ち上がると、ジェニーとともに二人を玄関まで見送りに出た。

　客が帰ると、ドラクロワは、

「有難う。君のお陰で助かったよ。」と彼女に礼を言った。

「とんでもございません。でも、お顔の色もやっぱりお悪いようで心配でございます。

本当に、フォルジェ男爵夫人様さえいらっしゃらなければ、ゆっくり出来ましたものを。……」

ジェニーはそう言うと、同意を求めるようにして彼の目を見つめた。

ドラクロワは、それにただ曖昧《あいまい》に笑ってみせただけであった。

十

翌日ドラクロワは、ままならぬ体調に癇癪《かんしゃく》が出そうになるのを堪《こら》えながら、下院へと出掛けて行った。二日分の仕事をするつもりで予定よりも長く足場の上に立っていたが、それが彼の健康をいよいよ悪化させることとなった。少しむきにもなっていた。重病の不安を振り払う為に、意欲の低下を、疲労と、それにも増して怠惰とのせいにして自らを叱咤《しった》していた。今日は是が非でもそれに打勝たねばならない。そう考えて、絵筆を放り出したくなる度に、どうにか自分を押し止《とど》めた。日が没して仕事を切り上げると、へたり込むようにして乗合馬車《オムニビュス》に乗ったが、それでもマルス嬢のことを思い出して、途中で降りて彼女の家まで見舞いに行った。

翌朝目を覚ますと、彼は起き上がることも出来ぬほどの疲労を感じて、結局それが単なる疲労ではないことを認めざるを得なくなった。以前からの喉《のど》の痛みに加えて、耳まで痛むようになっていた。咳《せ》き込むと頭痛が膨らんで、痛みの網で各々《おのおの》の器官を結びつけた。自分は病気なのだと独り言《ご》ちた。疲労なんかじゃなかった、病気だったのだと腹立たしげに何度も繰り返した。

已《や》むを得ず、郊外に保養に出掛けることにした。行き先は、何時ものようにシャンロゼであった。パリ南東のセナールの森近くにあるこの小村は、都市では護岸工事を施されて肩身を狭くしているセーヌ河が、谷を削って伸びやかに流れる美しい場所で、馬車での行き来は勿論《もちろん》のこと、汽車に乗れば二時間ほどで往復することが出来た。ドラクロワは、ここに家を持つヴィヨの一家の勧めで三年前に初めてこの地を訪れて以来、すっかりその景色に魅せられてしまった。そして、大革命以前はパリ市立病院の食料供給農場であり、以後は政府に買い取られて児童養護施設の所有地となった場所の建物の一部を安く借り受けると、家具を運び込み、庭に花を植えて、冗談半分に自ら「質素なエデン」と名づけ、暇を見つけては骨休めに足を運んでいた。

パリを発《た》つ前に、彼は約束通り、フォルジェ男爵夫人に会いに行った。前日彼は、へとへとになりながら近所の花屋に出掛けて彼女に花を贈っていたが、それが、夜になっても何の音沙汰《おとさた》もないので、どうしたものかと心配になっていた。案の定、家に行ってみると、彼女はもうケレル伯爵夫人と出掛けるところであった。

「あら、やっぱり、いらしたんですの？」

「そう言ったじゃありませんか。それに、出掛ける約束の時間には、まだ早い筈でしょう？」

「ええ、でも、予定を早めましたの。あなた、先日のご様子からして、今日はとても会いに来てはくださらないと思ってましたから。昨日のお花は、そのお詫《わ》びのつもりではなくて？」

「いえ、そうではありません。」――そうではなく、先日追い返した日の詫びのつもりだと言おうとした。しかし、わざわざそう説明するのも間が抜けているような気がして、「僕のあなたに対する変わらぬ愛情の印です。そのすべてを表す為には、勿論十分ではありませんが。」と言った。

喋《しゃべ》りながら、少し唐突過ぎたと思った。そしてそれを誤魔化そうと、つい冗談めかして微笑《ほほえ》んでしまった。それが何処となくふざけているように見えて、フォルジェ夫人は、「そう思いたいものですわ。花はすぐにも萎《しお》れてしまいますから。」と冷淡な返事をした。

このところ彼女は、倦怠《けんたい》に苛《さいな》まれて何もかもが面白くなかった。特別に理由がある訳ではない。ただ、人と会っても家でじっとしていても、どうにも心が晴れぬのである。先日、官展《サロン》見物に出掛けた際には、人の注目を浴びて久しぶりに気が紛れたようであった。しかし、折角そうした気分になれたのに、訪ねて行った当の画家本人からつれなく追い返されて、興醒《きょうざ》めしてますます塞《ふさ》ぎ込むようになっていたのだった。

——退屈なんだわ、わたくしきっと。……

倦怠の原因が、愛人にあるとは考えなかった。けれども、漸《ようや》くそれを脱しようとした時に、彼が何の力にもなってくれなかったことが不満であった。相談すらしなかった自分にも科《とが》のあることは知っていた。しかし、取りつく島もないような態度をとったのは、やはり彼の方だと思った。仕方がないわ、病気なんですもの、と何度も考えてみた。そんなことは、百も承知であった。承知していればこそ、一層歯痒《はがゆ》いような気がした。あの人がもっと健康だったなら、どんなに好《よ》かったかしらと想像してみた。そして、自分の残酷さを憎く思った。辛《つら》くなって、病気でなくとも、きっとあの人はあんな風なのだわと思い直した。ひょっとして、自分のことなどもう愛してはいないのかもしれないとも疑ってみた。そうした疑念は、耐え難かった。自分の抱いている愛情の深さと相手のそれとが、何処か釣り合っていないように感じた。あの人は、寝ても覚めても絵のことばかり。誰かを真剣に愛したことなど、本当は一度もないのかもしれない。そう考えると、愛されぬ原因が自分にあるのではないように思われて、少しは慰められる気がした。

『……ああ、でも、恐ろしいこと。本当に愛されていないのなら、わたくし、……』

こうした様子を見兼ねて、今日はケレル夫人が、鬱憤《うっぷん》晴らしに彼女を外へ連れ出そうとしているのであった。

　ジョゼフィーヌは、仕方ないわといった様子で彼を家の中に招き入れると、三時になるまでケレル夫人を交えて三人で雑談をした。

　ケレル伯爵夫人は、フォルジェ夫人の母方の祖父であるフランソワ・ド・ボーアルネ侯爵の後妻の子で、彼女の叔母に当たる人であった。以前からその姪《めい》とは親しく、ケレル伯爵の死後未亡人となってからは、殊《こと》に親類というよりも友人の一人として一層深く交わるようになっていた。一昨年になって帝政時代に知事職に就いていたアルマン・レティと二度目の結婚をし、今は前夫の姓を名乗ったまま、近所のマティニョン街十四番地に住んでいた。

　会話は専《もっぱ》ら、今フォルジェ夫人が彫刻家のダヴィッド・ダンジェに依頼しているメダルのことであった。

「あの方、まだ絵を観《み》にいらっしゃいませんの。あなたからも早くお出《い》でになるように言ってくださるかしら？」

　彼女はそのメダルを、ジョゼフィーヌ皇后のような顔に彫ってもらいたいと思っていた。それで前々から、ルイ・ナポレオンが母親のオルタンス大公妃から受け継いだもので、今はたまたまケレル夫人の家に飾られてあるプリュードン作の《皇后ジョゼフィーヌの肖像》を観に来るようにと、彫刻家に注文をつけていたのであった。

「本当に、プリュードンの描いたあの絵は、こっちのジョゼフィーヌにそっくりですこと。不思議なくらい。親類とはいえ、血は繋《つな》がってはおりませんのにね。でも、わたくしも是非とも観ておくべきだと思いますわ。わたくしの留守の時でも構いませんことよ。使用人に言いつけておきますから。」

「ええ、今日にでも、手紙を書いて念を押しておきましょう。」

「そうしてあげてくださるかしら。早い方がよろしいですわ。何時までわたくしの家にあるかも分かりませんし。それに、わたくし思いますの。あのプリュードンのジョゼフィーヌ皇后は、何となくちょっと影のあるような感じがいたしませんこと？」

「ええ、……そうですね。背景のマルメゾンの森のせいもあるでしょうけど、……ちょっと寂しいですかね。」躊躇《ためら》いつつも、彼は反論せずに同意した。

「ですから、この子の顔を彫る時には、もっと明るい感じに彫っていただきたいんですの。といって、あの神々《こうごう》しい感じは是非とも損なわないようにしなければなりませんわ。それもあなたからおっしゃっていただけませんこと？」

「ええ、伝えておきましょう。」

「ねェ、それがいいでしょう？」

　ケレル夫人がそう言うと、ジョゼフィーヌは浮かぬ顔をして、

「そんなに寂しいかしら、あの絵。……」と首を傾《かし》げた。

彼女は、ドラクロワが叔母の言葉に同意したことに不満を抱いた。彼がプリュードンを敬愛していることは、彼女も知っていた。昨年彼が《ルヴュ・デ・ドゥ・モンド》誌に《プリュードン論》を寄稿した時、それを一番に読んで感想を言ったのは彼女であった。だからこそ、今回の計画には、彼も無条件に賛成しているものとばかり思っていた。彼の仕事に何らかのかたちで接点を持ちたかった。固《もと》より役に立つことなど出来ない。ただ、同じ趣味に於《おい》て、同じ何かの完成を待っていることが愉《たの》しみだった。プリュードン風に仕上げられた自分の顔。それを、二人して眺めて、あれこれと他愛《たわい》もないことを語り合いたかった。それが今、叔母の言葉に返事をする彼の様子を見て、彼女は、この絵に限っては彼がさして気に入っていないのかもしれないという疑念を抱かせられた。好きでもないのに、好きな風《ふり》をしてみせている。自分の趣味に合わせようと無理をしている愛人を憐《あわれ》んで。――もしそうならば、彼らしい優しさだと思った。彼らしく氷のように冷たい優しさだと思った。或《ある》いは、こんな寂しげな肖像画に自らの姿を重ねて眺める愛人のことを、別の意味で――別のもっと残酷な意味で、憐んでいるのかもしれない。……何て自分は惨《みじ》めなのかしら。この人みたいな人の側《そば》にいなかったら、決してこんな思いをすることはなかったのに。決して。――

「……寂しいかもしれませんわね、やっぱり。そんなところまで、わたくしにそっくり。……」

思わずこんな言葉が口から漏れた。驚いて、二人が振り返った。フォルジェ夫人は、叔母の手前、直接彼に自分の胸の裡《うち》を打明けることも出来ず、ただその寂しさを最近の倦怠のせいにして曖昧に説明した。ケレル夫人は、かわいそうにと言って彼女の手を取った。ドラクロワは、掠《かす》れ気味の声で、時折激しく咳き込みながら熱心に慰めの言葉を掛けた。その様子を見ていると、彼女はもうそれ以上相談する気にもならず、早々に言葉を継ぐのを止《や》めてしまった。時間になると、三人揃《そろ》って家を出た。そして、幌《ほろ》を捲《まく》ったケレル夫人の幌付四輪馬車《ランドー》に乗り込むと、ドラクロワを、ヴィヨの義父でシャンロゼの家の持ち主であるバルビエのところまで送って行った。

ドラクロワは、シャンロゼに到着してからも、この日のフォルジェ夫人のことを思い返して、改めて長い慰めの手紙を書いた。沈み込んだ様子が心配だった。こういう具合に言えば良かったと、あとから色々な言葉が思い浮かんだ。出発を遅らせるべきだった。もっと彼女の側にいてやれば良かった。……反省して、自分の思いやりのなさを責めた。それでも、彼女を悩ませるその退屈な倦怠について、深く思いつめることはしなかった。何処《どこ》かでそうすることを拒んでいた。それは恐らく、二人の恋愛生活が宿す矛盾を明るみに出すこととなるに違いなかった。フォルジェ夫人は、そうした彼からの手紙を、縋《すが》るように何度も読み耽《ふけ》った。考え過ぎないことだというありきたりの言葉を、福音を授けられたかのように有難がった。離れてみると、まるで仕返しのように冷たく振る舞った先日のことが後悔された。病気のあの人に対して、自分は何と薄情であったのだろう。ただ自分のことしか考えていなかった。残酷な人間だとは思われなかったかしら。愛情を疑われはしなかったかしら。早速感謝の籠《こも》った返事を書いた。ドラクロワは、それを、不快に駆られながら《いとこベット》を読み進めている最中《さなか》に受け取った。そして、手紙の調子を余計に喜んだ。二人はまた手紙の往復をした。出す度に、彼は舌足らずな自分の口調をもどかしく思った。

『ああ、言葉というものは、どうして何時《いつ》も十分であるということがないのだろう？ もっとこう書くべきであったと、或いはもっと細かに説明すべきであったと、そんな風に後悔せずに済む手紙などあるだろうか？ 気がつかないからばかりではない。気がついてはいても、腕や目が疲れてしまったり、書き直しの手間を惜しんだりで、結局そのまま書き続けられてしまう。手紙だけじゃない。会話こそまさしくそうだ。議論をしてもそう。心情を打明け合ってもそう。遠慮したり、躊躇われたり、言うべき事柄を忘れてしまったり、途中で論理がこんがらがったり、……そんな諸々《もろもろ》の事情に邪魔されて、何時も何処かしら不満が残る。うまい言い回しなどというものは、大抵はあとから思いつくものだ。——ああ、まったく、小説や戯曲の登場人物のように、澱《よど》みなく雄弁に、万事を美しい言葉で語り尽くすことが出来るならば、どれほど好《よ》いだろうか？ 議論に於ては徹底し、確実な結論に至るまで惜しむことなく言葉を費やし、心情を明かすに際しては、この胸の裡が透いて見えるほどに疑いの余地のない適切な言葉を選択する。そんなことが可能であるならば。一度の会話で、生涯その問題へと立ち返る必要がないほどに、十分な表現が得られるのであるならば。……』

パリに帰ると早々に、彼は彼女の家で食事をした。再会は待たれ、そして、その分余計に喜ばれた。しかし、言葉は結局、手紙ほどにも雄弁には発せられなかった。

ショパンは、三月二十三日に、自宅で再びフランショームと作品六十五番のチェロ・ソナタの演奏を行った。招待客は、夫人がアレキサンデル・チャルトリスキ大公の実姉であるヴィルテンベルク大公夫妻、サンド夫人、そして、数日後にニースへ発つこととなっていた彼の最も愛するポーランド人女性の一人であるデルフィーナ・ポトツカ伯《はく》爵《しゃく》夫人であった。

サンド夫人はソランジュの結婚については、未《いま》だに延期したと言ったきり、口を噤《つぐ》んだままであった。ショパンも、真相については凡《およ》そのところを察しながらも口には出さなかった。その話題に触れぬ限りは、二人は一応の平穏を保つことが出来た。子供を交えて、普段通りに食事をした。ショパンの加減が悪ければ、彼女は進んで看病に出掛けた。健康の管理に気を配り、レッスンを引き受け過ぎることを、母親のように注意した。彼もそれに従った。腹を立てられるのとは違って、叱《しか》られることは心地好かった。そのことを嬉《うれ》しそうにグジマワ伯爵に報告したりした。「僕だって、いい大人なんだから、そんなことは分かっているのにね！」

そうして逐一、愚痴を零《こぼ》してみせることを忘れなかった。しかし、知られまいとする者は、知らされぬ者よりも常に多くを疑わねばならなかった。サンド夫人は、ショパンが結婚について何も尋ねないことを不審に思った。その方が、都合が好いには違いなかった。しかし、仮に彼がすべてを知った上で黙っているとするならば、それは自分に対する重大な侮辱であるように感じていた。

『そんなことがあるかしら？　知っていれば、何時もの調子でもっと気狂《きちが》い染《じ》みた騒ぎ方をする筈《はず》だわ。ソランジュのこととなると特にそう。……でも、結婚を延期したただなんてわたしの説明を、何時までも信じているかしら？　あんなに疑り深い人が。……それとも、初めから信じてなんかいないのかしら？　あり得ることね。信じていなくても、本当のことを訊《き》こうともしない。信じているような風《ふり》をする。彼らしいわ。彼らしい無関心。それも、自分を慕っているソランジュの結婚のことだというのに！』

サンド夫人は、クレザンジェを紹介する前から、彼がショパンの気に入らないであろうことは予想していた。驚くほどのことではなかった。自分の紹介する人間には、殊にそれが男である場合には、何時も何かと難癖をつけるのが彼だと思っていた。

『これまでにだって、何度そんなことがあったかしら？　しかも、大抵は莫迦気《ばかげ》た嫉妬《しっと》の為《ため》よ。あの気難しい人のお眼鏡に適《かな》う人なんて滅多にいるもんじゃないわ。』

そう考えると、クレザンジェが彼の不興を買ったのも、いわば当然のことであるような気がした。況《いわ》んや彼が、ソランジュとクレザンジェとの間に、何がしかの関係を認めているのだとするならば尚更《なおさら》だった。

『みんなが彼から贈られた作品を誉《ほ》め称《たた》えていた時の彼の態度といったら！　あの人に、彫刻なんて分かりっこないんだから、出来がどうのこうのなんていう高尚な話ではないのよ。ただ単に面白くないだけ。妬《や》いているのかしら？　呆《あき》れた人。……』

ショパンとサンド夫人とは、四月の最初の日に、ドラクロワの案内で上院図書室の彼の天井画を観に行った。前日確認した通りに、十一時にスクワール・ドルレアンで待合わせ、ショパンの四人乗りの幌付四輪馬車《カレーシュ》に乗って三人揃って出掛けた。到着するまでの退屈凌《しの》ぎに、ドラクロワは、彼らに簡単に絵の主題について説明をした。そして、図書室に這入《はい》って、二人をクーポラの下まで連れて行くと、それを踏まえてもう一度丁寧に解説をした。描かれた一つ一つの人物を指差しながら、熱心に、しかし、幾分遠慮気味に喋《しゃべ》る彼の言葉に、二人とも上を向いたまま何度も頷《うなず》いて、絵の出来栄《できば》えを褒めそやした。図書室を出ると、序《つい》でに美術館の方にも立ち寄って《キオス島の虐殺《ぎゃくさつ》》その他の作品も観て回った。

リュクサンブールをあとにしてから一旦《いったん》馬車で送ってもらうと、ドラクロワは、夕食をともにする約束をして自宅で暫《しばら》く休むことにした。二人と別れたのが丁度三時頃であったので、数時間はゆっくりすることが出来た。ジェニーが体調を気遣った。シャンロゼから帰って以来、二日間ほどは調子も良く、アトリエで仕事に手を着けていたが、それ以降はまた出発前と変わらぬ状態に戻って、絶えて絵筆を握らずにいた。

彼は、炉端の椅子《いす》に座って目を閉じた。最近は、人と喋るのがますます億劫《おっくう》になっていて、先日ボルノーの家でゴールトロンやリーズネールといった親戚《しんせき》と再会した時にも、殆《ほとん》ど口を開かずに始終黙って話を聴いていただけであった。今日はいわば例外であった。二人に会えたのが嬉しくて、つい熱を入れて話し過ぎてしまった。それですっかり疲れてしまった。

彼はぼんやりと、今し方スクワール・ドルレアンに帰って行ったその二人のことを考えた。

『あの二人が仲違《なかたが》いしているなんてことが信じられるだろうか？　マルリアニ夫人も、切《し》りに心配していたが。……そもそも、互いの何処を嫌いになるというのだろう？　あれほど魅力的な二人が。……ショパン――なんと、素晴らしい男だろう。彼の側にいて、ただの一度でも嫌な思いをしたことがあっただろうか？　あの愛すべき人柄と比類なき芸術的天分。軽薄な世間の連中が、何かにつけて天使のようななどという言葉を遣いたがることを、自分がどれほど軽蔑《けいべつ》しているか。それがだ、彼に限っては、まさしく進んでその言葉を用いたくなる。……』

考えているうちに、彼はふと、昨年の夏、彼らのいるノアンの館《やかた》を最後に訪《と》うた時のことを思い出した。

『仲違いとは、要するにああいうことをいうのだろうか？……』

その不快な光景を、彼は金輪際忘れることが出来なかった。——その夜、館の一階のサロンに集まった家族と客人達との前で、サンド夫人は何時ものように執筆中の自作の小説を披露した。《ルクレツィア・フロリアニ》と題されたその作品は、既に六月から《クーリエ・フランセ》紙に連載されており、この二人と所縁《ゆかり》のある者らを大いに困惑させ、時に憤慨させていた。それは、彼とて例外ではなかった。主人公の女優ルクレツィア・フロリアニとその恋人カロル・ド・ロスワルド大公とが、サンド夫人本人とショパンとをモデルにしていることは誰の目にも明らかであった。カロルは、ショパンであるとすぐに分るほどに、その特徴をはっきりと備えていたが、それは、描写の正確さの為というよりも、描写の仕方に表れた愛情の欠如が、作者自身の眼差《まなざし》を容易に想像させる為であった。そして、作中でルクレツィアは、作者とともに恋人の欠点に激しく苦悩し続け、やがて孤独に死んでゆくのであった。

『あの朗読の間中、どれほど耐え難い思いでそれを聴いたことか。込み上げる怒りを——そう、確かに怒りだった——必死に抑えながら。……あの悪意に満ちた描写の数々。

まるで生きた人間を解剖するかのような。……彼女は一体、どういうつもりだったのだろう？ そして、ショパンは？』——瞼《まぶた》の裏に、薄《うっす》らとその夜の彼の表情が浮かび上がった。——『ああ、そうだ、……君は、——僕の目の前に座っていた君は、読み上げられた小説に笑顔で讃辞《さんじ》を惜しまなかった。動揺する僕達すべてを不思議そうに眺めさえしながら、何時もと変わらぬあの眩《まばゆ》いような笑顔で。あの時感じた当惑。……そう、最初は感動さえしていた。苦痛の影を微塵《みじん》も覗《のぞ》かせることなく、怒りからは最も遠い場所で彼はただ優雅に微笑《ほほえ》んでいた。彼の外に、誰がそんなことが出来るだろうか？ 一体誰が？……ああ、しかし、事実はまるで違っていた。彼には——そう、彼には何も分からなかったんだ。何も。カロル大公が、自分のことだということさえも。……何ということだろう！……君は僕を部屋まで送ってくれた。自らそう申し出てね。あれは、僕にだけ私《ひそ》かに本心を明かす為ではなかったのかい？ 今し方どうにか我慢した恐ろしいほどの苦しみを、僕にだけ語って聞かせようとしたのではなかったのかい？ 違うのかい？ しかし、そうすべきだったのではないかい？ 是非とも、そう、……感情を押し殺して、やはり平静を装《よそお》ったのであろうか？ いや、きっとそうではなかった筈だ。彼は、彼女の作品中の最も美しい章句の幾つかを諳《そらん》じてみせ、それを我がことのように得意満面に称讃していた。毎日、彼女の書き上げる小説の続きを読むことがどんなに愉《たの》しみかと言って。……あの時の痛ましいほどの笑顔。……』

暑い八月の夜だった。彼は、そうしたショパンを愚かだとは思わなかった。愚かである為には余りにも美しかった。そして、何かこの世ならぬ純粋さのようなものを感じて、彼の不幸を一層憐《あわれ》んだ。

『あんなことは、あってはならないのだ。断じてあっては。先月の初めには、あの小説も本となって出版されたが。……しかし、彼女にせよ、今は後悔のない訳ではあるまい。十年近くも一緒にいれば、そういう時期もある。しかし、今はもう、……』

夕刻になって約束通りにサンド夫人の家に出掛けると、居間には珍しくショパンと彼女との二人だけがいた。ドラクロワは、その当たり前のような佇《たたず》まいに安堵《あんど》を覚えた。そして、食卓に着くと、喉《のど》の痛いのを我慢して一昨日フォルジュ男爵夫人とイタリア座に行った話をした。

「最終日だったからね、万難を排して行ったんだ。僕は、チマローザの《秘密の結婚》には、本当に感動した。あの神々《こうごう》しさといったら！　それに比べて、メルディだか、ヴェルディだか知らないけれど、あの《ナブッコ》ときたら！　まったく酷《ひど》い代物《しろもの》だったよ。僕は、とても最後まで聴いていられなかった。彼をロッシーニと比較するような軽薄な輩《やから》がいるけれども、とんでもない話さ！　彼には、ロッシーニのような思想もなければ理想もない。僕は、ヴェルディなんぞに熱狂しているロンドンやパリのご婦人方に対して、殆ど義憤に近いような軽蔑の念を抱いている。芸術家が鑑賞者の悪趣味に訴えて称讃を得ようなどということをしなかった時代には、大衆は間違いなく今よりも耳も目も肥えていた筈だよ。」ショパンは、同意するでも反論するでもなく笑って聴いていた。サンド夫人は、

「あなたにそこまで嫌われるなんて、ヴェルディもお気の毒ねェ。」とやはり笑って言った。

「君は、コンセルヴァトワールの方には行ってないのかい？」とショパンが尋ねた。

「うん、暫くは。」

「そう。丁度今、メンデルスゾーンをやっているよ。僕は月曜日に聴きに行って来たんだ。フランショームが桟敷席《さじきせき》の券を持って来てくれたからね。」

「君は、メンデルスゾーンとは親しいのかい？」

「うん、最近はとんとご無沙汰《ぶさた》だけどね。……君にこんなことを言うのもどうかとは思うけど、彼は絵もなかなか達者なんだよ。」

「へェ、それは知らなかったなァ。」

「水彩の風景画を何時《いつ》だったか見たことがあるよ。まァ、趣味程度のものだけどね。でも、彼は教養もあるし――何しろゲーテのお喋りの相手が務まるくらいなんだから――、君なんかとは、案外話が合うと思うよ。」

「そう？　残念ながら会ったことがないんだよ。彼については、殆ど知らないなァ。

……何時だったか、彼の作った交響曲がコンセルヴァトワールのオーケストラから突っ返されて、随分と臍《へそ》を曲げてたなんて話をリストから聞いたことがあるけど、……」

「ああ、《宗教改革》だね？　理屈っぽいって理由で駄目だったっていう話だろう？」

「いや、そこまでは知らないんだ。」

「確かそうだよ。リストはそんな話が好きなんだよ。でも、本当かなァ？……アブネックは頭の柔らかい人で、一貫して若い音楽家達の作品には寛大だったから。僕の協奏曲のパリでの初演も彼が指揮をしたし、リストやベルリオーズの作品も取り上げている。出来不出来はともかく、《宗教改革》が門前払いされたっていうのは当時から不思議だったけれど。……まァ、確かにベルリオーズには理屈も何もないけれど、しかし、その拒絶の理由は、ちょっと眉唾《まゆつば》ものかもしれないね。――そういえば、メンデルスゾーンとはフランショームの方が親しいんだよ。勿論《もちろん》、アブネックともだけど。」

「彼も、顔が広いんだね。」

「フランショームかい？　うん。チェロのパ、ガ、ニ、ー、ニ、なんて呼ばれていたら、嫌でも有名になるよ。実際、その名に恥じない腕前だからね。それに人がいいんだ、彼は。ベルリオーズとだって、喧嘩《けんか》せずにうまくやっていけるくらいなんだから！　僕のところへも、コンセルヴァトワールの授業の合間に、よく訪ねて来てくれるしね。考えてみたら、パリに来て以来、色んな音楽家と知り合ったけれど、ずっと親しくしているのは、彼くらいなものかもしれないな。」

「でも、歌手ではいるじゃないか。ポーリーヌ・ヴィアルド夫人だとか、……それから、……作曲家でも、マイヤベーアだとか。」

「うん。でも、フランショームとの仲はちょっと違うんだよ。」

「そう？　僕は、色んなところで会う割には、彼とはゆっくり喋ったことがないんだけれど、確かに君の言う通り、魅力のある感じがするね。もの静かで、決して派手ではないけれど。」

「うん、そうだよ。今は、三人の子供がみんな麻疹《はしか》に罹《かか》って大変だって愚痴を零《こぼ》しているよ。」

サンド夫人は、こうした二人の遣《や》り取《と》りを口を挟まずに聴いていた。そして、ショパンのような気難し屋と十五年以上にも亘《わた》って友情を絶やさずにいるフランショームという人間を、今更ながら尊敬したいような気になった。

食事を終えると、ドラクロワは、サンド夫人から一緒にクレザンジェの家に行こうと誘われた。

「この人は疲れていて無理なのよ。子供達はもう向こうへ行っているのだけれど、あなたはどう？」

ドラクロワは、躊躇《ためら》いはしたものの、疲労を押してまでクレザンジェなどに会うのはご免だと思って、丁寧に断った。

「そう。仕方がないわね。まったく、病弱にあらずんば芸術家にあらずって感じね、パリってところは。」

そう言うと、彼女は準備の為に部屋から出て行った。ショパンは、ドラクロワの方を向いて、困ったような顔をして笑ってみせた。

「大分、クレザンジェに熱を上げているみたいだね。」

「うん。何時ものことさ。向こうからも、毎日のように贈りものが来るんだ。この季節に薔薇《ばら》だとかね。温室栽培の贅沢品《ぜいたくひん》らしいけど。この前なんて、犬まで届けられたよ。それがまた、かわいげのない犬なんだ。」

「贈り主に似たのかな？」

「まったくだよ！」と笑いながら、「僕が見ると不機嫌になるのが分かっているから、今は何処《どこ》かに閉じ込めてあるんだよ、きっと。」

「道理で見ない筈《はず》だね。でも、僕もその方がいいな。僕はどちらかというと猫好きだからね。犬を飼いたいなんて思ったこともないなァ。」

「君は、猫っていうよりも、虎《とら》や豹《ひょう》じゃないのかい？」

「それはそうだ！　でも、そうすると、使用人が出て行ってしまうから我慢してるんだよ。」

二人で笑った。しかし、その笑いの引く時に、言葉も一緒に攫《さら》われて行ってしまったので、潮に洗われて空っぽになった浜辺のように、二人の真ん中にぽっかりと間が空いてしまった。その間が互いに気になった。それで、何か喋《しゃべ》ろうとして、二人同時に声を発した。

「ところで、」「昨日、」

「あっ、」「ああ、……いいよ、」

「いや、いいよ、そっちが先に。僕の方は大したことじゃないから、……」

「そう？」譲り合って、結局ドラクロワの方が口を開いた。「……ソランジュの結婚は、延期になったんだってね。」

「ああ、……」その話か、とショパンは思った。「……うん、そうみたいだね。僕も詳しくは知らないけれど。言いたがらないから、こっちも訊《き》かないことにしているんだ。」

そして、やや間を置いて、

「彼女は、来週の火曜日にはノアンに帰るみたいだよ。家族も一緒にね。モーリスは残るみたいだけど。」と言った。

「君は？」

「僕はパリにいるよ。レッスンもあるしね。夏はまたノアンでのんびりしたいから、今のうちにお金を貯《た》めておかないと。他人事《ひとごと》のように聴いてもらっては困るよ。君もだよ。

君がいないと、向こうでは本当に退屈してしまうんだから。」

「そうだね。この前会った時に、グジマワ伯爵《はくしゃく》がまた一度絵を観《み》せて欲しいって言っていたから、気に入ってくれれば僕も少しは裕福になるかもしれない。」

「気に入るよ。彼は君の絵が大好きなんだから。客が来る度に自慢しているよ。」

「そういうところは――何て言うのかな？――、無邪気と言っては失礼かもしれないけれど、……」

「うん、でも本当にそうだよ、彼は。気が若いんだ。僕の十七歳も年上で、ナポレオンを信じて、ポーランド解放の為《ため》に戦っていたような世代の人なのにね。」

「うん。僕の兄よりは流石《さすが》に若いけれど、……でも、時々僕より若いようにさえ感じることがあるよ。」

ドラクロワは、そう返事をしながら、胸の裡《うち》に自分でも正体のつかめぬ微《かす》かな寂寥《せきりよう》の萌《きざ》すのを感じて、そのまま喋るのを已《や》めてしまった。そして、何となく交わした今の会話のことを考えながら、不意に日中のリュクサンブールでのことを思い出した。

『そうだな、……グジマワ伯爵は、気に入ってくれているんだ。……』

ドラクロワの目の前には、現実のショパンとは別に、サンド夫人の隣で何度も「素晴らしい」と繰り返していた昼間の彼の横顔が浮かび上がった。天井を見上げて主題の解説をしながら、彼は、確認するかのように幾度となくショパンの方を振り返っていた。

撫《な》でつけた金髪が左右に開いて、蒼白《そうはく》の額が、まるでグラスの縁から盛り上がって今にも零れそうになっている水の表面のように澄んでいた。笑顔はその下で優しく親愛に富み、申し分もなく慇懃《いんぎん》であった。そして、それはやはり、感動を表すのとは違う何か別のものであった。

彼はショパンが、自分の作品を本心から気に入ってくれてはいないことを知っていた。それは、周囲の者も気づいていることであった。サンド夫人などは憚《はばか》ることなくそれを口にして、その上で、「あの人の頭の中には音楽しかないのよ。絵を観る目なんてないんだから。」と画家を慰めていた。なるほど、そうかもしれなかった。そしてそれは、必ずしも悪いことではなかった。縦《たと》えそうであったとしても、依然として彼が一流の音楽家であることには変わりがなかった。そして、それだけで十分な筈であった。しかし、外の人間についてならばそれで納得したとしても、ショパンについてはどうしてもそれでは気の済まぬところがあった。心の底では、一度でいいから彼がバッハを語る時のような口調で、自分の作品を誉《ほ》め称《たた》えるのに接してみたいと思っていた。自分が彼の音楽を愛するほどに、彼にも自分の絵を愛してもらいたいと思っていた。

気がついたのは、もう随分と以前のことである。考えてみれば当然のことであった。ミケランジェロにもシェイクスピアにも眉を顰《ひそ》めて首を横に振る彼が、殺戮《さつりく》の場面に満ちたウージェーヌ・ドラクロワの作品を、好きになろう筈などなかった。最初から分かりきっていた。しかし、それでも彼は、ショパンがそうした素振りを露ほども見せず、何時でも懇篤《こんとく》な讃美《さんび》の言葉を忘れぬことに感謝していた。時にはふと、彼も次第に自分の絵を理解してくれるようになったのかもしれないと希望を抱くことがあった。そう信じて悪い理由などない筈であった。しかし、そうしたことを考える次の瞬間には、必ず何時も遣りきれない虚《むな》しさに襲われて、今し方の根拠のない思い込みを自ら厳しく打消すのであった。

「どうしたんだい？」

……結局自分は、芸術家としての尊敬は一向に得ることが出来ぬまま、せめて彼の友情だけを信じ、満足せねばならないのだ。何が不満だというのだろう？　それで十分じゃないか。……

「いや、別に。」ドラクロワは、そうした思いを抱きながら何気ない風を装《よそお》って言った。

「そう言えば、さっき君の言いかけたことは何だったんだい？」

「ああ、……何を言おうとしていたんだろう？　忘れてしまったよ。でも、きっとその程度のことさ。思い出したらまた言うよ。」

ショパンは、死んだ兄のことを気にしているのだろうかと思いながら、わざと明るくそう言った。

「そう。……サンド夫人は遅いね。」

「うん。でも、ましな方じゃないかな。」

　ショパンは、彼を喜ばせる為に何か冗談でも言おうと思った。そして、

「階級の高さと化粧時間の長さとの間には、きっと厳格なる正比例の関係があると思うよ。昔はレッスンに出向いて行って、僕もよく待たされたものさ。」と言った。

　ドラクロワは、その言葉の唐突さに少し驚いたが、すぐに微笑《ほほえ》んで、

「そうだね。化粧を取ると誰だか分からない伯爵夫人なんて随分といるっていう話だしね。」

「うん。顔を描くのが下手な画家には、君から一度、彼女達を弟子に採って手伝わせることを勧めてみるといいよ。自分の顔をカンヴァスにして、日夜習作に励んでいるんだから。」

「名案だね！　うん、そうだ、僕はフレスコ画を描く時には、艶《つや》を抑える為に絵具に蠟《ろう》を混ぜているんだけれど、今度その秘密の技法を、ご婦人方の化粧技術の更なる向上の為に、こっそり伝授しておくことにしよう。」

「へェ、それはいいね！　感謝されること間違いなしだよ。みんな汗を掻《か》いて顔に妙な艶の出てくることに困っているんだから！」

「鼻を小さく見せる方法、口元を上品に見せる方法、何でも教えるさ。」

「そう？　その鼻を小さく見せる方法っていうのは、僕もちょっと興味があるな。」

「教えようか？」

こんな悪洒落《わるじゃれ》を、青年時代に戻ったかのように二人で笑い合った。すると、丁度そこにサンド夫人が戻って来た。

「何だかとっても愉《たの》しそうね。」

彼女は、自分のいない間に彼らが何を喋っていたかが気になって、そう言った。二人は彼女の化粧を見たあとに、顔を見合わせて思わず吹き出した。彼女には、それが面白くなかった。

「まァ、まァ、気味の悪いこと。そうして何時《いつ》までも笑ってらっしゃい。わたしは、もう出掛けるわよ。」

そう言われて、二人とも叱《しか》られた子供のように口を噤《つぐ》んだ。そして、彼女が遠ざかったのを確かめると、また顔を見合わせて、今度はまた先ほどとも違った意味で笑った。

十一

四月六日に、サンド夫人、ソランジュ、オーギュスティーヌ、それに使用人のルースがノアンへ向けて出発すると、ショパンはまたパリで独りの生活を始めた。モーリスは残っていた。しかし、皆がいなくなってしまうと、顔を合わせる機会もめっきり減って、ノアンから来る手紙の言伝《ことづて》を伝える外は、食事をともにすることさえ稀《まれ》になってしまった。勿論《もちろん》、クレザンジェの往来もぱったりと絶えた。

ショパンは、午前中の加減の良い時には作曲を試みた。幾つかの断片的な着想が頭の中に響いて、それを即興で弾いてみたりした。なかなか満足しなかった。弾き続けていると、それなりに曲らしくなることもあった。しかし、譜面に書き起こして完成させることを考えると、途端に嫌気が差して、散漫で出来損ないであるように感ぜられてきた。手を施す術《すべ》もない！　そんなことを考えながら、悪くない部分だけを書き留めた。そして、翌日見直して丸めて捨てた。

落ち着いてピアノの前に座っていることが出来なかった。何か取るにも足らぬ些《さ》細《さい》なことに、大いに気を殺《そ》がれた。書き掛けの楽譜に向かうと、窓から射込《さしこ》む日の光が譜面台の縁に白く反射しているのが気になった。爪《つめ》の汀《みぎわ》の皮が糸のように逆剝《さかむ》けしているのを見つけて、一本々々丁寧に毟《むし》ったりした。鍵盤《けんばん》に手を掛けたまま、何も弾かずに一時間も考え事をした。時々、音を出さぬようにゆっくりと鍵を押さえてみたりした。咳《せき》の発作に腕を枕《まくら》に俯《うつぶ》せになって、そのままずっと下を向いていることもあった。そんな時には、楽器の匂《にお》いが冷たく立ち昇って、鼻の周りに纏《まと》わりついた。嘗《かつ》てのように、溢《あふ》れ返る旋律を一つも逃すまいと、筆を執って譜面に飛びつくようなことがなくなった。曲を書きたいとは思っていた。しかし、何か曖昧《あいまい》な障害に邪魔されて音に手が届かぬように感じていた。仕方なく、ノアンで書いた三つのマズルカの手直しをした。それと同時に、出版予定の件《くだん》のチェロ・ソナタの校正も進めた。

レッスンの生徒は、入替り立替り毎日のように訪れ、時には一日に七人にも及ぶことがあった。初心者や子供のみならず、技量に不足のある者は紹介があっても断わったが、一旦《いったん》生徒となれば、彼はその誰に対しても努めて熱心に指導し、ほんの数小節でも雑に弾き流すような箇所があれば、必ず演奏を止めて、自分で手本を示すようにしていた。楽曲の正確な理解と解釈とは、一部の才能豊かな弟子達の独創を尊重する場合を除いては、かなり厳格に要求した。根拠の曖昧な感覚頼りの練習を嫌い、暗譜していても楽譜は必ず持参させて、気づいたことはその場ですぐに書き込んだ。満足されるほどに上達した曲は、楽譜の隅に小さく×印をつけ、それで卒業であった。レッスンにはプレイエル社製のグランドピアノを用い、伴奏が必要な時には自身はもう一台のアップライトのピアノを弾いた。見学は許可を得れば認められたが、原則は一対一であった。

トーマス・テレフセンやカロル・ミクリのような職業音楽家達のレッスンが行われる一方で、控えの間では、順番を待つ伯爵夫人や男爵夫人達が、最近出版された《ルクレツィア・フロリアニ》の噂話《うわさばなし》をした。実際に読んでいる者は殆《ほとん》どいなかったが、聞けばどうやら酷《ひど》い内容らしいというので、皆が読んだ気になって心《こころ》からショパンに同情した。

「そもそも、あんなに身持ちが悪くて、しかも、常識外れのお考えをお持ちの方ですもの。ショパン様のご心痛もお察しするに余りありますわ。」

中にはこう言って頷《うなず》き合いながら、ともすれば自分こそが、この薄幸の天才音楽家の新しい心の慰めとなり得るのかもしれないと私《ひそ》かに希望を抱く者もあった。それは、胸の躍るような考えであった。パリのサロンというサロンで、「あの方が、今度ショパン様の新しい詩神《ミューズ》となられた方ですわ。」などと囁《ささや》かれる。どんなに気分が好《よ》いだろうか？　毎晩自分だけの為に、あのうっとりとするようなピアノを弾いてくれる。その流麗な美しい旋律で、自分に対する愛情を表現してくれる！　空想に浸って気が遠くなりそうだった。しかも、強《あなが》ちあり得ぬことではないのだ！　その癖に、レッスンを終えて碧眼《へきがん》の美しいポーランド人のカレルギ夫人が出て来たりすると、「あの方など、いかにもショパン様がお好みになりそうな方ですわ。」などと囁き合ったりした。レッスンは、以前にショパンが出来の悪い生徒の前で昂奮《こうふん》してペンを折っただとか、椅子《いす》を壊しただとかいう伝説を耳にしていたので、誰もが真面目《まじめ》に受けた。レッスン代とは別に、贈りものをする者もあった。中に、ボルドーに農園を持つ自分のいとこに、香料などを一切含まぬ特別のショコラを作らせて贈った者があった。ショパンはこれを甚《いた》く気に入った。そして、底をつくと、自ら頼んで彼女に持って来てもらうようにしていた。

生徒以外の来客も多かった。フランショームやロズィエール嬢の訪れることは普段通りであったが、四月の第三週には、新しい協奏曲が評判となっているヴァイオリニストのヴィユタンが、夫人を連れて自宅を訪れ、その演奏を披露した。晩餐《ばんさん》に招待されるなどして、彼自身もしばしば外出した。レッスンもなく、雨も降らぬような日には、昼間から家を空けることもあった。早起きをして床屋のデュランに髪を切らせ、弟子のグートマンの演奏会に出席した。官展《サロン》に足を運んでは、ドラクロワの作品や世間で盛んに議論されているトマ・クーテュールの《頽唐期《たいとうき》のローマ人》などを観《み》て回った。彫刻の展示場所では、クレザンジェの作品に目を止めた。そして、その官能的な像が、明らかに彼の、そして、その他多くの者の情婦と噂される女を象《かたど》ったものであることに驚いて、ゆくゆくはソランジュの裸体も、こうしてパリ中の晒《さら》しものになるのかと居た堪《たま》らない気分になった。

気の紛れそうなことは何でもやってみた。ポーランドの家族に宛《あ》てた手紙を、日記のように数日置きに書き綴《つづ》りながら、三週間も掛けて完成させた。「大作に取り掛かっているんだ。」とよく冗談を言った。親しい友人達は、彼を訪《と》う度に「まだ、出していなかったの？」と呆《あき》れるのが習慣になっていた。ロズィエール嬢は、自分の手紙も添えて欲しいと月の初めに託しておいたが、一旦それを取り返して渋々最初から書き直した。時機が外れて台なしになったと愚痴を言う彼女の様子を面白がって、早速手紙に書き加えて報告した。月の半ば過ぎには、以前から知っている画家のアリ・シェフェールのアトリエで、肖像画のモデルとなった。その外にも、ヴィンターハルターが、友人のプラナート・デ・ラ・フェイの為《ため》に、アンリ・レマンが、銀行家のオーギュスト・レオの為に、やはり彼の肖像画を描く予定になっていた。

「どうしてだろうね。これまで別に、肖像画を描いて欲しいなんて思わなかったのに、最近になって、急に興味を持ち始めたんだ。君に描いてもらった立派なのがあるから、それ以上は望まなかったのかもしれないけれど。」

アトリエでポーズを取った帰りには、何度かドラクロワの家にも立ち寄った。

「アリは、元気かい？」

「うん、元気だよ。」

「そう。好かった。もうずっと会っていないから。どちらかというと、僕は若い時から兄のアンリの方と仲が好かったからね。といって、最近は彼とも会っていないけれど。」

「お兄さんの方は僕も会っていないよ。――あ、そうだ、ところで君は、銀板写真《ダゲレオタイプ》には詳しいのかい？」

「いや、それほどでも。」

「今度、機会があれば、一度撮ってみたいと思っているんだ。」

「どうしたんだい、肖像画の次は銀板写真《ダゲレオタイプ》なんて？　レッスンで伯爵《はくしやく》夫人達ばかりに囲まれていると、趣味まで似てきてしまうのかな？」

「いや、本当にそうなんだ。僕は今、実に長い手紙をポーランドの家族に宛てて書いているんだけど、それにもパリでの生活を余すところなく記してあるよ。丁度、退屈したご婦人方が、せっせと日記をつけるようにね。でもそれが、単なる暇潰《ひまつぶ》しとも思えないんだ。家族に乞《こ》われてということもあるけれど、それだけではない。どう説明したものか――うまくは言えないけれど。……」

ショパンと同様にドラクロワもまた時折アトリエで絵筆を執ってみる以外には、殆ど仕事に手を着けずにいた。四月に這入《はい》ると、ゴーティエとトレとの官展評《サロン》が、前者は《プレス》紙に、後者は《コンスティテュスィオネル》紙に相次いで掲載された。どちらも至って好意的であった。ドラクロワは、若い時分に散々批評家から酷い目に遭わされた後遺症で、四十九歳になった今でも、自作を世間がどう受け止めるかということには極めて敏感であった。

『さすがに、《サルダナパールの死》の時のような酷評は見なくなったが。……』

《地獄のダンテとヴェルギリウス》で、グロやジェラール、それにティエールといった少数の理解者を得た彼も、次作《キオス島の虐殺《ぎゃくさつ》》を発表するに及んでは、一段と激しい非難を浴び、頼りとしていたグロからでさえも、最初の讃辞《さんじ》を撤回されて、「絵画の虐殺」であるという冷淡な評価を受けることとなった。こうした無理解は、《サルダナパールの死》の官展《サロン》出品に於《お》いていよいよ極まった観があった。批評家は、殊《こと》に手厳しくこの作品を批判した。題材の不適切、時・場所・行為の一致という古典的規範の逸脱、遠近法の不正確、前景の混乱、身体の不自然な歪《ゆが》み、背景の杜撰《ずさん》、時代考証の曖昧、……その他のあらゆる欠点が、皮肉混じりに指摘された。題名に掛けて、「ロマン主義の死」という者もあった。称讃する者は、トレなど極僅《ごくわず》かに過ぎなかった。

ドラクロワは、何処《どこ》へ行っても作品の醜さを嘲笑《ちょうしょう》する者に出会《でくわ》して、甚だ意気消沈した。初めは出来るだけ気にせぬように心掛けて、無視をすることに決めていた。批評家のこんな不当な批判を、真に受ける者などあるまい。そう考えて希望を持った。しかしそれはまったく虚《むな》しい希望であった。方々のサロンで、良い趣味を持った議論好きの人間が、進んで批評家の言葉を引用し、彼の作品の短所を論《あげつら》った。聴く者もまたそれに同意した。判断に迷っていた者は安心して否定に回った。最初は感動していた者も考えを翻《ひるがえ》して難点を数え始めた。ドラクロワという名を聞くと、自然と失笑が漏れた。皆口々に、あんな絵を描くぐらいだから、頭の中ではどんな残酷なことを考えているかしれないと言った。酒場では画学生達がしたり顔で、「あんなのは、全然駄目だね。」などと言い合った。ドミノの合間にはその悪口を言うのが気が利《き》いていた。そうした現場に遭遇する度に、彼は歯痒《はがゆ》さに地団駄を踏んだ。どうして、あんな愚にもつかない意見に感心しているのだろう？　自分は人から莫迦《ばか》のように思われている。しかも、批評家の莫迦さ加減のツケを回《めぐ》り回って払わされているのだ。アレティノが、ミケランジェロは破廉恥《はれんち》な画家だと言った時、大衆の多くはそれに同意しただろう。破廉恥なのは、無論アレティノの方だ。どれほど偉大な絵であろうと、破廉恥な人間の目には破廉恥に映る。しかし、そのアレティノの破廉恥さが受けるべき責めは、結局ミケランジェロが負わねばならなかった。ミケランジェロは、破廉恥な画家であるという汚名によって。何と理不尽なことであろうか。自分の場合も同じだ。何の違うところがあろう！——考えると、苛立《いらだ》たしさが募った。それは当然に自信の裏返しであった。しかし、官展《サロン》に足を運んだ誰しもが、余りに当たり前のように作品を貶《けな》すのを目にし続けて、次第に彼も自作の出来に不安を覚えるようになっていった。実際は、彼らの言う通り、途轍《とてつ》もない駄作に仕上がっているのかもしれない。自分は長く作品と接し過ぎた為に、欠点に慣れてしまっただけなのかもしれない。疑い始めると、官展《サロン》の会場に行って、もう一度あの絵の前に立つのが怖くなった。そして、友人のスーリエに「虐殺第二号」などと銘打って、この作品の制作過程を無邪気に語った手紙のことを思い出して、言いしれぬ惨《みじ》めさを感じた。

失望は大きかった。こうした風評は、結局政府にこの絵の購入を断念させるに至った。《地獄のダンテとヴェルギリウス》にせよ、《キオス島の虐殺》にせよ、世の悪評にも拘《かかわ》らず、いずれも政府買取りとなっていたのである。彼は、当時内務省の美術局局長であったソステーヌ・ド・ラ・ロシュフーコー子爵に呼び出されて、政府としては君の才能に注目し、好意を寄せている、しかし、こうした創作態度は誠に遺憾であるという内容の忠告を受けた。彼を動揺させたのは、批評としてはまったく以《もっ》て愚にもつかない代物《しろもの》であり、また是非ともそう見做《みな》されねばならない筈《はず》の主張の数々が、公《おおやけ》の権力に対して一つの重大な意義を持ち得たということであった。遠近法上の歪みがあるという。そんなことは分かりきっていた。分かった上で、構図の劇的効果を考え、敢《あ》えてそうしたのである。背景がぞんざいであるという。それもわざとである。必要以上にあらゆる細部を描き過ぎることは、単純さという偉大な古典的徳目を逆に殺してしまうことになる。身体の歪み、前景の混乱、……皆わざとである。あれも、これも、考え抜かれてのことである。そもそも、批評家が一目見て気がつくほどのことを、何箇月にも亘《わた》って制作に携わった画家本人が、どうして気がつかぬことなどあろうか？

　批判されることは構わなかった。しかし、どのような立場でものを言うにしても、最低限満たしておかねばならない言説の水準はある筈であった。従来の作法通りに描かれていない絵がある。当然違和感を覚えるだろう。しかし問題は、何故《なぜ》そのような手法が採られたか、その意義とそこから生み出された結果の是非とを考えることだ。その地点に立って、画家の意図の失敗が難ぜられるのであればまだ良い。議論のしようもある。しかし、それにだに及ばず、ただ自分の見慣れぬ手法や題材を欠点として非難する。そんなことが罷《まか》り通るのであろうか？　何故そうなっているのかと、たった一度考えてみれば良いことではないか。どうしてそれをしないのだろう？　その余地もないほどに、自分の絵は失敗しているのだろうか？

しかし、こうしたことは、幾ら頭の中で唱えてみても無駄であった。政府が自分の画風に難色を示している。この単純な事実は、深刻な問題であるに違いなかった。彼は、画家としての自分の将来について何度となく考えた。そして、その都度暗い予感を抱いた。もっと大きな絵を描きたい。それも、人の沢山訪れる大きな建築物の壁に描きたい。希望は誰よりも強かった。しかしそれは、政府の庇護《ひご》なしには叶《かな》えられぬ希望であった。金は問題ではなかった。しかし、金を得る為につまらぬ仕事を強いられ、才能を浪費し、創作の時間を奪われて、無駄に老いてゆかねばならないことは、何にも増して苦痛であった。

『……必ず通らねばならない道であったのだろうか？』

発表されたばかりの今年の官展《サロン》評を読みながら、彼はそんなことを考えた。

『いや、……恐らくは、必要のない苦悩だった筈だ。それが一体、何の益するところがあっただろうか？　何にもならなかった。……自分がこれまでに歩んで来た画業の道は、自分で発見し、自分で切り開いたものだ。批評が何を教えてくれたというのだ？　無意味な――そんな無意味な苦悩をこれまでどれほど耐え忍ばねばならなかったことであろう？……』

ドラクロワは、ゴーティエの絢爛《けんらん》たる称讃の言葉を改めて嬉《うれ》しく思って、家にまで出向いて行って礼を言った。ゴーティエは、そこでもう一度、今年の出品作の美点を称《たた》えて彼に個展を開くように勧めた。

「それも、出来る限り多くの作品を集めてです。あなたならば、個展をやっても空威張りのようには思われませんよ。第一お金も集まります。計画なさるのであれば、微力ながら私も協力します。」

「そうですね。考えておきましょう。」

翌日彼は、リヨン鉄道の株を千フラン分購入し、一方でラフィットの銀行に二千フランを預金した。数日後、今度はトレに宛てて手紙で礼を書いている時に、ふとそのゴーティエの言葉を思い出した。

『個展か。……アトリエに眠っている絵のすべてを展示することが出来れば、さぞかし壮麗な光景だろうな。そうなれば、今はエクーブレにあるあの不遇な《サルダナパールの死》も浮かばれることだろう。この前のヴィエイヤール達の例もある。今ならみんな、あれを理解するかもしれない。……しかし、本当に可能だろうか、個展を開くことなんて？　空威張りのようには思われないなんて言っていたが。世間は実際のところ、どう思うだろう？……』

パリでこうしてさしたる騒動もなく、倦怠《けんたい》ばかりが二人の芸術家に寄り添っていた頃、ノアンでは一つの事件が起こっていた。月の半ばに至って、オーギュスト・クレザンジェが卒然とノアン侵攻を決行したのである。

これは、極めて周到な作戦であった。しかも、結局のところ誰の手柄かさえも分からぬような作戦であった。

サンド夫人の家族がパリを発《た》とうとする数日前、ソランジュは、焦燥に駆られて独りでクレザンジェのアトリエを訪れていた。彼女は、鑿《のみ》を片手に話に耳を傾ける彼に向かって、出発の日を目の前にして、自分が今どれほどパリに残りたいと思っているかを訴えた。ソランジュが、母親の意見に同意して一緒にノアンへ帰ることにしたのは、彼女なりの算段があったからだった。彼女は今や、彼との婚約を熱烈に望んでいた。その約束を何としてでもこの機会に得たいと願っていた。切迫した状況が自分に味方してくれる筈であった。愛する女が去ろうとしている。どうして引き止めないことがあろう？自分はそれをつれなく断ろう。彼は絶望し、必死になって説得し、終《つい》には結婚の約束だけでも取りつけたいと願うだろう。決してその場では返答すまい。そのままノアンに帰ってしまおう。きっと追い掛けて来る。そして、憔悴《しょうすい》しきった面持ちで、恋人の残酷さを責め、自分の苦悩がどれほど大きかったかを語り、今一度、より激しく情熱に富んだ言葉で永遠の愛を誓ってくれるだろう。その時にこそ受け容《い》れよう。結婚に対する避け難い不安を——それこそは、思慮深さと常に一つに結び合っている！——十分同情に値する哀れな調子で告白し、自分の過《あやま》ちを涙ながらに後悔してみせながら。……それを可能としてくれるのは、ノアンであった。それ以外にはあり得なかった。パリの喧騒《けんそう》の中では、こうした奇跡は起こりようがなかった。誰もがクレザンジェを誤解しているこのパリという都市では。――彼女は、自分の思い描いた計画に微塵《みじん》も疑いを挿《はさ》まなかった。出発の予定をほんの少し仄《ほの》めかすだけで、相手は必ずや悲嘆に暮れ、引き止めたがるに違いなかった。いや、引き止めねばならなかった。愛しているのなら。……しかし、彼女のそうした思惑は、完全に外れてしまった。クレザンジェは、彼女の帰郷の話に決して動揺しなかった。当たり前のように聞いて、「またすぐに会えますよ。」などとのんきな返事をした。時にはうっかりと、しつこく話題を蒸返す彼女に面倒臭そうな顔をした。拒まれてソランジュは逆に気が動転した。忽《たちま》ち愛されてはいないのかもしれないと不安になった。彼が独りでパリに残るということは、どういうことだろうかと考えてみた。すぐに外の女のことが思い浮かんだ。自分が田舎でのんびりしている間に、彼女達の方に気が移ったらどうしよう？　自分はやっぱり、ただ一時《いっとき》弄《もてあそ》ばれたに過ぎなかったのだろうか？　最後の訪問の際には、思いきって芝居を打つ覚悟でいた。大仰な身振りで別れを惜しみ、涙を流した。喋《しゃべ》っているうちに、どうしたことか涙が止まらなくなった。そして、しゃくりばかりが出て、話を続けることが出来なくなった。クレザンジェは、優しく彼女を慰めた。しかし終に、行くなとも、自分が行くとも言わなかった。

ソランジュを送り返したあと、クレザンジェは、そうした自分の態度に惚《ほ》れ惚《ぼ》れとした。そして、独りで戯《おど》けて、「危ねェ、危ねェ。」と呟《つぶや》いた。

『俺様ともあろう者が、情に動かされて大事な計画を台なしにするところだった！　まさか泣き出すとは思わなかったからな。あれもなかなか、かわいいところがあるな。しかし、泣かれれば何でも言うことを聞く男だなんて思われたんじゃァ、敵《かな》わねェ。こっちが冷たい態度に出れば、女ってのは、ますますむきになって言い寄って来るもんさ！』

クレザンジェとサンド夫人との間には、或《あ》る暗黙の了解があった。彼は前々から、ソランジュに結婚を申し込む意思のあることを母親に匂《にお》わせていた。サンド夫人の方もそれを察していた。彼女は、ここに至って事の推移をほぼ完全に把握していた。そしてそれが、最早《もはや》あと戻りの出来ぬところまで来ていることも理解していた。それは彼女の見るところ、悪くはない状況であった。そうであるならば、最後の一幕こそは是非とも母親である自分の手によって書かれるべきであった。婚約は障害なく速やかに結ばれることが望ましかった。それがパリでは不可能であるという考えに於ては、この二人も一致していた。僅か二箇月ほどの滞在の間に、娘と同様、母親も、そして当の本人でさえも、オーギュスト・クレザンジェという男がこの町ではどれほど評判の悪い人間であるかを、嫌というほど思い知らされていた。クレザンジェとサンド夫人とは、結婚の申し込みの場所としては、ノアンこそが最適であるということに於ても一致していた。ただし、ショパンの手前、同行することは出来ない。あとからこっそりと彼がノアンを訪れる。そこまでが、二人が暗に示し合わせていたことであった。

果たしてクレザンジェの許《もと》には、ノアンに着くや早々にサンド夫人から招待の手紙が届いた。彼女は若者の軽率さを警戒して、この計画は飽くまで秘密裡《り》に遂行されねばならないと強調した。出発を誰かに漏らすことなど以ての外である。道中の手紙でさえをも慎まねばならない。世間の、就中《なかんずく》田舎の人間がどれほどお喋り好きかということを彼女は熱心に説いた。それが回り回って、ソランジュの父親の耳にでも這入《はい》れば、事態は進行に重大な支障を来《きた》すだろうともつけ加えた。そんなことは重々承知だとクレザンジェは思った。そして、次の手紙で地図を送るからという彼女の言葉もお構いなしに、牝《めす》馬《うま》一頭を伴って列車に飛び乗り、ノアンを目指した。

彼には勝算があった。サンド夫人は、すべてが自分の意図した通りに進んでいると思っていたが、彼は彼で自分こそがそうして彼女に采配《さいはい》を振らせているのだと思っていた。母親に対しては、既に勝利を確信していた。あとは肝心の娘だけである。それこそ何の問題もなかった。その気持ちについては疑うべくもない。立場については？　これも楽観していた。彼はソランジュが、許嫁《いいなずけ》という立場を、事実上とっくに免《まぬが》れていることを知っていた。何よりも、彼女をアトリエに招いて、彼以外の別の男の許嫁で居続ける為《ため》には誠に都合の悪い一つの焼印を捺《お》していたのは彼自身であった。彼女に対してこそ、作戦は何の前触れもなく決行されるべきであった。この点に関しても、サンド夫人と彼とは考えを同じくしていた。突然目の前に現れた恋人に、ソランジュは狂喜するに違いない。驚きが矢のように彼女を射る。唐突さと無礼さとは、食《は》み出した情熱の証《あかし》として受け止められるであろう。そこで、才能豊かな若き彫刻家は、彼女の手を取り、感涙に噎《む》せながら婚姻を申し込むのだ！　彼は、夢中で飛び乗った列車の中で、何度となくその光景を思い描いた。彼女が拒絶することなど、更に考えられない。母親が歓迎することは勿論《もちろん》である。自分はまるでサンド夫人の小説に出て来るような男だ、実に情熱に溢《あふ》れていると一度も彼女の作品を読んだことのない彼は思った。その情熱が、ますます以て彼女を感動させるに違いない！

『訳のないことだ。俺を毛嫌いしていやがるショパンもいないことだし。まァ、あの男もなかなか莫迦《ばか》じゃないということだな。あとは、オーギュスティーヌか。あいつはどうってことない。何時《いつ》も俺に、おべっかばかり遣ってきやがる。しかも、俺のではなくて、サンド夫人の気に入る為なのだからな。ふん、まァ、いいさ。あれだってもうじき、俺の妹になるのだからな。いやいや、待てよ、妹どころか、姉上様になるんじゃねェか。こいつは傑作だ。まァ、どっちにしろ、そうなれば、少しはかわいがってもやるさ。――それにしても、よくもまァ、こんな凄《すご》い勢いでパリを飛び出して来たもんだ。よっぽど俺はソランジュを愛しているんだな。しかも、当てずっぽうに来ちまったもんだから、妙な道に迷い込んじまった。やっぱり、地図を待っていた方が良かったかな？ いやしかし、ぐずぐずしていて、万が一にもあのとんまなプレオーとかいう田舎者の餓鬼に、縒《よ》りを戻されでもしたんじゃァ様《ざま》ァないからな。進軍あるのみ！ かのナポレオンも言っているじゃないか、――我々の部隊は好んで前進する。侵略戦争が好きなのだ。しかし、一つところに留まって防御態勢にあることはフランス人は不得手である、と。嵐《あらし》のような勢いで侵略し、忽《たちま》ちのうちに講和条約！ これが我がフランス軍のやり方だ！ 食糧も衣服も必要なしだ！』

独りで旅をしていると、退屈さも手伝って一刻も早く彼女の許へと駆けつけたくなった。そして、慣れない列車でへとへとになった馬の腹を、苛々《いらいら》しながら「こん畜生、もっと速く走りやがれ！」と何度も蹴《け》飛《と》ばした。

サンド夫人は、馬の為に渋々宿を取ったクレザンジェから、二通目の手紙を待たずして家を飛び出して来たという手紙を受け取り、呆《あき》れ果てた。そして、兄の到着を見越してノアンに手紙を寄越した弟のグザヴィエ・クレザンジェに、彼の代わりに、もう一度、兄の行き先については口外せぬようにと念押しの手紙を書いた。ここに至っても、ソランジュにはまだ何も知らせてはいなかった。事後も知らせるつもりはなかった。クレザンジェの行動は、飽くまで彼独りの思いつきによるものでなければならなかった。自分は招待などしていない。地図を送るなど身に覚えのないことである。それでこそ、娘の感激は計り知れぬものとなる筈《はず》であった。そして、知らずに一生を終えてこそ、幸福な思い出となる筈であった。母親に急《せ》かされて――しかも、何かと気に喰わない母親に――駆けつけて来た男になど、何の魅力があろう？　娘の喜びの一方で、求婚者は、すべてを自分の手柄とすることが出来る。しかも、彼を嫌うパリの知人達に対しては、母親の自分は、事の一切を彼の独断と説明することが出来るのである。誰一人として不利益を被《こうむ》る者はない。何と素晴らしい計画であろうか！

四月十三日、ソランジュは、母親の感嘆の声に、何事かしらと二階から駆けつけたが、玄関に立っていたのが、馬を降りたばかりで旅の埃《ほこり》に塗《まみ》れたままの彫刻家その人であるのを認めて卒倒しそうになった。そして、庭の明かりを背に受け、両手を広げて微笑《ほほえ》む彼の姿を、幽閉の身のダナエが、太陽の光そのものに姿を変えて矢狭間《やざま》から忍び込んだゼウスを眺めるようにして、眩《まぶ》しく見つめた。

『いいえ、アンドロメダを救いに来たペルセウスかしら！』

連想は不正確で、的外れでさえあったが、それを考えてみる暇《いとま》はなかった。希望に満ちた未来への予感が瞬時に彼女を満たし、有頂天にさせた。果たしてクレザンジュは、その場で彼女に求婚し、サンド夫人に許しを求めた。

「二十四時間以内に決めて下さい。それ以上待たされれば、私はこの、あなたへの愛情の火に耐え兼ねて、焼死してしまうでしょう。ああ、しかし、その時間だに待ちきれぬかもしれない！　一秒々々が無限のように長く感ぜられる！　そしてその無限のような長い一秒々々が今にも私を焼き尽くそうとする！」

少々芝居掛かっていた。しかし、ソランジュはそれを疑わず、寧《むし》ろ芝居のように素敵なことだと思った。サンド夫人は、

『なかなかやるじゃないの。何という情熱！　何という行動力かしら！　作者の期待以上だわ！』と思った。そして、促すように娘の方を見て、『――さァ、あとはあなただけよ。どうか大人になってちょうだい。子供染《じ》みた反抗はもう沢山よ。』

ソランジュは、母親の心配を余所《よそ》に彼の言葉を受け容れた。母親も当然それを許した。

「ああ、私は、何という仕合せ者でしょう！　一生、これほど美しい人の為に献身的な愛を捧《ささ》げ続けることが出来るとは！　一生、これほど聡明《そうめい》で聖母のように優しい方に忠実なる子供として仕え続けることが出来るとは！」

三人は、抱き合って涙を流した。各々《おのおの》が自身の勝利を信じていた。サンド夫人も、ソランジュも、クレザンジェも、結局すべて自分の思い描いていた通りに事が運んだと思っていた。一頻《ひとしき》り喜びの言葉を交わし合うと、一瞬静かになった。このあとはどうしたものかと三人一緒に戸惑った。サンド夫人が、今夜はみんなでお祝いをしましょうと提案した。二人とも同意した。その様子を階段の途中で見ていたオーギュスティーヌが、

躊躇《ためら》いがちに近づいて来て、思いきって明るく祝福を述べた。サンド夫人は、彼女をも強く抱き締めた。輪が四人になった。ソランジュは、その光景に興醒《きょうざ》めした。

『何よ、心にもないこと言ってお母様のご機嫌を取って。空々しいったらないわ！』

けれども、そのまま黙っている為には些《いささ》か昂奮《こうふん》し過ぎていたので、出来るだけ感謝を込めず、優越感のみを声に響かせるようにして礼を言った。それを見てクレザンジェは、吹き出しそうになるのを必死で我慢した。

それから三日間というもの、念願叶《かな》って新しい許嫁となったこの男は、寝ることも食べることも忘れて、ソランジュの傍らにつき従った。サンド夫人は、ノアンに来てから彼がたったの二時間しか寝ておらず、しかも、気力も体力も一向に衰えを知らぬことに驚き、呆気《あっけ》に取られながらもますます見上げたものだと感心した。クレザンジェは、慌《あわただ》しい滞在の間に首尾良く目的の一つであった持参金の約束までをも取りつけて、三日目の晩に再びパリへと向けて出発した。彼はそこでモーリスと落ち合い、彼を伴って、そのまま休む間もなくカジミール・デュドヴァン男爵《だんしゃく》のいるロート・エ・ガロンヌのギュリーへと侵攻した。未成年のソランジュの結婚の為には両親の同意が必要とされていたからである。

サンド夫人は、二人の娘とノアンに残って、出来るだけ早急に式を挙げられるようにと、その手続きに骨を折った。傍らで小説の執筆も行った。筆を休めて椅子《いす》の背に凭《もた》れ掛かっている時には、決まって二人の結婚式のことを考えた。衣装は何を着せようかしら？　場所は？　ネラック？　ノアン？　パリ？　いずれにせよ、挙式の一時間後には、新婚旅行に発《た》たせてあげないと。行き先は？　ローマはどうかしら。彼も敬愛するミケランジェロを飽きるほど観《み》てくれればいいわ。帰って来たら、たくさん土産話を聴けるわね。そして、秋はまたみんなでノアンで過ごそう。――考えていると、これまでの不和が嘘《うそ》のように安らかな気分になった。

『わたしはやっぱり、あの子を愛している。あの子もきっとそう。ただ何かの原因でほんの少し歯車が噛《か》み合わなくなっていただけ。――そう、何かの原因で。……早く子供を産むといいわ。産めば母親の気持ちも分かる筈。』

そんな時には、ショパンのことなどすっかり忘れていた。そして、思い出すと、明るい筈の未来が俄《にわ》かに陰りを帯びて来るような気がした。

『とにかく、ノアンで事を運ぶという考えは間違ってはいなかったわ。あの人がこの場にいなかったことは本当に幸いね。いればきっと、また莫迦なことを言って騒ぎ立てたに違いないんだから！　ここに来る前だって、意味ありげに、ソランジュの結婚は焦《あせ》って決める必要がないなんて言っていたもの。何にも分かってない癖に。あの子の仕合せを考えるような風《ふり》をして、結局自分のことしか考えていないのよ。ソランジュがいなくなると寂しいから。それに、クレザンジェが嫌いだから。それだけよ、結婚に反対する理由なんて。嫉妬《しっと》よ、嫉妬。とにかくこの結婚は、このまま迅速に、秘密裡に進める必要があるわ。』

クレザンジェが、ノアンを発った日の夜、彼女は、パリのショパンとモーリスとに宛《あ》てて、それぞれ別々に手紙を書いた。ショパンには、結婚のことは一切知らせず、クレザンジェがノアンに現れたことも伏せたままで、来月末にパリに戻るということだけを伝えた。モーリスには、クレザンジェの行動力をカエサルに譬《たと》えてみせながら、ここ数日の間に起こったことを具《つぶさ》に報告した。当然二人の婚約についても書いた。そして、今後の予定を記して、パリで彼が家を訪れるであろうことを知らせ、同時に、一緒にギュリーへ行く前にデュドヴァン男爵にそうした事情をうまく説明しておいて欲しいと頼んだ。すべては秘密とされねばならないと注意をした。取り分けショパンには、ただの一言も告げてはならないと記した。最早決定事項である。彼の意見は聴く必要がなかった。

「関係のないことです。ルビコン川を渡ってしまえば、もしやしかしは、百害あって一利なしです。」

この作品は平成十四年八月新潮社より刊行された『葬送　第一部』を上下二分冊としたうちの上巻である。

平野啓一郎著
葬送 第二部（上・下）
二月革命が勃発した。七月王政の終焉、共和国の誕生。不安におののく貴族、活気づく民衆。時代の大きなうねりを描く雄編第二部。

平野啓一郎著
透明な迷宮
異国の深夜、監禁下で「愛」を強いられた男女の数奇な運命を辿る表題作を始め、孤独な現代人の悲喜劇を官能的に描く傑作短編集。

平野啓一郎著
顔のない裸体たち
昼は平凡な女教師、顔のない〈吉田希美子〉の裸体の氾濫は投稿サイトの話題を独占した……ネット社会の罠をリアルに描く衝撃作！

平野啓一郎著
日蝕・一月物語 芥川賞受賞
崩れゆく中世世界を貫く異界の光。著者23歳の衝撃処女作と、青年詩人と運命の女の聖悲劇。文学の新時代を拓いた2編を一冊に！

平野啓一郎著
決壊（上・下） 芸術選奨文部科学大臣新人賞受賞
全国で犯行声明付きのバラバラ遺体が発見された。犯人は「悪魔」。'00年代日本の悪と赦しを問うデビュー十年、著者渾身の衝撃作！

西村賢太著
疒《やまいだれ》の歌
北町貫多19歳。横浜に居を移し、造園業の仕事に就く。そこに同い年の女の子が事務のアルバイトでやってきた。著者初めての長編。

泉 鏡花著
歌行燈・高野聖
淫心を抱いて近づく男を畜生に変えてしまう美女に出会った、高野の旅僧の幻想的な物語「高野聖」等、独特な旋律が奏でる鏡花の世界。

泉 鏡花著
婦系図
『湯島の白梅』で有名なお蔦と早瀬主税の悲恋物語と、それに端を発する主税の復讐譚を軸に、細やかに描かれる女性たちの深き情け。

井上 靖著
猟銃・闘牛
芥川賞受賞
ひとりの男の十三年間にわたる不倫の恋を、妻・愛人・愛人の娘の三通の手紙によって浮彫りにした「猟銃」、芥川賞の「闘牛」等、3編。

井上 靖著
孔子
野間文芸賞受賞
戦乱の春秋末期に生きた孔子の人間像を描く。現代にも通ずる「乱世を生きる知恵」を提示した著者最後の歴史長編。野間文芸賞受賞作。

石原慎太郎著
太陽の季節
文学界新人賞・芥川賞受賞
「太陽族」を出現させ、戦後日本に衝撃を与えた『太陽の季節』。若者の肉体と性、生と死を真正面から描き切った珠玉の全5編！

井上ひさし著
父と暮せば
愛する者を原爆で失い、一人生き残った負い目で恋に対してかたくなな娘、彼女を励ます父。絶望を乗り越えて再生に向かう魂の物語。

伊藤左千夫著　**野菊の墓**

江戸川の矢切の渡し付近の静かな田園を舞台に、世間体を気にするおとなに引きさかれた政夫と二つ年上の従姉民子の幼い純愛物語。

織田作之助著　**夫婦善哉《めおとぜんざい》**　決定版

思うにまかせぬ夫婦の機微、可笑しさといとしさ。心に沁みる傑作「夫婦善哉」に、新発見の「続 夫婦善哉」を収録した決定版！

岡本かの子著　**老妓抄**

明治以来の文学史上、屈指の名編と称された表題作をはじめ、いのちの不思議な情熱を追究した著者の円熟期の名作9編を収録する。

尾崎紅葉著　**金色夜叉**

熱海の海岸で、許婚者の宮の心が金持ちの他の男に傾いたことを知った貫一は、絶望の余り金銭の鬼と化し高利貸しの手代となる……。

梶井基次郎著　**檸檬**（れもん）

昭和文学史上の奇蹟として高い声価を得ている梶井基次郎の著作から、特異な感覚と内面凝視で青春の不安や焦燥を浄化する20編収録。

倉田百三著　**出家とその弟子**

恋愛、性欲、宗教の相剋の問題について、親鸞とその息子善鸞、弟子の唯円の葛藤を軸に「歎異鈔」の教えを戯曲化した宗教文学の名作。

辻邦生著

西行花伝

谷崎潤一郎賞受賞

高貴なる世界に吹き通う乱気流のさなか、現実とせめぎ合う〝美〟に身を置き続けた行動の歌人。流麗雄偉の生涯を唱いあげる交響絵巻。

辻邦生著

安土往還記

戦国時代、宣教師に随行して渡来した外国船員を語り手に、乱世にあってなお純粋に世の道理を求める織田信長の心と行動をえがく。

池澤夏樹著

マシアス・ギリの失脚

谷崎潤一郎賞受賞

のどかな南洋の島国の独裁者を、島人たちの噂でも巫女の霊力でもない不思議な力が包み込む。物語に浸る楽しみに満ちた傑作長編。

遠藤周作著

白い人・黄色い人

芥川賞受賞

ナチ拷問に焦点をあて、存在の根源に神を求める意志の必然性を探る「白い人」、神をもたない日本人の精神的悲惨を追う「黄色い人」。

遠藤周作著

海と毒薬

毎日出版文化賞・新潮社文学賞受賞

何が彼らをこのような残虐行為に駆りたてたのか？　終戦時の大学病院の生体解剖事件を小説化し、日本人の罪悪感を追求した問題作。

遠藤周作著

留学

時代を異にして留学した三人の学生が、ヨーロッパ文明の壁に挑みながらも精神的風土の絶対的相違によって挫折してゆく姿を描く。

大岡昇平著　俘虜記　横光利一賞受賞

著者の太平洋戦争従軍体験に基づく連作小説。孤独に陥った人間のエゴイズムを凝視して、いわゆる戦争小説とは根本的に異なる作品。

大岡昇平著　武蔵野夫人

貞淑で古風な人妻道子と復員してきた従弟勉との間に芽生えた愛の悲劇――武蔵野を舞台にフランス心理小説の手法を試みた初期作品。

大岡昇平著　野火　読売文学賞受賞

野火の燃えひろがるフィリピンの原野をさまよう田村一等兵。極度の飢えと病魔と闘いながら生きのびた男の、異常な戦争体験を描く。

大江健三郎著　死者の奢り・飼育　芥川賞受賞

黒人兵と寒村の子供たちとの惨劇を描く「飼育」等6編。豊饒なイメージを駆使して、閉ざされた状況下の生を追究した初期作品集。

大江健三郎著　われらの時代

遍在する自殺の機会に見張られながら生きてゆかざるをえない〝われらの時代〟。若者の性を通して閉塞状況の打破を模索した野心作。

大江健三郎著　芽むしり仔撃ち

疫病の流行する山村に閉じこめられた非行少年たちの愛と友情にみちた共生感とその挫折。綿密な設定と新鮮なイメージで描かれた傑作。

中村文則著

土の中の子供

芥川賞受賞

親から捨てられ、殴る蹴るの暴行を受け続けた少年。彼の脳裏には土に埋められた記憶が焼き付いていた。新世代の芥川賞受賞作！

中村文則著

遮光

野間文芸新人賞受賞

黒ビニールに包まれた謎の瓶。私は「恋人」と片時も離れたくはなかった。純愛か、狂気か？　芥川賞・大江賞受賞作家の衝撃の物語。

中村文則著

悪意の手記

いつまでもこの腕に絡みつく人を殺した感触。人はなぜ人を殺してはいけないのか。若き芥川賞・大江賞受賞作家が挑む衝撃の問題作。

加賀乙彦著

宣告

日本文学大賞受賞（上・中・下）

殺人を犯し、十六年の獄中生活をへて刑の執行を宣告される。独房の中で苦悩する死刑囚の魂を救済する愛は何であったのだろうか？

菊池寛著

藤十郎の恋・恩讐の彼方に

元禄期の名優坂田藤十郎の偽りの恋を描いた「藤十郎の恋」、仇討ちの非人間性をテーマとした「恩讐の彼方に」など初期作品10編を収録。

北杜夫著

夜と霧の隅で

芥川賞受賞

ナチスの指令に抵抗して、患者を救うために苦悩する精神科医たちを描き、極限状況下の人間の不安を捉えた表題作など初期作品5編。

永井荷風著
ふらんす物語
二十世紀初頭のフランスに渡った、若き荷風の西洋体験を綴った小品集。独特な視野から西洋文化の伝統と風土の調和を看破している。

中島敦著
李陵・山月記
幼時よりの漢学の素養と西欧文学への傾倒が結実した芸術性の高い作品群。中国古典に取材した4編は、夭折した著者の代表作である。

永井龍男著
青梅雨
野間文芸賞受賞
一家心中を決意した家族の間に通い合うやさしさを描いた表題作など、人生の断面を彫琢を極めた文章で鮮やかに捉えた珠玉の13編。

庄野潤三著
プールサイド小景・静物
芥川賞・新潮社文学賞受賞
突然解雇されて子供とプールで遊ぶ夫とそれを見つめる妻——ささやかな幸福の脆さを描く芥川賞受賞作「プールサイド小景」等7編。

島尾敏雄著
死の棘
日本文学大賞・読売文学賞
芸術選奨受賞
思いやり深かった妻が夫の〈情事〉のために神経に異常を来たした。ぎりぎりの状況下に夫婦の絆とは何かを見据えた凄絶な人間記録。

谷崎潤一郎著
卍（まんじ）
関西の良家の夫人が告白する、異常な同性愛体験——関西の女性の艶やかな声音に魅かれて、著者が新境地をひらいた記念碑的作品。

葬《そう》送《そう》 第一部（上）

新潮文庫 ひ－18－3

平成十七年八月一日発行
令和四年九月二十五日五刷

著者 平《ひら》野《の》啓《けい》一《いち》郎《ろう》

発行者 佐藤隆信

発行所 株式会社 新潮社

郵便番号 一六二―八七一一
東京都新宿区矢来町七一
電話 編集部(〇三)三二六六―五四四〇
読者係(〇三)三二六六―五一一一
https://www.shinchosha.co.jp

価格はカバーに表示してあります。

乱丁・落丁本は、ご面倒ですが小社読者係宛ご送付ください。送料小社負担にてお取替えいたします。

印刷・大日本印刷株式会社 製本・加藤製本株式会社

ISBN978-4-10-129033-1 C0193